A ESTRADA
DO
FUTURO

Apoio cultural:

UNIBANCO

BILL GATES

com

Nathan Myhrvold
Peter Rinearson

A ESTRADA
DO
FUTURO

Tradução:
BETH VIEIRA
PEDRO MAIA SOARES
JOSÉ RUBENS SIQUEIRA
RICARDO RANGEL

Edição e supervisão técnica:
RICARDO RANGEL

Assessoria técnica:
SYLVIA MERAVIGLIA-CRIVELLI

1.ª reimpressão

COMPANHIA DAS LETRAS

Copyright © 1995 by William H. Gates, III
Copyright da edição original em língua inglesa © 1995 by William H. Gates, III
Copyright da tradução em língua portuguesa © 1995 by William H. Gates, III
Todos os direitos reservados
Publicado por acordo com a editora original, Viking Penguin,
uma divisão da Penguin Books, USA, Inc.

Título original:
The road ahead

Foto de capa:
Annie Leibovitz

Projeto gráfico:
Hélio de Almeida

Preparação:
Carlos Alberto Inada

Revisão:
Ana Maria Barbosa, Carmen T. S. da Costa
Rosemary Cataldi Machado

Índice remissivo:
Roderick Peter Steel, Maria de Macedo Soares

Windows é uma marca registrada da Microsoft Corporation nos EUA e em outros países
Microsoft Press é uma marca registrada da Microsoft Corporation

Dados Internacionais de Catalogação na Publicação (CIP)
(Câmara Brasileira do Livro, SP, Brasil)

Gates, Bill
    A estrada do futuro / Bill Gates, Peter Rinearson ;
tradução Beth Vieira ... | et al. |; supervisão técnica Ricardo
Rangel. — São Paulo : Companhia das Letras, 1995.

    Título original: The road ahead.
    ISBN 85-7164-509-4

    1. Computação — Histórias 2. Comunicações — História
3. Gates, Bill 4. Informática — História 5. Informática —
Indústria 6. Redes de informação I. Rinearson, Peter. II.
Rangel, Ricardo.

95-4649   CDD-004.6

Índices para catálogo sistemático:
1. Comunicação por computador : Redes : Processamento de
   dados 004.6
2. Informação : Redes : Processamento de dados 004.6
3. Redes de comunicações por computador : Processamento
   de dados 004.6
4. Redes de informação : Processamento de dados 004.6

1995

Todos os direitos desta edição reservados à
EDITORA SCHWARCZ LTDA.
Rua Tupi, 522
01233-000 — São Paulo — SP
Telefone: (011) 826-1822
Fax: (011) 826-5523

ÍNDICE

Prefácio 7

1 Começa uma revolução 11

2 Os primórdios da era da informação . 34

3 Lições da indústria da informática . . 52

4 Aparelhos e aplicativos 89

5 Caminhos para a estrada 117

6 A revolução do conteúdo 145

7 Implicações para as empresas 173

8 Capitalismo sem força de atrito 199

9 Educação: o melhor investimento . . 231

10 Conectado em casa 255

11 A corrida do ouro 280

12 Questões críticas 308

Posfácio 339

Índice remissivo 341

PREFÁCIO

O
s últimos vinte anos foram uma aventura incrível para mim. Tudo começou quando eu estava no segundo ano da faculdade, no dia em que Paul Allen e eu paramos no meio de Harvard Square e devoramos, fascinados, o artigo da revista *Popular Electronics* sobre um kit de computador. Não sabíamos direito como seria usado, mas tínhamos certeza de que aquele primeiro computador realmente pessoal mudaria a nós e ao mundo da computação. Estávamos certos. A revolução da microinformática aconteceu e afetou milhões de pessoas. Levou-nos a lugares que mal podíamos imaginar.

Estamos todos iniciando outra grande viagem. Para onde, também não temos certeza, mas uma vez mais estou convencido de que essa nova revolução afetará um número ainda maior de pessoas e nos levará bem mais longe. As principais mudanças dizem respeito à maneira como as pessoas vão se comunicar entre si. Essa revolução iminente nas comunicações trará benefícios e problemas muito maiores do que a revolução da microinformática.

Não existem mapas confiáveis para territórios inexplorados, mas podemos aprender lições importantes com o processo de criação e desenvolvimento da indústria de microinformática, que movimenta 20 bilhões de dólares. O microcomputador — com hardware em evolução, aplicações profissionais, sistemas on-line, conexões à Internet, correio eletrônico, programas de multimídia, ferramentas de criação, jogos — é o alicerce da próxima revolução.

No período em que a indústria da microinformática ainda engatinhava, os meios de comunicação de massa prestaram muito pouca atenção a esse novo negócio. Nós que vivíamos fascinados pelos computadores e suas promessas passamos despercebidos a quem estava fora do grupo. Decididamente não estávamos na crista da onda.

Hoje, porém, essa nova viagem pela chamada estrada da informação é pauta de inúmeros artigos em jornais e revistas, matéria de reportagens na televisão e no rádio, assunto de conferências e de especulações desenfreadas. O interesse pela questão tem sido inacreditável nos últimos anos, tanto dentro quanto fora da indústria da informática. Um interesse que não se restringe apenas aos países desenvolvidos mas que ultrapassa até mesmo o número bastante grande de usuários de micros.

Agora, milhares de pessoas, informadas ou desinformadas, especulam publicamente sobre a estrada da informação. A quantidade de malentendidos em torno da tecnologia e de suas possíveis ciladas me espanta. Tem gente que acha que a estrada da informação — também chamada rede — é simplesmente a Internet de hoje, ou a distribuição de quinhentos canais simultâneos de televisão. Outros esperam ou temem que surjam computadores tão inteligentes quanto os seres humanos. Todos esses progressos virão, mas isso não é a estrada da informação.

A revolução nas comunicações está só no começo. Vai durar muitas décadas e receber impulso de novas "aplicações" — novas ferramentas atendendo a necessidades por enquanto ainda imprevistas. Nos próximos anos, governos, empresas e indivíduos terão de tomar decisões fundamentais. Decisões que influirão na forma como a estrada da informação vai se expandir e na quantidade de benefícios a serem auferidos por todos os que participarem. É crucial que um amplo círculo de pessoas — e não apenas os técnicos ou aqueles envolvidos na indústria da informática — participe dos debates sobre como deverá ser moldada essa nova tecnologia. Se isso puder ser feito, a estrada da informação servirá aos propósitos dos usuários. Aí sim, obterá aceitação ampla e se tornará realidade.

Escrevi este livro como parte de minha contribuição ao debate e, mesmo sendo uma tarefa dura, espero que sirva como um guia para a próxima viagem. Faço isso, é verdade, com um certo receio. Todos nós já zombamos de previsões passadas que hoje parecem tolas. É só folhear exemplares antigos da revista *Popular Science* para encontrarmos artigos sobre avanços iminentes, tais como o helicóptero familiar ou uma energia nuclear "tão barata que o consumo não será medido". A História está repleta de exemplos hoje ridículos, como o professor de Oxford que, em 1878, descartou a energia elétrica dizendo que era um truque sensacionalista; ou o diretor do departamento de patentes dos Estados Unidos que, em 1899, solicitou que sua repartição fosse abolida porque "tudo o que pode ser inventado já o foi". Este livro pretende ser um livro sério, embora daqui a dez anos possa não parecê-lo. Tudo aquilo que eu tiver dito de certo será considerado óbvio. O que estiver errado será considerado cômico.

Acredito que a trajetória da criação da estrada da informação espelhará, sob vários aspectos, a história da indústria da microinformática. Incluo um pouco de minha própria história — sim, até eu falo da casa — e a da computação em geral, para ajudar a explicar alguns dos conceitos e lições do passado. Quem estiver esperando uma autobiografia ou um tratado a respeito de como se sente alguém com tanta sorte quanto eu ficará decepcionado. Talvez quando me aposentar eu acabe escrevendo algo do gênero. Este livro, porém, está de olho principalmente no futuro.

Todos os que imaginam que irão encontrar um tratado tecnológico também ficarão decepcionados. Ninguém deixará de ser atingido pela estrada da informação, por isso todos deveriam ser capazes de entender suas implicações. É por isso que desde o início minha meta foi escrever um livro que fosse compreensível para o maior número possível de pessoas.

O processo de pensar e escrever *A estrada do futuro* levou mais tempo do que imaginei a princípio. Aliás, calcular o tempo que me tomaria foi tão difícil quanto programar o cronograma de desenvolvimento de um grande projeto de software. Mesmo com a ajuda competente de Peter Rinearson e Nathan Myhrvold, este livro foi um empreendimento e tanto. A única parte fácil foi a foto da capa, de Annie Leibovitz, que terminamos muito antes do prazo. Gosto de redigir discursos e pensei que escrever um livro fosse parecido. Ingenuamente, imaginei que escrever um capítulo equivaleria a escrever um discurso. Incorri no mesmo tipo de erro cometido tantas vezes pelos projetistas de software: um programa dez vezes mais longo é cerca de cem vezes mais complicado de escrever. Eu já devia saber disso. Para terminar o livro, tive de tirar folga e me isolar, eu e meu PC, em minha casa de veraneio.

E cá está ele. Espero que estimule a compreensão, o debate e o aparecimento de novas idéias para que se possa tirar o melhor proveito possível de tudo quanto certamente vai acontecer na próxima década.

1

COMEÇA UMA REVOLUÇÃO

Escrevi meu primeiro programa de computador quando tinha treze anos de idade. Era um programa de jogo-da-velha. Usei um computador enorme, desajeitado, lento e absolutamente fascinante.

Deixar um bando de adolescentes brincar com um computador foi idéia do Clube das Mães da Lakeside, a escola particular que eu freqüentava. As mães resolveram destinar o dinheiro arrecadado num bazar de caridade à instalação de um terminal e à contratação de tempo de computador para os alunos. Permitir que colegiais usassem um computador, no final dos anos 60, foi uma idéia extraordinária para a Seattle da época — pela qual serei eternamente grato.

Esse terminal de computador não tinha tela. Para jogar, digitávamos nossas jogadas num teclado semelhante ao de uma máquina de escrever, depois ficávamos sentados ali em volta, até os resultados voltarem pipocando por uma barulhenta impressora. Avançávamos todos para ver quem tinha ganho ou decidir qual a próxima jogada. Uma partida de jogo-da-velha, que levaria trinta segundos com papel e lápis, podia consumir quase todo o horário de almoço. Mas quem estava se importando? Havia algo de muito atraente naquela máquina.

Mais tarde percebi que parte do encanto residia no fato de que ali estava aquela máquina imensa, cara, de gente grande, e nós, garotos, podíamos controlá-la. Éramos muito jovens para dirigir ou fazer qualquer outra das coisas supostamente divertidas que fazem os adultos, mas podíamos dar ordens para aquela máquina enorme e ela obedecia sempre. Os computadores são maravilhosos porque quando você trabalha com eles obtém resultados imediatos que lhe permitem saber se seu programa funciona. Poucas coisas na vida lhe dão um retorno desses. Foi aí que começou meu fascínio por software. O retorno dado por programas simples é particularmente desprovido de ambiguidade. Até hoje eu vibro ao pensar que, quando o programa dá certo, ele funciona perfeitamente o tempo todo, toda vez que eu uso, do jeito como eu lhe disse para fazer.

À medida que fomos adquirindo confiança, meus amigos e eu começamos a fazer experiências com o computador, aumentando a velocidade das coisas sempre que conseguíamos ou dificultando os jogos. Um amigo da Lakeside desenvolveu um programa em BASIC que simulava o jogo Banco Imobiliário. O BASIC (Beginner's All-purpose Symbolic Instruction Code, ou código de instrução simbólica de propósito geral para iniciantes), como o nome sugere, é uma linguagem de programação relativamente fácil de aprender que usávamos para desenvolver programas cada vez mais complicados. Esse amigo descobriu como fazer o computador jogar centenas de jogos de maneira extremamente rápida. Alimentávamos o computador com instruções para testar vários métodos de jogo. Queríamos saber quais estratégias ganhavam maior número de vezes. E — aos soluços — o computador nos contava.

Como todo garoto, não nos limitávamos a brincar com os brinquedos — nós os modificávamos. Se você já viu uma criança munida de uma caixa de suco e de uns lápis inventar uma nave espacial com painel de controle e tudo, ou escutou um daqueles regulamentos de última hora, do tipo "os carros vermelhos podem pular por cima de todos", então sabe que esse impulso para ampliar as possibilidades de um brinquedo é parte integrante dos jogos infantis inovadores. Também é a essência da criatividade.

1968: Bill Gates (de pé) e Paul Allen, trabalhando no terminal de computador da Lakeside School

Claro que naquela época era tudo farra, ou assim pensávamos. Mas nosso brinquedo era mesmo um brinquedo e tanto. Alguns não quiseram parar de brincar. Para muita gente, na Lakeside School, ficamos associados ao computador e ele a nós. Um professor me pediu para ajudar a ensinar programação e todo mundo achou normal. Mas quando consegui o papel principal na peça da escola, *Black comedy*, alguns colegas resmungaram: "Por que escolheram o cara do computador?". Ainda me identificam assim, às vezes.

Parece que fomos uma geração inteira, no mundo todo, a arrastar conosco para a maturidade nosso brinquedo predileto. Ao fazê-lo, provocamos uma espécie de revolução — essencialmente pacífica —, e agora o computador mora em nossos escritórios e lares. Os computadores encolheram de tamanho, aumentaram sua potência e baratearam drasticamente. E tudo aconteceu razoavelmente depressa. Não tão depressa quanto cheguei a imaginar, mas ainda assim bem rápido. Hoje em dia encontramos chips de computador de baixo custo em motores, relógios, freios antitrava, aparelhos de fac-símile, elevadores, bombas de gasolina, câmaras, termostatos, moinhos, máquinas de refrigerante, alarmes contra ladrão, e até mesmo em cartões-postais "falantes". Estudantes fazem coisas espantosas com micros pouco maiores que um livro mas capazes de superar o desempenho dos maiores computadores de uma geração atrás.

Agora que a informática atingiu preços incrivelmente baixos e se acha presente em todos os segmentos da vida, estamos à beira de uma nova revolução. Desta vez, envolvendo comunicações a preços sem precedentes; todos os computadores vão se unir para se comunicar conosco e por nós. Interconectados globalmente, formarão uma rede que está sendo chamada de estrada da informação. Um precursor direto é a Internet atual, que é um grupo de computadores trocando informações através da tecnologia atual.

O alcance e o uso da nova rede, além das promessas e dos perigos que representa, são o assunto deste livro. Todos os aspectos disso que está para acontecer parecem emocionantes. Eu tinha dezenove anos quando avistei o futuro e baseei minha carreira no que vi. Tudo indica que eu estava certo, mas o Bill Gates de dezenove anos se achava numa posição muito diferente da que me encontro agora. Naquela época, além de ter a autoconfiança de um adolescente inteligente, não havia ninguém me observando e, se eu falhasse, qual o problema? Hoje em dia estou numa posição muito semelhante à dos gigantes da computação dos anos 70, mas espero ter aprendido algumas lições com eles.

Num determinado momento pensei que talvez quisesse fazer faculdade de economia. Acabei mudando de idéia, mas, de certa forma, toda a minha experiência na indústria da informática acabou virando uma aula de economia. Vi em primeira mão os efeitos de espirais positivas e de modelos empresariais inflexíveis. Assisti à evolução dos padrões de produção industrial. Fui testemunha da importância, em tecnologia, da compatibilidade, do feedback e da inovação constante. E acho que talvez estejamos prestes a presenciar, finalmente, a concretização do mercado ideal de Adam Smith.

Entretanto não estou usando todas essas lições simplesmente para teorizar a respeito do futuro — estou apostando nele. Já quando era adolescente, imaginei o impacto que computadores de baixo custo poderiam ter. "Um computador em cada mesa e em cada casa" tornou-se a missão corporativa da Microsoft, e vimos trabalhando para tornar isso possível. Agora esses computadores estão sendo conectados uns aos outros e estamos construindo software — as instruções que dizem ao hardware do computador o que fazer — que ajudará o indivíduo a se beneficiar com esse poder de comunicação interligada. Impossível prever exatamente como será usar a rede. Vamos nos comunicar com ela por meio de uma série de dispositivos, inclusive alguns semelhantes a aparelhos de televisão, outros aos micros de hoje; alguns serão como telefones e outros do tamanho e mais ou menos do formato de uma carteira de dinheiro. E no centro de cada um haverá um poderoso computador, conectado, de maneira invisível, a milhões de outros.

Não está longe o dia em que você poderá realizar negócios, estudar, explorar o mundo e suas culturas, assistir a um grande espetáculo, fazer amigos, freqüentar mercados da vizinhança e mostrar fotos a parentes distantes sem sair de sua escrivaninha ou de sua poltrona. Ao deixar o escritório ou a sala de aula você não estará abandonando sua conexão com a rede. Ela será mais que um objeto que se carrega ou um aparelho que se compra. Será seu passaporte para uma nova forma de vida, intermediada.

Experiências e prazeres vivenciados diretamente são pessoais e não intermediados. Ninguém, em nome do progresso, há de tirar de você a experiência de deitar numa praia, andar pelo mato, assistir a uma comédia ou fazer compras num mercado de pulgas. Mas nem sempre as experiências diretas são gratificantes. Esperar na fila, por exemplo, é uma experiência direta, mas desde o dia em que formamos a primeira fila estamos tentando inventar um meio de evitá-la.

Grande parte do progresso humano ocorreu porque alguém inventou uma ferramenta melhor e mais eficaz. As ferramentas físicas aceleram as tarefas e livram os indivíduos dos trabalhos pesados. O arado e a roda, o guindaste e a motoniveladora expandem as capacidades físicas do usuário.

As ferramentas da informação são mediadores simbólicos que expandem a capacidade intelectual do usuário, não a muscular. Você está tendo uma experiência intermediada quando lê este livro: não estamos no mesmo cômodo, mas ainda assim você é capaz de descobrir o que vai pela minha cabeça. Boa parte do trabalho executado hoje em dia implica tomada de decisões e conhecimento, de tal forma que as ferramentas da informação se tornaram, e continuarão a ser cada vez mais, um foco de convergência para os inventores. Assim como qualquer texto pode ser representado mediante um arranjo de letras, essas ferramentas permitem que informações de todos os tipos sejam representadas de forma digital, num padrão de pulsos elétricos fácil para o computador decifrar. O mundo tem, atualmente, mais de 100 milhões de computadores, cujo objetivo é manipular informação. No momento eles estão nos auxiliando porque facilitam bastante a armazenagem e a transmissão de informações que já estão em forma digital, mas num futuro próximo permitirão acesso a praticamente qualquer informação que haja no mundo.

Nos Estados Unidos, a interligação de todos esses computadores tem sido comparada a um outro projeto de grande porte: a abertura de auto-estradas interestaduais por todo o país, iniciada durante o governo de Eisenhower. Por esse motivo é que a nova rede foi batizada de "estrada da informação". O termo foi difundido pelo então senador Al Gore, cujo pai patrocinou a Federal Aid Highway Act [lei federal de ajuda às estradas], de 1956.

A metáfora da auto-estrada, no entanto, não chega a ser correta. O termo sugere paisagens e situação geográfica, uma distância entre vários pontos, implica a idéia de que é preciso viajar para ir de um lugar a outro. Na verdade, um dos aspectos mais extraordinários da nova tecnologia das comunicações é justamente a eliminação das distâncias. Tanto faz que a pessoa com quem você estiver entrando em contato se encontre na sala ao lado ou num outro continente, porque essa rede altamente intermediada não estará limitada por milhas ou quilômetros.

O termo *estrada* sugere ainda que está todo mundo conduzindo um veículo seguindo na mesma direção. A rede, porém, se parece mais com uma porção de estradas vicinais, onde todo mundo pode olhar para o que bem entender ou fazer aquilo que seus interesses particulares determinarem. O termo *auto-estrada* implica também a idéia de que talvez devesse ser construída pelo poder público, o que na minha opinião seria um grave erro na maioria dos países. Mas o grande problema mesmo é que a metáfora salienta a infra-estrutura do empreendimento e não suas aplicações. Na Microsoft nós falamos de "Informação na ponta dos dedos", o que salienta um benefício, mais do que a rede em si. Uma metáfora diferente, que talvez chegue mais perto de descrever boa parte das futuras atividades da rede, é a do novo mercado que irá se formar. Os mercados, das bolsas de valores aos shopping centers, são fundamentais à sociedade humana e acredito que esse novo mercado acabará sendo a principal loja de departamentos do mundo. Será o lugar onde nós, animais sociais, vamos vender, negociar, investir, pechinchar, escolher, discutir, conhecer gente nova, o lugar que vamos freqüentar. Quando ouvir o termo *estrada da informação*, não pense numa estrada, e sim num mercado, ou numa bolsa de transações. Pense na agitação da Bolsa de Valores de Nova York, ou numa feira de produtores rurais, ou então numa livraria cheia de gente à procura de histórias fascinantes e de informação. Um lugar onde todo tipo de atividade humana acontece, de transações de bilhões de dólares a flertes. Muitas transações envolverão dinheiro, que vai trocar de mãos digitalmente e não em moeda. A informação digital de todos os tipos, não apenas enquanto dinheiro, será o novo meio de troca nesse mercado.

O mercado global da informação será colossal e agrupará as várias maneiras pelas quais bens, serviços e idéias são trocados. Num nível prático, você terá escolhas mais amplas para quase tudo, inclusive na forma como você investe e ganha, o que compra e quanto paga, quem são seus amigos e como você passa o tempo com eles, e onde e com que nível de segurança você e sua família moram. O local de trabalho e a idéia que se tem do que significa ser "instruído" mudarão, quem sabe de modo radical. Seu senso de identidade, de quem você é e a que lugar pertence, talvez se alargue consideravelmente. Em suma, quase tudo será feito de um jeito diferente. Mal posso esperar por esse amanhã e estou fazendo o possível para ajudá-lo a acontecer.

Você não tem certeza se acredita nisso? Ou se quer acreditar? Talvez se recuse a participar. É comum as pessoas fazerem esse tipo de declaração quando alguma nova tecnologia ameaça as coisas com as quais estão familiarizadas e adaptadas. De início, a bicicleta foi uma engenhoca boba; o automóvel, um intruso barulhento; a calculadora de bolso, uma ameaça ao estudo da matemática, e o rádio, o fim da alfabetização.

Mas então, alguma coisa acontece. Com o tempo, essas máquinas encontram um espaço em nossos cotidianos porque, além de convenientes e de economizarem trabalho, também são capazes de nos inspirar a novos píncaros criativos. Acabamos gostando delas. Elas assumem lugar de confiança ao lado de outras ferramentas. Uma nova geração cresce convivendo com, mudando e humanizando as novidades. Ou seja, brincando com elas.

O telefone foi um grande avanço na comunicação bidirecional. No começo, porém, até ele foi considerado uma simples amolação. As pessoas se sentiam incomodadas e constrangidas com aquele invasor mecânico dentro de casa. Mas, no fim, homens e mulheres perceberam que não estavam apenas adquirindo uma nova máquina, mas aprendendo uma nova forma de comunicação. Um papo por telefone não era nem tão longo nem tão formal quanto uma conversa cara a cara. Havia algo muito pouco familiar, e, para alguns, desagradável, na eficiência daquele aparelho. Antes do telefone, uma boa conversa implicava uma visita e, provavelmente, uma refeição que ocupava a tarde ou a noite inteiras. Assim que a maioria das empresas e domicílios adquiriu telefones, os usuários criaram maneiras de tirar partido das características exclusivas desse meio de comunicação. O telefone prosperou, desenvolvendo expressões, etiquetas, truques e toda uma cultura própria. Alexander Graham Bell com certeza não previu que os executivos entrariam naquele jogo idiota de "mandar a secretária pô-lo na linha primeiro". Agora mesmo, enquanto escrevo, uma forma mais nova de comunicação — o correio eletrônico, ou e-mail — passa pelo mesmo tipo de processo, estabelecendo suas próprias regras e hábitos.

"Pouco a pouco, a máquina se tornará parte da humanidade", escreveu o aviador e escritor francês Antoine de Saint-Exupéry, em suas memórias de 1939, *Terra dos homens*. Falando da tendência que têm as pessoas de reagir a novas tecnologias, usou como exemplo a lenta aceitação da ferrovia no século XIX. Saint-Exupéry descreve como as primeiras locomotivas, arrotando fumaça e fazendo um barulho dos demônios, eram execradas e chamadas de monstros de ferro. Aí, à medida que os trilhos foram sendo colocados, as próprias prefeituras mandaram construir estações ferroviárias. Bens e serviços fluíram. Surgiram novos empregos interessantes. Toda uma cultura se desenvolveu em volta dessa nova forma de transporte, o desdém virou aceitação e até aprovação. O que antes fora o monstro de ferro tornou-se o pujante portador dos melhores produtos da vida. Uma vez mais, a mudança de percepção refletiu-se na linguagem. Começamos a chamar a locomotiva de "cavalo de ferro". "O que é o trem hoje para o camponês senão um amigo humilde, que passa todo dia às seis da tarde?", pergunta Saint-Exupéry.

O único outro avanço isolado que teve efeito assim tão grande na história da comunicação aconteceu por volta de 1450, quando Johann Gutenberg, um ourives da cidade de Mainz, na Alemanha, inventou o tipo móvel e apresentou a primeira prensa na Europa (a China e a Coréia já possuíam prensas). O invento mudou a cultura ocidental para sempre. Gutenberg levou dois anos para compor os tipos de sua primeira Bíblia, mas, uma vez feito isso, teve condições de imprimir múltiplos exemplares. Antes de Gutenberg, todos os livros eram copiados à mão. Os monges, que em geral eram os encarregados de copiar a Bíblia, raramente conseguiam fazer mais de uma cópia por ano. A prensa de Gutenberg era, em comparação, uma impressora a laser de alta velocidade.

O aparecimento da prensa fez mais pela cultura ocidental do que simplesmente introduzir uma forma mais veloz de reproduzir um livro. Até aquela época, apesar do transcurso de gerações, a vida fora comunitária e praticamente imutável. A maioria das pessoas só conhecia aquilo que fora visto com os próprios olhos ou ouvido em relatos de terceiros. Muito poucas aventuravam-se para além das fronteiras da aldeia, em parte porque, sem mapas confiáveis, em geral era quase impossível encontrar o caminho de volta. Como diz James Burke, um de meus autores favoritos: "Nesse mundo, todas as experiências eram pessoais: os horizontes eram pequenos, a comunidade olhava para dentro. O que existia no mundo exterior era uma questão de ouvir dizer".

A palavra impressa mudou tudo isso. Foi o primeiro meio de comunicação de massa — a primeira vez em que conhecimentos, opiniões e experiências puderam ser transmitidos de forma portátil, durável e acessível. À medida que a palavra escrita foi possibilitando à população ultrapassar as fronteiras da aldeia, as pessoas começaram a se importar com o que acontecia em outras partes. Gráficas espalharam-se rapidamente pelas cidades comerciais, transformando-se em centros de intercâmbio intelectual. A alfabetização se tornou uma habilidade importante, que revolucionou o ensino e alterou as estruturas sociais.

Antes de Gutenberg, havia apenas uns 30 mil livros em todo o continente europeu, a maioria Bíblias ou comentários bíblicos. Por volta de 1500, havia mais de 9 milhões de livros, sobre tudo quanto é assunto. Panfletos e outros materiais impressos afetaram a política, a religião, a ciência e a literatura. Pela primeira vez, quem se achava fora da elite eclesiástica teve acesso à informação escrita.

A estrada da informação transformará nossa cultura tão radicalmente quanto a prensa de Gutenberg transformou a Idade Média.

Os microcomputadores já alteraram nossos hábitos de trabalho, mas ainda não mudaram muita coisa no cotidiano. Quando as poderosas máquinas de informação de amanhã estiverem conectadas pela estrada da informação, teremos acesso a pessoas, máquinas, entretenimento e serviços de informação. Você poderá manter contato com qualquer pessoa, em qualquer lugar, que queira manter contato com você; bisbilhotar em milhares de bibliotecas, de dia ou de noite. A máquina fotográfica que você perdeu ou lhe roubaram mandará uma mensagem para você dizendo exatamente onde se encontra, mesmo que seja numa outra cidade. Você poderá atender o interfone do apartamento no escritório e responder a toda a sua correspondência de casa. Informações que hoje são difíceis de achar, serão fáceis de encontrar:

Seu ônibus está no horário?

Houve algum acidente no seu trajeto habitual para o trabalho?

Alguém está querendo trocar os ingressos para o teatro de quarta para quinta-feira?

Como anda o nível de freqüência escolar de seu filho?

Qual é uma boa receita de linguado?

Que loja, seja onde for, tem condições de entregar até amanhã de manhã, pelo melhor preço, um relógio que meça suas pulsações?

Quanto alguém daria por meu velho Mustang conversível?

Como se fabrica o buraco da agulha?

A lavanderia já aprontou as camisas?

Qual a forma mais barata de assinar o *The Wall Street Journal*?

Quais os sintomas de um ataque cardíaco?

Houve algum depoimento interessante no tribunal, hoje?

Qual a aparência do Champs-Élysées neste exato momento?

Onde você estava às 9h02 da última quinta-feira?

Vamos supor que você esteja querendo experimentar um restaurante novo e queira ver o cardápio, a carta de vinhos e as especialidades do dia. Talvez esteja se perguntando o que seu crítico culinário favorito falou a respeito. Também pode querer saber o que o departamento de saúde apurou sobre a higiene do local. Caso tenha um certo receio em relação ao bairro, quem sabe queira dar uma olhada nos índices de criminalidade, baseados em relatórios da polícia. Ainda está interessado em ir? Vai precisar de reserva, de um mapa e de instruções sobre as condições do trânsito. Leve as instruções impressas ou então ouça tudo — com atualização constante — enquanto dirige.

Todas essas informações estarão imediatamente a sua disposição e serão inteiramente pessoais, uma vez que você poderá explorar aquilo que lhe interessa, da forma que quiser e por quanto tempo desejar. Assistirá a um programa quando lhe for conveniente e não no horário em que convém à emissora transmiti-lo. Poderá fazer compras, pedir uma refeição, contatar colegas de hobby ou publicar informações para outras pessoas usarem — quando e como quiser. O jornal da noite começará na hora que você determinar, terá a duração que você desejar, e cobrirá assuntos que você ou um serviço que conheça seus interesses selecionar. Poderá pedir notícias de Tóquio, Boston ou Seattle, exigir mais detalhes a respeito de uma determinada notícia, ou conferir se seu comentarista favorito examinou a questão. E, se preferir, as notícias ser-lhe-ão entregues impressas em papel.

Mudanças dessa magnitude deixam as pessoas nervosas. Todos os dias, no mundo todo, há gente se perguntando sobre as implicações da rede, em geral com terrível apreensão. O que acontecerá com nossos empregos? Será que as pessoas vão se afastar do mundo físico e passar a viver de forma vicária através dos computadores? O abismo entre os privilegiados e os desafortunados aumentará irreparavelmente? Um computador será capaz de ajudar os desprotegidos de East St. Louis ou os famintos da Etiópia? Haverá grandes desafios com o advento da rede e das mudanças que ela acarretará. No capítulo 12 comento com bastante vagar as muitas e legítimas preocupações que tantas vezes ouço manifestadas.

Já pensei nas dificuldades, mas, tudo somado, sinto-me confiante e otimista. Em parte porque é de minha natureza e em parte porque admiro a capacidade de minha geração, que atingiu a maioridade ao mesmo tempo em que o computador. Vamos oferecer às pessoas as ferramentas para que possam comunicar-se de novas maneiras. Sou daqueles que acreditam que o progresso virá, queira você ou não, e que por isso mesmo precisamos tirar o melhor partido dele. Ainda me emociona a sensação de estar espiando o futuro e vislumbrando os primeiros indícios de possibilidades revolucionárias. Sinto que é uma sorte incrível estar tendo a oportunidade de desempenhar um papel, uma segunda vez, no início de uma mudança memorável para uma nova era.

Experimentei essa euforia especial na adolescência, quando compreendi o quão baratos e potentes os computadores se tornariam. O computador com o qual jogávamos o jogo-da-velha em 1968 e a maioria dos computadores daquela época eram mainframes [computadores de grande porte]: monstros temperamentais residentes em casulos climatizados. Depois que esgotamos a verba do Clube das Mães, meu amigo de escola Paul Allen — com quem mais tarde fundei a Microsoft — e eu passamos um bocado de tempo tentando obter acesso a outros computadores. O desempenho deles era modesto, pelos padrões atuais, mas ficávamos muito impressionados porque eram grandes, complicados e custavam milhões de dólares cada. Conectados através de linhas telefônicas a barulhentos terminais de teletipo, seus serviços podiam ser partilhados por várias pessoas em locais diferentes. Raramente chegávamos perto dos mainframes propriamente ditos. O tempo de computador era caríssimo. Quando eu estava no ginásio custava cerca de quarenta dólares por hora utilizar um computador em sistema time-sharing [de tempo compartilhado], usando um teletipo — em troca daqueles quarenta dólares você ganhava uma fatia da preciosa atenção do computador. Isso parece estranho hoje em dia, quando tanta gente tem mais de um microcomputador e não pensa duas vezes em deixá-los inativos boa parte do dia. Na verdade, mesmo na época era possível ter um computador próprio. Se você tivesse 18 mil dólares, a Digital Equipment Corporation (DEC) fazia o PDP-8. Embora fosse chamado minicomputador, era bem grande pelos padrões atuais. Ocupava um gabinete de cerca de sessenta centímetros de base e 1,80 m de altura e pesava 113 quilos. Tivemos um, durante uns tempos no ginásio, e mexi um bocado nele. O PDP-8 era bastante limitado, em comparação aos mainframes que podíamos contatar via linha telefônica; na verdade, tinha menos capacidade computacional bruta do que têm alguns relógios de pulso atualmente. Mas era programável da mesma forma que os computadores grandes e caros: através de instruções de software. Apesar das limitações, o PDP-8 nos permitia sonhar com o dia em que milhões de pessoas teriam seu próprio computador. A cada ano que passava, eu ia ficando mais convencido de que os computadores e a computação estavam destinados a ser baratos e onipresentes. Tenho certeza de que um dos motivos de minha determinação em ajudar a desenvolver o microcomputador é o fato de que eu queria um para mim.

Na época, o software, assim como o hardware, também era caro. Tinha de ser escrito especificamente para cada tipo de computador. E cada vez que o hardware do computador mudava, o que acontecia regularmente, o software precisava ser quase todo refeito. Os fabricantes de computadores forneciam alguns blocos-padrão de software (por exemplo bibliotecas de funções matemáticas) junto com a máquina, mas a maior parte do software tinha de ser escrita especificamente para resolver os problemas individuais desta ou daquela empresa. Havia alguns programas gratuitos e umas poucas companhias vendiam software de uso geral, porém havia muito poucos pacotes que se pudessem comprar no varejo.

Meus pais pagavam minhas aulas na Lakeside e me davam dinheiro para os livros, mas os gastos com tempo de computador eram problema meu. Foi isso o que me levou para o lado comercial do software. Alguns de nós, inclusive Paul Allen, conseguimos arrumar emprego de programador de software iniciante. Para colegiais como nós, o salário era fantástico — cerca de 5 mil dólares por verão, parte em dinheiro e o restante em tempo de computador. Também fechamos acordos com algumas empresas, mediante os quais podíamos usar os computadores de graça se localizássemos problemas no software deles. Um dos programas que escrevi foi para a distribuição dos alunos por classes. Acrescentei algumas instruções por baixo do pano e fui ser praticamente o único cara numa classe cheia de meninas. Como eu já disse, era muito difícil largar uma máquina na qual podia demonstrar meu sucesso sem a menor ambigüidade. Eu estava viciado.

Paul entendia muito mais do que eu de hardware, as máquinas propriamente ditas. Um dia, no verão de 1972, quando eu tinha dezesseis anos e Paul dezenove, ele me mostrou um artigo de dez parágrafos, enfurnado na página 143 da revista *Electronics*. Lá se anunciava que uma firma nova chamada Intel havia lançado um chip microprocessador chamado 8008.

Um microprocessador é um chip simples que contém o cérebro inteiro de um computador. Paul e eu percebemos que esse primeiro microprocessador era muito limitado, mas ele tinha certeza de que os chips ficariam mais potentes e que os computadores baseados em chips iriam se desenvolver.

Na época, a indústria de computadores não tinha a intenção de construir um computador de verdade com base num microprocessador.

1972: Microprocessador Intel 8008

O artigo da *Electronics*, por exemplo, descrevia o 8008 como sendo adequado para "qualquer sistema aritmético, de controle ou de tomada de decisão, como por exemplo um terminal inteligente". Os articulistas não percebiam que um microprocessador era capaz de se tornar um computador de uso geral. Os microprocessadores eram lentos, tinham uma capacidade limitada de lidar com informações. Nenhuma das linguagens conhecidas pelos programadores estava disponível para o 8008, o que tornava quase impossível alguém escrever programas complexos para ele. Toda aplicação precisava ser programada com as poucas dezenas de instruções que o chip era capaz de entender. O 8008 estava condenado a uma vida de burro de carga, executando tarefas simples e sempre iguais, vezes sem fim. Era muito popular em elevadores e calculadoras.

Em outras palavras, um microprocessador simples em uma aplicação limitada, digamos nos controles de um elevador, é um instrumento isolado, como um tambor ou uma corneta, nas mãos de um amador: serve para ritmos básicos ou para tocar músicas simples. Porém um microprocessador potente, com linguagens de programação, é como uma excelente orquestra: com o software correto, ou partitura, toca qualquer coisa.

Paul e eu estávamos curiosos para ver o que conseguiríamos programar no 8008. Paul ligou para a Intel pedindo um manual. Ficamos até meio surpresos quando eles enviaram. Nós dois dissecamos o manual. Eu tinha criado uma versão do BASIC para rodar no limitado DECPDP-8, e me animei com a perspectiva de fazer a mesma coisa para o pequeno chip da Intel. Mas, estudando o manual do 8008, percebi que seria bobagem tentar. O 8008 simplesmente não era suficientemente sofisticado, não tinha suficientes transistores.

Entretanto, descobrimos um jeito de usar o pequeno chip numa máquina capaz de analisar as informações coletadas por monitores de tráfego. Muitos municípios costumavam medir o fluxo de veículos estendendo uma mangueira de borracha numa determinada rua. Quando um carro passava por cima do tubo, perfurava uma fita de papel dentro de uma caixa de metal, na extremidade da mangueira. Percebemos que poderíamos usar o 8008 para processar essas fitas, imprimir gráficos e outras estatísticas. Batizamos nossa primeira empresa de Traf-O-Data. Na época, tinha jeito de poesia.

Escrevi boa parte do software para a máquina Traf-O-Data em viagens de ônibus pelo estado de Washington, indo de Seattle para Pullman, onde Paul fazia faculdade. Nosso protótipo funcionou bem e imaginamos vender montes daquelas máquinas por todo o país. Chegamos a usá-la para processar dados de tráfego para alguns clientes, mas ninguém se interessou em comprar o aparelho, pelo menos não das mãos de dois adolescentes.

Apesar da decepção, continuávamos acreditando que nosso futuro, mesmo que não estivesse em hardware, teria alguma coisa a ver com microprocessadores. Depois que entrei para Harvard, em 1973, Paul conseguiu, sabe Deus como, juntar as peças de seu velho e sofrido Chrysler New Yorker, sair de Washington e atravessar o país, e arrumou emprego em Boston, programando minicomputadores para a Honeywell. Ele ia muito até Cambridge, de modo que pudemos continuar nossas longas conversas a respeito dos futuros projetos.

Na primavera de 1974, a revista *Electronics* anunciou o novo chip 8080 da Intel — com dez vezes mais potência que o 8008 que havia dentro da máquina Traf-O-Data. O 8080 não era muito maior que o 8008, mas continha 2700 transistores a mais. De repente, estávamos olhando para o âmago de um verdadeiro computador e o preço era menos de duzentos dólares. Corremos para o manual. "A DEC não vai conseguir vender mais nenhum PDP-8 agora", eu disse a Paul. Para nós, parecia óbvio que se um chip minúsculo era capaz de tanta potência, o fim daquelas grandes máquinas desajeitadas não estava muito longe.

Entretanto os fabricantes de computador não viam o microprocessador como uma ameaça. Eles simplesmente não conseguiam imaginar um chip insignificante enfrentando um computador "de verdade". Nem mesmo os cientistas da Intel enxergaram todo seu potencial. Para eles o 8080 representava simplesmente uma melhoria na tecnologia dos chips. A curto prazo, a indústria tinha razão. O 8080 era apenas mais um pequeno avanço. Mas Paul e eu visualizamos além dos limites daquele novo chip e enxergamos um tipo diferente de computador, algo que seria perfeito para nós e para todo mundo — pessoal, adaptável e a um preço acessível. Para nós estava claro como água que, baratos do jeito que eram, os novos chips logo estariam em toda parte.

O hardware, outrora escasso, logo estaria à disposição de todos, e o acesso aos computadores já não seria dispendiosamente cobrado por hora. Achávamos que as pessoas encontrariam uma infinidade de novos usos se os computadores fossem baratos. E nesse caso a chave para realizar todo o potencial dessas máquinas seria o software. Paul e eu especulávamos que as companhias japonesas e a IBM com certeza fabricariam a maior parte do hardware. De nossa parte, acreditávamos que poderíamos contribuir com um software inovador. E por que não? O microprocessador mudaria a estrutura da indústria. Talvez houvesse um lugar para nós dois.

Esse tipo de papo resume o que vem a ser uma faculdade. Você passa por tudo quanto é experiência nova, sonha sonhos loucos. Éramos jovens e achávamos que tínhamos todo o tempo do mundo. Matriculei-me por mais um ano em Harvard e continuei tentando achar um jeito de abrirmos uma empresa de software. Um dos planos era muito simples. Enviamos cartas, com o endereço do meu alojamento, para todas as grandes firmas de computadores, oferecendo nossos serviços para escrever uma versão do BASIC para o novo chip da Intel. Ninguém aceitou. Por volta de dezembro, estávamos bem desanimados. Eu planejava pegar um avião para Seattle para passar as festas com a família e Paul ia ficar em Boston. Poucos dias antes de eu sair de férias, Paul e eu estávamos xeretando na banca de jornais de Harvard Square; era uma daquelas manhãs muito frias de Massachusetts, quando Paul pegou o exemplar de janeiro da *Popular Electronics*. É esse o momento de que falo no começo do prefácio. Aquilo é que deu realidade aos nossos sonhos sobre o futuro.

Exemplar de janeiro de 1975 da revista Popular Electronics

Na capa da revista havia a fotografia de um computador muito pequeno, pouco maior que uma torradeira, com um nome ligeiramente mais nobre que o Traf-O-Data: era o Altair 8800 (Altair era a destinação da nave num dos episódios da série *Jornada nas estrelas*). Custava 397 dólares e era vendido em forma de kit depois de montado. Não tinha teclado nem vídeo. Contava com dezesseis chaves de endereço para dar os comandos e dezesseis luzes. Dava para fazer as luzes piscarem no painel dianteiro e só pouco mais que isso. Um dos problemas é que o Altair 8800 não tinha software. Não podia ser programado, portanto vinha a ser mais uma novidade do que uma ferramenta.

Entretanto o Altair tinha um microprocessador Intel 8080 como cérebro. Quando vimos aquilo, entramos em pânico. "Não! Está acontecendo sem a gente! Vão começar a escrever software de verdade para esse chip." Eu tinha certeza de que aconteceria, e rápido, e queria estar envolvido desde o início. Participar da revolução da microinformática desde os estágios iniciais parecia minha grande oportunidade, e não deixei que escapasse.

Vinte anos depois, sinto o mesmo a respeito do que está acontecendo agora. Naquela época, meu medo era de que outras pessoas tivessem a mesma visão que nós; hoje sei que milhares a têm. A primeira etapa dessa revolução deixou como herança os 50 milhões de microcomputadores vendidos anualmente no mundo inteiro e o reordenamento total das fortunas da indústria da informática. Não faltaram vencedores nem perdedores. Desta vez, várias empresas estão se apressando para entrar bem cedo, enquanto as mudanças se processam e as oportunidades são ilimitadas.

Olhando para os últimos vinte anos, percebe-se que muitas grandes companhias acabaram perdendo porque, de tão acomodadas, não conseguiram adaptar-se corretamente. Daqui a vinte anos, quando olharmos para trás, veremos o mesmo padrão. Sei que neste momento, enquanto escrevo isto, há pelo menos um jovem ou uma jovem aí fora prestes a fundar alguma nova empresa, certo de ter a percepção correta sobre a revolução das comunicações. Haverá milhares de novas empresas inovadoras prontas para explorar as mudanças vindouras.

Em 1975, quando Paul e eu decidimos ingenuamente abrir uma empresa, estávamos agindo como as personagens daqueles filmes de Judy Garland e Mickey Rooney que apregoavam: "A gente monta o espetáculo no celeiro!". Não havia tempo a perder. Nosso primeiro projeto foi criar um BASIC para aquele pequeno computador.

Foi preciso comprimir um bocado de capacidade em sua curta memória. O Altair típico tinha cerca de 4 mil caracteres de memória. Hoje em dia a maioria dos microcomputadores tem de 4 a 8 milhões de caracteres de memória. Nossa tarefa era meio complicada porque não tínhamos um Altair, nem sequer havíamos visto um. Na verdade isso não importava, porque o interesse mesmo era pelo novo microprocessador Intel 8080, que, aliás, também não conhecíamos pessoalmente. Impávido, Paul estudou o manual do chip e depois escreveu um programa que fazia um grande computador de Harvard imitar o pequeno Altair. Era o mesmo que ter uma orquestra inteira à disposição e usá-la para interpretar um simples dueto, mas funcionou.

Escrever um bom software exige muita concentração e escrever o BASIC para o Altair foi exaustivo. Às vezes, quando estou pensando, ando de um lado para outro, ou então me balanço para a frente e para trás, porque isso me ajuda a concentrar-me numa idéia só e a excluir as distrações. Andei e balancei um bocado no dormitório da faculdade, naquele inverno de 1975. Paul e eu dormíamos muito pouco e perdemos a noção do que era dia e do que era noite. Quando eu conseguia pegar no sono, em geral era debruçado na escrivaninha ou no chão. Houve dias em que não comi nada nem vi ninguém. Mas cinco semanas depois, nosso BASIC estava pronto — e nascia a primeira empresa de software do mundo. Acabamos por dar-lhe o nome de Microsoft.

Sabíamos que abrir uma empresa significava sacrifício. Sabíamos também que era pegar ou largar para sempre a chance de entrar no ramo de software para microcomputadores. Na primavera de 1975, Paul deixou o emprego de programador e decidi pedir licença de Harvard.

Conversei com meus pais, que entendiam bastante de negócios. Eles perceberam o quanto eu desejava abrir uma empresa de software e me apoiaram. Meu plano era trancar matrícula, abrir a empresa e depois voltar para terminar a faculdade. Nunca tomei, conscientemente, a decisão de não me formar. Tecnicamente falando, estou apenas num longo afastamento. Ao contrário de alguns colegas, eu adorava a faculdade. Achava divertido ficar por ali, batendo papo com tanta gente inteligente da mesma idade que eu. Entretanto, sentia que a oportunidade de abrir uma empresa de software poderia não surgir outra vez. E assim mergulhei no mundo dos negócios aos dezenove anos de idade.

Desde o início, Paul e eu custeamos tudo nós mesmos. Nós dois tínhamos algum dinheiro guardado. Paul recebia um bom salário na Honeywell e parte do dinheiro que eu possuía era fruto de partidas de pôquer jogadas à noite, no dormitório. Felizmente, nossa empresa não necessitava de grande capital.

As pessoas muitas vezes me pedem para explicar o sucesso da Microsoft. Querem saber o segredo que levou uma parceria modestíssima a transformar-se numa empresa com 17 mil funcionários e vendas de mais de 6 bilhões de dólares por ano. Claro que não existe uma resposta simples e que houve uma boa dose de sorte, mas acho que o elemento mais importante foi nossa visão original.

Conseguimos enxergar o que havia para além do chip Intel 8080 e agimos. Perguntamos: "O que aconteceria se a computação fosse quase de graça?". Acreditávamos que haveria computadores por toda parte por dois motivos: graças à capacidade de computação barata e ao novo software, que tiraria partido do barateamento. Começamos a trabalhar apostando no primeiro e produzindo o segundo, quando ninguém mais fazia isso. Nosso insight inicial tornou tudo um pouco mais fácil. Estávamos no lugar certo na hora certa. Entramos primeiro e o sucesso inicial nos permitiu contratar muita gente capaz. Formamos uma equipe de vendas mundial e usamos os lucros para financiar novos produtos. Desde o início, estávamos numa estrada que rumava para a direção certa.

Agora surge um novo horizonte e a pergunta que importa é esta: "O que aconteceria se as comunicações fossem quase de graça?". A idéia de interconectar todos os lares e escritórios a uma rede de alta velocidade incendiou a imaginação norte-americana de uma forma que não se via desde o programa espacial. E não só a norte-americana, incendiou a imaginação do mundo inteiro. Milhares de empresas estão comprometidas com o mesmo ideal, de maneira que é o enfoque individual, a compreensão dos passos intermediários e sua execução que irão determinar o sucesso relativo de cada uma.

Passo muito tempo pensando em negócios porque gosto muitíssimo de meu trabalho. Hoje em dia, penso um bocado na estrada da informação. Vinte anos atrás, quando pensava sobre o futuro dos computadores pessoais baseados em microchips, também não sabia aonde eles me levariam. Mantive o curso, porém, seguro de que seguíamos na direção certa para estar onde queríamos estar quando tudo clareasse. Agora há muito mais coisas em jogo, mas sinto o mesmo que senti antes. É assustador, mas ao mesmo tempo emocionante.

Há uma série de empresas e indivíduos arriscando seu futuro para construir os elementos que farão da estrada da informação uma realidade. Na Microsoft, estamos dando duro, tentando descobrir maneiras de evoluir do estágio atual para o ponto de onde seremos capazes de atualizar todo o potencial dos novos avanços tecnológicos. Vivemos tempos emocionantes, não só as empresas envolvidas, mas todos nós, que vamos nos beneficiar dessa revolução.

2

OS PRIMÓRDIOS
DA ERA DA INFORMAÇÃO

A primeira vez que ouvi a expressão "Era da Informação" fiquei fascinado. Já conhecia as Idades do Ferro e do Bronze, períodos da história assim chamados por causa dos novos materiais que o ser humano usou para fabricar ferramentas e armas; eram épocas específicas. Depois li previsões acadêmicas afirmando que no futuro os países estariam lutando não pelo controle dos recursos naturais, mas pelo controle da informação. Também muito intrigante, mas o que eles queriam dizer com informação?

Afirmar que a informação caracterizaria o futuro me fez pensar numa famosa cena do filme *A primeira noite de um homem*, de 1967, a cena da festa. Um empresário pega de jeito Benjamin, o formando interpretado por Dustin Hoffman, e, sem ninguém pedir, lhe dá um conselho para o futuro numa única palavra: "Plásticos". Será que se a cena tivesse sido escrita algumas décadas depois o conselho do empresário não mudaria para: "Uma palavra, Benjamin. Informação"?

Imaginei conversas absurdas no escritório do futuro, em volta do bebedouro: "Quanta informação você tem?" "A Suíça é um país excelente por causa da informação toda que eles têm lá!" "Ouvi dizer que o Índice de Preços da Informação está subindo!".

Soa absurdo porque a informação não é tangível nem mensurável, como os materiais que caracterizaram as idades anteriores, mas a informação tem se tornado cada vez mais importante para nós. A revolução da informação está apenas começando. Os custos das comunicações vão cair tão drasticamente quanto despencaram os custos da computação. Quando baratear o suficiente e for combinada a outros avanços tecnológicos, a "estrada da informação" não será apenas mais uma expressão usada por empresários ansiosos e políticos excitados. Será tão real e abrangente quanto "eletricidade". Para compreender por que a informação será tão central, é importante saber como a tecnologia está alterando as maneiras que utilizamos para lidar com a informação.

Este capítulo é quase todo dedicado a essa explicação. A intenção é dar aos leitores menos familiarizados com os princípios e a história da computação noções suficientes para que possam aproveitar o resto do livro. Se você entende como os computadores digitais funcionam, já conhece de cor e salteado o que vem a seguir, portanto sinta-se à vontade para pular para o capítulo 3.

A principal diferença que veremos surgir na informação do futuro é que quase toda ela será digital. Bibliotecas inteiras já estão sendo varridas e armazenadas em discos ou CD-ROMs, sob o formato de dados eletrônicos. Jornais e revistas, hoje em dia, são muitas vezes compostos inteiramente em formato eletrônico e impressos em papel por conveniência de distribuição. A informação eletrônica é armazenada permanentemente — ou por tanto tempo quanto se deseje — em bancos de dados computadorizados, gigantescos bancos de dados jornalísticos acessíveis por meio de serviços on-line. Fotografias, filmes e vídeos estão sendo convertidos em informação digital. A cada ano, criam-se métodos melhores de quantificar e destilar a informação em quatrilhões de pacotes de dados isolados. Uma vez armazenada, qualquer pessoa autorizada que disponha de um microcomputador pode chamar, comparar e alterar instantaneamente a informação digital. O que caracteriza o período histórico atual são as maneiras completamente novas pelas quais a informação pode ser mudada e manuseada, bem como a velocidade com que podemos lidar com ela. A capacidade do computador de processar e transmitir dados a preços baixos e em alta velocidade transformará os dispositivos convencionais de comunicação hoje existentes nos lares e escritórios.

A idéia de usar um instrumento para lidar com números não é nova. O ábaco já estava em uso na Ásia havia quase 5 mil anos quando, por volta de 1642, o cientista francês Blaise Pascal inventou, aos dezenove anos, uma calculadora mecânica. Era um dispositivo para contar. Três décadas depois, o matemático alemão Gottfried von Leibniz aperfeiçoou o projeto de Pascal. Sua "Calculadora de Passo" era capaz de multiplicar, dividir e extrair raiz quadrada. As calculadoras mecânicas movidas por discos e engrenagens descendentes da calculadora de Leibniz foram fundamentais para o comércio até serem substituídas por equivalentes eletrônicas. Na minha época de garoto, uma caixa registradora era simplesmente uma calculadora mecânica ligada a uma gaveta de dinheiro.

Há mais de um século e meio, o matemático britânico Charles Babbage vislumbrou a possibilidade do computador, e esse vislumbre lhe valeu a fama ainda em vida. Homem de grande visão, Babbage era professor de matemática da Universidade de Cambridge e concebeu a hipótese de um dispositivo mecânico capaz de executar uma série de cálculos afins. Já por volta de 1830, Babbage tinha certeza de que a informação podia ser manipulada por uma máquina caso fosse possível, antes, converter a informação para números. A máquina imaginada por Babbage e movida a vapor usaria cavilhas, rodas dentadas, cilindros e outros componentes mecânicos que compunham então o aparato da Era Industrial. Babbage acreditava que sua "Máquina Analítica" serviria para eliminar a monotonia e a inexatidão dos cálculos.

Para descrever os componentes de sua máquina, faltavam-lhe os termos que hoje usamos. Chamava o processador central, ou as entranhas operantes da máquina, de "usina". Referia-se à memória da máquina como "armazém". Babbage imaginava a informação sendo transformada da mesma forma que o algodão — sendo tirada de um armazém e transformada numa coisa nova.

A Máquina Analítica seria mecânica, mas Babbage previu que ela poderia seguir conjuntos mutáveis de instrução e, portanto, servir a diferentes funções. Essa é a essência do software. Trata-se de um conjunto abrangente de regras fornecido à máquina para "instruí-la" sobre como executar determinadas tarefas. Babbage percebeu que para criar essas instruções precisaria de um tipo inteiramente novo de linguagem e imaginou uma linguagem com números, letras, flechas e outros símbolos. Ela se destinava a permitir que Babbage "programasse" a Máquina Analítica com uma longa série de instruções condicionais, que lhe permitiriam modificar suas ações em resposta a diferentes situações. Babbage foi a primeira pessoa a ver que uma única máquina poderia servir a uma série de diferentes propósitos.

Durante o século seguinte os matemáticos trabalharam com as idéias delineadas por Babbage e, finalmente, em meados da década de 1940, construíram um computador eletrônico baseado nos princípios da Máquina Analítica. É difícil estabelecer a paternidade do computador moderno, já que boa parte das idéias e do trabalho desenvolveu-se nos Estados Unidos e na Grã-Bretanha durante a Segunda Guerra Mundial, sob o manto do sigilo de guerra. Três dos principais colaboradores foram Alan Turing, Claude Shannon e John von Neumann.

Em meados da década de 1930, Alan Turing, um excelente matemático britânico treinado em Cambridge, como Babbage, propôs o que hoje se conhece por máquina de Turing. Era sua própria versão de uma máquina calculadora de uso geral, capaz de receber instruções para trabalhar com praticamente qualquer tipo de informação.

No final da mesma década, Claude Shannon demonstrou, ainda quando estudante, que uma máquina executando instruções lógicas seria capaz de processar informação. Em sua tese de mestrado, Shannon explica como os circuitos de computador — fechados para verdadeiro e abertos para falso — poderiam executar operações lógicas usando o número 1 para representar "verdadeiro" e 0 para representar "falso".

Esse é um sistema binário. Um código. E o sistema binário é o alfabeto dos computadores eletrônicos, a base da linguagem para a qual todas as informações são traduzidas e na qual são armazenadas e utilizadas no interior de um computador. Algo muito simples, mas tão crucial para compreender como os computadores funcionam que vale a pena fazer uma pausa para explicar melhor.

Imagine que você está querendo iluminar um aposento usando um máximo de 250 watts de eletricidade e quer que essa iluminação seja ajustável, de 0 watt (escuridão total) até a potência total. Uma forma de se conseguir isso é usar um regulador de luz giratório ligado a uma lâmpada de 250 watts. Para chegar à escuridão total e obter 0 watt de luz, gire o regulador no sentido anti-horário até a posição *desligado*. Para luminosidade máxima, gire o regulador no sentido horário até os 250 watts de luz. Para uma luz intermediária, gire o regulador até uma posição intermediária.

É um sistema fácil de usar, porém limitado. Se o interruptor estiver numa posição intermediária — digamos que você tenha diminuído a luz para um jantar íntimo —, é uma questão de adivinhação saber em que nível a luz está. Você na verdade não sabe quantos watts estão em uso, nem como descrever o ajuste com precisão. Tem uma informação aproximada, o que dificulta seu armazenamento e reprodução.

E se você quiser repetir exatamente o mesmo nível de iluminação na semana seguinte? Poderia fazer uma marquinha no interruptor, para saber até onde girá-lo, mas não é dizer que isso seja muito exato. E o que acontece quando você quiser repetir um outro ajuste de iluminação? Ou se um amigo quiser reproduzir o mesmo nível de luz? Você sempre pode dizer: "Gire o botão cerca de um quinto no sentido horário", ou "Gire o botão até a flecha ficar mais ou menos na posição de duas horas", mas o ajuste do amigo será apenas uma aproximação daquele que você conseguiu fazer. E se esse amigo passar a informação a outro, que por sua vez passa para outro e assim por diante? Toda vez que a informação for transmitida, as chances de que continue sendo exata diminuem.

Esse é um exemplo de informação armazenada no formato "analógico". O interruptor-redutor fornece uma analogia com o nível de luz da lâmpada. Se for girado até a metade, presumivelmente você tem cerca de metade da potência total. Quando você mede ou descreve até onde o interruptor é girado, na verdade está armazenando informação sobre a analogia (o interruptor) e não sobre o nível de luz. A informação analógica pode ser coletada, armazenada e reproduzida, mas tende a ser imprecisa — e corre o risco de se tornar menos precisa a cada vez que for transmitida.

Agora vamos examinar uma forma totalmente diferente de como fazer a iluminação de um aposento, usando um método digital e não analógico de armazenar e transmitir a informação. Todo e qualquer tipo de informação pode ser convertido em números usando apenas os algarismos zero e um. Estes são chamados de números binários — números compostos inteiramente de 0s e 1s. Cada 0 ou 1 é chamado de bit. Uma vez convertida, a informação pode ser introduzida e armazenada em computadores sob a forma de longas seqüências de bits. Esses números são a "informação digital".

Em vez de uma única lâmpada de 250 watts, digamos que você tenha oito lâmpadas, cada uma delas com uma potência duas vezes maior que a anterior, ou seja, oito lâmpadas de um a 128 watts. Cada lâmpada tem seu próprio interruptor, e a de menor potência está à direita. O arranjo pode ser diagramado como na figura abaixo.

Ligando e desligando esses interruptores, você ajusta o nível de iluminação com incrementos de um watt, desde zero watt (todos os in-

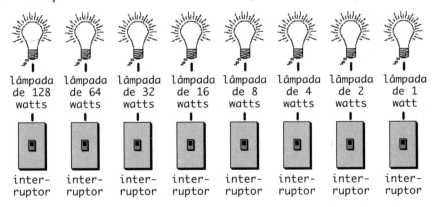

| lâmpada de 128 watts | lâmpada de 64 watts | lâmpada de 32 watts | lâmpada de 16 watts | lâmpada de 8 watts | lâmpada de 4 watts | lâmpada de 2 watts | lâmpada de 1 watt |
| inter-ruptor | inter-ruptor | inter-ruptor | inter-ruptor | inter-ruptor | inter-ruptor | inter-ruptor | inter-ruptor |

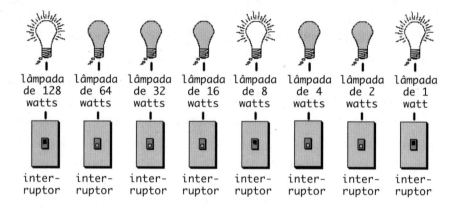

terruptores desligados) até 255 watts (todos os interruptores ligados). Isso lhe dá 256 possibilidades. Se quiser um watt de luz, você liga apenas o interruptor da extrema direita. Se quiser dois watts de luz, liga só a lâmpada de dois watts. Se quiser três watts de luz, liga as lâmpadas de um e dois watts, porque um mais dois é igual aos desejados três watts. Se quiser quatro watts de luz, você liga a lâmpada de quatro watts. Se quiser cinco watts, liga apenas as lâmpadas de quatro e um watts. Se quiser 250 watts de luz, liga todas as lâmpadas, exceto as de quatro e um watts.

Se tiver chegado à conclusão de que o nível de iluminação ideal para um jantar é de 137 watts, você liga as lâmpadas de 128, oito e um watts, como na figura acima.

O sistema permite registrar facilmente o nível exato de iluminação para uso posterior ou, então, para comunicá-lo a outras pessoas que tenham o mesmo arranjo de lâmpadas. Como a forma de registro da informação binária é universal — número baixo à direita, número alto à esquerda, sempre dobrando — não é preciso anotar os valores das lâmpadas. Você registra apenas o padrão dos interruptores: ligado, desligado, desligado, desligado, ligado, desligado, desligado, ligado. Com essa informação, qualquer amigo seu pode reproduzir, fielmente, os 137 watts de luz. Na verdade, desde que todos os envolvidos confiram de novo a exatidão do que fazem, a mensagem poderá passar por 1 milhão de mãos e, no final, todos sem exceção terão a mesma informação e poderão obter os mesmos 137 watts de iluminação.

Para encurtar ainda mais a notação, você pode registrar cada "desligado" com 0 e cada "ligado" com 1. O que significa que, em vez de escrever "ligado, desligado, desligado, desligado, ligado, desligado, desligado, ligado", vale dizer, ligue a primeira, a quarta e a oitava das oito lâmpadas e deixe as outras desligadas, você escreve a mesma informação como 1, 0, 0, 0, 1, 0, 0, 1 ou 10001001, um número binário. No caso, é 137. Você liga para o amigo e diz: "Consegui o nível perfeito de iluminação! É 10001001. Experimente". Seu amigo vai chegar ao mesmíssimo resultado, simplesmente ligando um interruptor para cada 1 e desligando outro para cada 0.

Pode lhe parecer um jeito complicado de determinar o grau de luminosidade de uma fonte de luz, mas trata-se de um exemplo da teoria que existe por trás da notação binária, base de toda a computação moderna.

A notação binária possibilitou o aproveitamento dos circuitos elétricos em calculadoras. Isso aconteceu durante a Segunda Guerra, quando um grupo de matemáticos, liderados por J. Presper Eckert e John Mauchly, da Moore School of Electrical Engineering da University of Pensylvania, começou a desenvolver uma máquina eletrônica chamada ENIAC, ou seja, Electronic Numerical Integrator and Calculator. O objetivo era acelerar os cálculos de tabelas para dirigir a pontaria da artilharia. O ENIAC era mais uma calculadora eletrônica do que um computador, só que em vez de representar um número binário através de marcas de ligado e desligado em anéis, como faziam as calculadoras mecânicas, usava válvulas como "interruptores".

Os soldados designados pelo exército para cuidar da imensa máquina viviam empurrando carrinhos de mão abarrotados de válvulas. Quando queimava uma, o ENIAC parava de funcionar e começava então a corrida para localizar e substituir a válvula. Segundo uma das explicações, talvez um tanto apócrifa, para tantas reposições, o calor e a luz das válvulas atraíam mariposas, que entravam dentro da enorme máquina e causavam curtos-circuitos. Se for verdade, o termo inglês *bug*, utilizado para indicar os probleminhas que infernizam tanto o hardware quanto o software de um computador, adquire um novo significado.

Caso todas as válvulas estivessem funcionando, uma equipe de engenheiros preparava o ENIAC para resolver determinado problema, ligando 6 mil cabos manualmente. Para que executasse outra função, a equipe precisava mudar a configuração de todos os cabos do ENIAC — isso toda vez que mudava a função. Atribui-se a John von Neumann, um brilhante norte-americano de origem húngara, conhecido por muitas coisas, inclusive pelo desenvolvimento da teoria dos jogos e por sua contribuição aos armamentos nucleares, o papel central na descoberta de como contornar esse problema. Ele criou o paradigma que ainda hoje todos os computadores digitais seguem. A "arquitetura Von Neumann", como é conhecida hoje, baseia-se em princípios que ele articulou em 1945 — inclusive o princípio de que um computador poderia evitar mudanças nos cabos armazenando instruções na memória. Assim que essa idéia foi posta em prática, nasceu o moderno computador.

Hoje em dia, o cérebro da maioria dos computadores descende diretamente do microprocessador que deixou Paul Allen e eu tão extasiados na década de 70, e os microcomputadores em geral são classificados segundo o número de bits de informação (um interruptor, no exemplo da iluminação) que o micro é capaz de processar a cada vez, ou segundo o número de bytes (um grupo de oito bits) de capacidade de memória ou de armazenamento em disco. O ENIAC pesava trinta toneladas e enchia uma sala imensa. Dentro dele, os pulsos computacionais corriam entre 1500 relés eletromecânicos e fluíam através de 17 mil válvulas. Para ligá-lo, consumiam-se 150 mil watts de energia. E o ENIAC só tinha capacidade de armazenar o equivalente a cerca de oitenta caracteres de informação.

Por volta do início da década de 60, os transistores haviam suplantado as válvulas nos aparelhos eletrônicos. Mais de uma década

1946: Parte do interior do computador ENIAC

depois, portanto, de os pesquisadores dos Laboratórios Bell terem descoberto que uma minúscula lasca de silício era capaz de fazer a mesma coisa que uma válvula. Assim como as válvulas, os transistores agem como interruptores elétricos, só que necessitam de muito menos energia para operar e, conseqüentemente, geram muito menos calor e precisam de bem menos espaço. Muitos circuitos de transistores podiam ser combinados num único chip, criando um circuito integrado. Os chips de computador que usamos hoje em dia são circuitos integrados contendo o equivalente a milhões de transistores compactados em menos de uma polegada quadrada.

Num artigo de 1977 da *Scientific American*, Bob Noyce, um dos fundadores da Intel, comparou seu microprocessador de trezentos dólares ao ENIAC, o mastodonte infestado de mariposas do alvorecer da era do computador. O diminuto microprocessador, além de ser mais potente, tinha outras vantagens, como Noyce ressaltava: "É vinte vezes mais rápido, tem memória maior, é milhares de vezes mais confiável, consome energia equivalente à de uma lâmpada e não à de uma locomotiva, ocupa 1/30000 do volume e custa 1/10000. Disponível por reembolso postal ou em sua loja de hobby local".

Claro, o microprocessador de 1977 parece um brinquedo, hoje em dia. Na verdade, muitos brinquedos baratos contêm chips mais potentes que os chips daquela época, que deram início à revolução do microcomputador. Mas todos os computadores de hoje, seja qual for o tamanho ou a capacidade, manipulam informações armazenadas em números binários.

Os números binários são usados para armazenar texto num computador pessoal, música num CD e dinheiro numa rede bancária de caixas eletrônicos. Antes que uma informação possa entrar num computador, tem de ser convertida ao sistema binário. Há máquinas, dispositivos digitais, que convertem a informação de volta ao formato original, utilizável. Você até pode imaginar cada dispositivo ligando e desligando interruptores e controlando o fluxo de elétrons. Só que os interruptores em questão, em geral feitos de silício, são extremamente pequenos e ligados por meio de descargas elétricas rapidíssimas — seja para produzir texto na tela de um computador, música num aparelho de CD ou instruções para que a máquina solte dinheiro.

O exemplo dos interruptores de luz mostrou que qualquer número pode ser representado de forma binária. Eis aqui como um texto pode ser expresso no sistema binário. Por convenção, o número 65 representa o A maiúsculo, o número 66 o B maiúsculo e assim por diante. Num computador, cada um desses números é expresso por código binário: o A maiúsculo, de número 65, torna-se 01000001. O B maiúsculo, número 66, vira 01000010. Um espaço é representado pelo número 32, ou 00100000. De modo que a frase "Sócrates é homem" torna-se uma fileira de 128 dígitos composta por 1s e 0s:

01010011 10100010 01100011 01110010 01100001 01110100
01100101 01110011 00100000 10000010 00100000 01101000
01101111 01101101 01100101 01101101

Entender como uma linha de texto se transforma num conjunto de números binários é fácil. Agora, para compreender como outros tipos de informação são digitalizados, vamos pegar mais um exemplo de informação analógica. Um disco de vinil é uma representação analógica de vibrações sonoras. Ele armazena informações de áudio na forma de rabiscos microscópicos que cobrem o longo sulco em espiral do disco. Se a música tem um trecho bem sonoro, os rabiscos são feitos com mais profundidade; se há uma nota aguda, os rabiscos são mais compactados. Os rabiscos do sulco são analógicos às vibrações originais — ondas sonoras captadas por um microfone. Quando a agulha de um toca-discos passa pelo sulco, vibra em ressonância com esses minúsculos rabiscos. Essa vibração, que continua sendo uma representação analógica do som original, é amplificada e enviada aos alto-falantes na forma de música.

Como todo dispositivo analógico de armazenagem de informação, o disco tem suas desvantagens. Poeira, marcas de dedos ou riscos na superfície do disco levam a agulha a vibrar de modo inadequado, criando chiados ou outros ruídos. Se o disco não estiver girando na velocidade exata, o tom da música não será acurado. Cada vez que um disco é tocado, a agulha gasta um pouco das sutilezas dos rabiscos no sulco e a reprodução da música se deteriora. Quando você grava alguma coisa de um disco numa fita cassete, além de transferir permanentemente todas as imperfeições do disco para a fita, verá surgirem outras imperfeições, porque os gravadores também são dispositivos analógicos. A informação perde qualidade a cada regravação ou retransmissão.

Num CD, a música é armazenada numa série de números binários e cada bit (ou interruptor) é representado por uma marca microscópica na superfície do disco. Os CDs de hoje têm mais de 5 bilhões de marcas. A luz de laser refletida dentro do CD-player — um dispositivo digital — lê cada uma das marcas para determinar se está posicionada em 0 ou em 1, em seguida reverte a informação à música original, gerando sinais eletrônicos específicos que são convertidos em ondas sonoras pelos alto-falantes. Cada vez que o disco é tocado, os sons são exatamente os mesmos.

É muito conveniente poder converter qualquer coisa em representações digitais, só que o número de bits pode aumentar rapidamente. Um número excessivo de bits de informação tanto pode saturar a memória do computador quanto provocar lentidão na transmissão de informações entre computadores. Justamente por isso, é cada vez mais útil a capacidade de um computador de comprimir, armazenar, transmitir e depois voltar a expandir os dados digitais à forma original.

Resumidamente, eis como o computador consegue fazer isso. Tudo começou com Claude Shannon, o matemático que, nos anos 30, descobriu como expressar informação em forma binária. Durante a Segunda Guerra Mundial, Shannon começou a desenvolver uma descrição matemática da informação, dando origem a um ramo de estudos mais tarde conhecido como teoria da informação. Shannon definiu a informação como sendo a redução da incerteza. Por essa definição, se você já sabe que é sábado e alguém lhe diz que é sábado, você não recebeu nenhuma informação. Por outro lado, se você não tem certeza do dia da semana e alguém lhe diz que é sábado, você recebeu informação, porque sua incerteza foi reduzida.

A teoria da informação de Shannon acabou levando a outros avanços. Um deles foi a compressão de dados, vital tanto para a informática quanto para as comunicações. À primeira vista, o que ele disse é óbvio: os trechos de dados que não fornecerem uma informação única são redundantes e podem ser eliminados. As manchetes de jornal costumam deixar de lado palavras que não são essenciais; telegramas e anúncios classificados, que a pessoa paga por palavra, também costumam ser enxugados. Um dos exemplos dados por Shannon foi o da letra *u*, redundante sempre que vier depois de um *q*. Você sabe que sempre haverá um *u* depois de um *q*, portanto não há necessidade de incluir o *u* na mensagem.

Os princípios de Shannon foram aplicados à compressão tanto de som quanto de imagem. Há um bocado de informação redundante nos trinta quadros que compõem um segundo de vídeo. Para efeitos de transmissão, a informação pode ser comprimida de cerca de 27 milhões de bits para cerca de 1 milhão de bits e ainda assim fazer sentido e ser agradável de olhar.

Entretanto essa compressão tem limites e, num futuro próximo, estaremos transportando um número cada vez maior de bits de um lugar a outro. Os bits viajarão através de fios de cobre, pelo ar e pela estrutura da estrada da informação, que será em grande parte composta por cabos de fibra ótica. A fibra ótica é um cabo feito de vidro ou plástico tão liso e puro que, se você olhar através de uma parede dessa fibra de mais de cem quilômetros, conseguirá enxergar uma vela acesa do outro lado. Os sinais binários, sob a forma de luz modulada, percorrem longas distâncias através dessas fibras óticas. Isso não significa que um sinal se movimente mais depressa através do cabo de fibra ótica do que através de um fio de cobre; ambos se movem à velocidade da luz. A enorme vantagem que o cabo de fibra ótica leva sobre o fio é a largura de banda. A largura de banda é uma medida do número de bits que podem ser transportados num segundo. Isso sim se parece com uma auto-estrada. Uma estrada de oito pistas comporta muito mais veículos que uma estradinha de terra. Quanto maior a largura de banda, mais pistas disponíveis — portanto, muito mais carros ou bits de informação conseguem passar por cada circuito num segundo. Diz-se que cabos que têm grande largura de banda, ou seja, que são capazes de levar grande quantidade de informação, inclusive sinais múltiplos de vídeo e áudio, têm capacidade de banda larga.

A estrada da informação usará compressão, mas ainda assim precisaremos de um bocado de largura de banda. Um dos principais motivos de ainda não termos uma estrada operacional é não termos largura de banda suficiente nas atuais redes de comunicação para todas as novas aplicações. E não teremos enquanto os cabos de fibra ótica não forem levados a um número suficientemente grande de localidades.

Os cabos de fibra ótica são um exemplo da tecnologia que ultrapassou tudo que Babbage ou até mesmo Eckert e Mauchly foram capa-

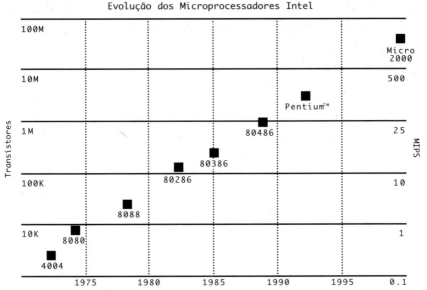

Os microprocessadores Intel tiveram sua contagem de transístores dobrada
aproximadamente de dezoito em dezoito meses, de acordo com a Lei de Moore

zes de prever, tamanha a velocidade com que melhoraram o desempenho e a capacidade dos chips.

Em 1965, Gordon Moore, que mais tarde fundou a Intel ao lado de Bob Noyce, previu que a capacidade de um chip de computador dobraria anualmente. Moore fez a projeção com base na relação preço/desempenho dos chips de computador do triênio anterior. Na verdade, Moore não acreditava que esse índice de avanço fosse durar muito tempo. Mas, dez anos depois, a previsão se mostrou verdadeira e ele voltou a prever que a capacidade dobraria a cada dois anos. Até hoje as previsões para os chips se mantiveram e a média — uma duplicação de capacidade a cada dezoito meses — é chamada, entre os engenheiros, de Lei de Moore.

Nenhuma experiência em nosso cotidiano nos prepara para as implicações de um número que dobra muitas vezes — para as melhorias exponenciais. Para entender isso, nada como uma fábula.

O rei Shirham, da Índia, ficou tão satisfeito quando um de seus ministros inventou o jogo de xadrez que o autorizou pedir a recompensa que quisesse.

"Majestade", disse o ministro, "peço-lhe que me dê um grão de trigo para a primeira casa do tabuleiro de xadrez, dois grãos para a segunda casa, quatro grãos para a terceira e assim por diante, sempre dobrando o número de grãos, até que se completem as 64 casas." O rei comoveu-se com a modéstia do pedido e mandou que trouxessem um saco de trigo. Depois pediu que se contassem os prometidos grãos sobre o tabuleiro. Na primeira casa da primeira fila colocaram um pequeno grão. Na segunda casa, dois grãozinhos de trigo. Na terceira havia quatro, depois oito, dezesseis, 32, 64, 128. Na casa oito, no final da primeira fila, o mestre das provisões do rei Shirham contara um total de 256 grãos.

O rei provavelmente não mostrou grande preocupação. Talvez houvesse um pouquinho mais de trigo sobre o tabuleiro do que imaginara, mas nada que provocasse surpresa. Considerando-se que levava um segundo para contar cada grão, a contagem até ali consumira cerca de quatro minutos. Se uma fileira de casas fora completada em quatro minutos, tente adivinhar quanto tempo levaria para contar os grãos de trigo em todas as 64 casas do tabuleiro. Quatro horas? Quatro dias? Quatro anos?

Quando o mestre das provisões terminou a segunda fila, percebeu que trabalhara cerca de dezoito horas, só contando os 65 535 grãos. Ao final da terceira das oito filas, haviam se passado 194 dias na contagem dos 16,8 milhões de grãos responsáveis por 24 casas. E ainda restavam quarenta casas vazias.

Com toda segurança, eu digo que o rei quebrou a promessa feita a seu ministro. A última casa teria que ter 18 446 744 073 709 551 615 grãos de trigo que exigiriam 584 bilhões de anos para serem contados. As estimativas atuais para a idade da Terra ficam em torno de 4,5 bilhões de anos. Segundo a maioria das versões dessa lenda, o rei Shirham percebeu, em algum momento da contagem, que fora enganado e mandou decapitar seu esperto ministro.

O crescimento exponencial, mesmo quando explicado, parece um truque.

A Lei de Moore provavelmente se manterá mais uns vinte anos. Nesse caso, uma operação computadorizada que agora leva um dia será executada 10 mil vezes mais rapidamente e, portanto, levará menos do que dez segundos.

Os laboratórios já estão operando transistores "balísticos", que têm tempos de chaveamento da ordem de um femtossegundo. Isso significa 1/1 000 000 000 000 000 de um segundo, uma velocidade cerca de 10 milhões de vezes maior do que a dos transistores dos microprocessadores atuais. O truque é reduzir o tamanho do conjunto de circuitos do chip e o fluxo de corrente de modo que os elétrons em movimento não batam em nada, inclusive um no outro. O passo seguinte é o "transistor de um só elétron", no qual um único bit de informação é representado por apenas um elétron. Aí teremos, então, a última palavra em computação de baixa potência, pelo menos segundo nossa compreensão atual da física. Para fazer uso das incríveis vantagens da velocidade em nível molecular, os computadores terão que ser muito pequenos, até mesmo microscópicos. A ciência que nos permitiria construir esses computadores ultra-rápidos nós já temos. Precisamos agora de umas descobertas sensacionais de engenharia, mas essas em geral vêm rápido.

Quando já tivermos a velocidade, armazenar todos esses bits não será problema. Na primavera de 1983, a IBM lançou o PC/XT, seu primeiro microcomputador com disco rígido. O disco servia como um dispositivo interno de armazenagem, com capacidade para dez megabytes de informação, cerca de 10 milhões de caracteres ou 80 milhões de bits. Quem já possuísse um computador e quisesse acrescentar esses dez megabytes podia fazê-lo, mas custava caro. Por 3 mil dólares, a IBM oferecia um kit completo, com fonte de alimentação separada, para expandir a capacidade de memória. Eram trezentos dólares por megabyte. Hoje em dia, graças ao crescimento exponencial proposto na Lei de

Moore, as unidades rígidas com capacidade para um gigabyte — 1 bilhão de caracteres de informação — custam 350 dólares. São quinze centavos de dólar por megabyte! E estamos perto de um exótico avanço chamado memória holográfica, com capacidade de armazenamento da ordem de terabytes de caracteres — em menos de uma polegada cúbica de volume. Com tamanha capacidade, uma memória holográfica do tamanho de seu pulso seria capaz de conter tudo que há na Biblioteca do Congresso.

À medida que a tecnologia das comunicações se digitaliza, torna-se alvo dos mesmos avanços exponenciais que fizeram de um laptop de 2 mil dólares um computador mais potente do que o mainframe de 10 milhões de dólares que a IBM fabricava vinte anos atrás.

Num futuro não muito distante, um único cabo correndo pela casa será capaz de transmitir todos os dados necessários a uma residência. Poderá ser ou um fio de fibra ótica, por onde transitam atualmente as chamadas telefônicas de longa distância, ou um cabo coaxial, que no momento transporta os sinais de televisão a cabo. Se os bits forem interpretados como chamados de voz, o telefone tocará. Se houver imagens de vídeo, elas aparecerão na televisão. Se forem serviços noticiosos on-line, chegarão como texto escrito e imagens na tela de um computador.

Esse único cabo com certeza transportará muito mais do que telefonemas, filmes e notícias. Só que é tão difícil para nós imaginar o que a estrada da informação nos trará daqui a 25 anos quanto seria, para um homem da Idade da Pedra, munido de uma faca de lasca, imaginar o trabalho de Ghiberti nas portas do batistério de Florença. Somente quando a estrada chegar é que poderemos compreender todas as suas possibilidades. Mesmo assim, os últimos vinte anos de experiências com os grandes avanços digitais nos permitem compreender alguns dos princípios-chave e algumas das possibilidades do futuro.

3
LIÇÕES
DA INDÚSTRIA
DA INFORMÁTICA

O sucesso é um péssimo professor. Induz gente brilhante a pensar que é impossível perder. Além do mais é um guia precário do futuro. O que hoje parece o plano empresarial perfeito ou a última palavra em tecnologia amanhã pode estar tão desatualizado quanto a televisão a válvula ou o computador mainframe. Já vi isso acontecer. Observar atentamente, por um bom tempo, o desempenho de certas empresas lhe ensina preceitos úteis na hora de formular estratégias para o futuro.

As empresas que estão investindo na estrada da informação tentarão não repetir os erros cometidos nos últimos vinte anos pela indústria da informática. Acredito que é possível entender a maioria desses erros examinando-se alguns fatores críticos. Entre eles as espirais negativas e positivas, a necessidade de se iniciarem tendências, mais do que de segui-las, a importância do software em contraposição ao hardware, e o papel da compatibilidade e de seu retorno positivo.

Você não pode contar com a sabedoria convencional, que só faz sentido em mercados convencionais. Durante as três últimas décadas, o mercado de hardware e software decidamente não foi convencional. Empresas grandes e sólidas, que chegaram a movimentar centenas de milhões de dólares atendendo a inúmeros clientes satisfeitos, desapareceram em pouco tempo. Novas empresas, tais como Apple, Compaq,

Lotus, Oracle, Sun e Microsoft deram a impressão de passar do nada a lucros de bilhões de dólares num piscar de olhos. Os sucessos foram provocados, em parte, pelo que chamo de "espiral positiva".

Quando você tem um produto bom, os investidores prestam atenção em você e se dispõem a colocar dinheiro em sua empresa. Os jovens espertos pensam: "Ei! está todo mundo falando dessa empresa. Eu queria trabalhar lá". Quando uma pessoa inteligente entra para uma empresa, logo depois vem outra, porque gente de talento gosta de trabalhar junto. Isso gera uma sensação estimulante. Prováveis parceiros e clientes prestam mais atenção e a espiral continua, facilitando o próximo sucesso.

Por outro lado, as empresas podem cair na espiral negativa. Uma empresa numa espiral positiva tem um ar de futuro, ao passo que numa espiral negativa a empresa parece condenada. Se as ações de uma empresa começam a cair, ou ela entrega um produto ruim, logo vêm os comentários do tipo: "Por que você trabalha lá?" "Por que você vai investir nessa empresa?" "Acho que você não devia comprar deles". A imprensa e os analistas farejam sangue e começam a publicar rumores internos sobre quem está brigando com quem e quem é o responsável pela má administração. Os clientes passam a se perguntar se deveriam continuar comprando aqueles produtos. Dentro de uma empresa doente, questiona-se tudo, mesmo as coisas que estão sendo bem-feitas. Até uma boa estratégia pode acabar descartada com o argumento de que você "está apenas querendo preservar os velhos hábitos", provocando talvez ainda mais erros. E lá vai a empresa, espiral abaixo. Líderes empresariais como Lee Iacocca, que foram capazes de reverter uma espiral negativa, merecem um bocado de crédito.

Durante toda a minha juventude, a empresa quente de informática era a Digital Equipment Corporation, conhecida como DEC. Por vinte anos pareceu impossível parar a espiral positiva da DEC. Ken Olsen, fundador da empresa, foi um projetista lendário de hardware, meu herói, um deus longínquo. Em 1960, criara a indústria do minicomputador ao oferecer os primeiros computadores "pequenos". O mais antigo foi o PDP-1, ancestral do PDP-8 que havia em meu colégio. Um comprador, em vez de pagar os milhões de dólares que a IBM pedia pelos grandalhões, podia comprar um dos PDP-1 de Olsen por 120 mil dólares. Não era tão potente quanto as grandes máquinas, mas podia ser usado para uma variedade de aplicações. A DEC tornou-se uma empresa de 6,7 bilhões de dólares em oito anos, oferecendo uma ampla variedade de computadores em diferentes tamanhos.

Duas décadas depois, a visão de Olsen falhou. Não conseguiu enxergar o futuro dos pequenos computadores de mesa. Acabou tendo que sair da DEC e hoje é famoso mais por ter sido o homem que chamou, pública e freqüentemente, o computador pessoal de moda passageira. Histórias como a de Olsen me fazem pensar muito. Ele era dotado de uma brilhante capacidade de enxergar jeitos novos de fazer as coisas e aí — depois de anos sendo um inovador — deixou de ver uma grande curva na estrada.

Outro visionário que falhou foi An Wang, o imigrante chinês que transformou os Laboratórios Wang no maior fornecedor de calculadoras eletrônicas dos anos 60. Nos anos 70, ignorou o conselho de todos que o cercavam e abandonou o mercado de calculadoras pouco antes da chegada de concorrentes de baixo custo, que o teriam arruinado. Foi uma jogada brilhante. Wang reinventou sua empresa, transformando-a na principal fornecedora de máquinas processadoras de texto. Durante a década de 70, em escritórios do mundo todo, os terminais dos processadores de texto Wang começaram a substituir as máquinas de escrever. As máquinas continham um microprocessador, embora não fossem microcomputadores de verdade, porque eram projetadas para fazer uma única coisa — lidar com texto.

Wang era um engenheiro visionário. O mesmo tipo de inspiração que o levou a abandonar as calculadoras poderia tê-lo conduzido ao sucesso na indústria de software para PCs, nos anos 80. Mas Wang não enxergou a curva seguinte. Desenvolveu programas excelentes, todos porém proprietários, só funcionando em seus processadores de texto. Sem chance nenhuma de deslanchar, portanto, depois que surgiram os microcomputadores de uso geral, capazes de rodar inúmeros programas de processamento de textos como WordStar, WordPerfect e Multi-Mate (que aliás imitavam o software de Wang). Se Wang tivesse entendido a importância de aplicativos compatíveis, talvez não houvesse uma Microsoft. Hoje eu podia ser um matemático ou um advogado e minhas incursões de adolescente pelo campo dos microcomputadores não seriam mais que uma lembrança distante.

A IBM foi outra grande companhia que deixou passar as mudanças tecnológicas, no início da revolução da microinformática. O líder da empresa foi um implacável ex-vendedor de caixas registradoras, Thomas J. Watson. Tecnicamente, Watson não foi o fundador da IBM, mas, graças a seu estilo agressivo de gerenciamento, por volta do início dos anos 30 a IBM dominava o mercado de máquinas de contabilidade.

A IBM começou a trabalhar com computadores em meados da década de 50. Na época era uma entre muitas empresas competindo pela liderança de mercado. Até 1964, todo modelo de computador, inclusive quando fabricado pela mesma empresa, além de possuir projeto exclusivo, exigia um sistema operacional e um software aplicativo próprios. Um sistema operacional (às vezes chamado de sistema operacional de disco, ou simplesmente DOS) é o software básico que coordena os componentes do sistema do computador, dizendo-lhes como trabalhar em conjunto e executar outras funções. Sem um sistema operacional, o computador não serve para nada. O sistema operacional é a base sobre a qual são construídos todos os programas aplicativos, tais como contabilidade, folha de pagamento, processamento de texto ou correio eletrônico.

No início, os computadores de diferentes faixas de preço tinham projetos diferentes. Alguns modelos eram dedicados ao estudo científico, outros ao comércio. Como descobri por experiência própria, quando escrevi o BASIC para vários computadores pessoais, era preciso muito trabalho para migrar o software de um modelo de computador para outro, mesmo quando o software era escrito em linguagem-padrão, como COBOL ou FORTRAN. Sob a direção do jovem Tom, como era conhecido o filho e sucessor de Watson, a IBM apostou 5 bilhões de dólares numa idéia novíssima na época: a da arquitetura escalável, segundo a qual todos os computadores da família System/360, independentemente de tamanho, responderiam ao mesmo conjunto de instruções. Modelos construídos com diferentes tecnologias, desde os mais lentos aos mais velozes, desde máquinas de pequeno porte, que cabiam num escritório de tamanho normal, até os gigantes refrigerados a água, enclausurados em cabines climatizadas de vidro, todos eram capazes de executar o mesmo sistema operacional. Os usuários poderiam transferir suas aplicações e periféricos, acessórios tais como discos, unidades de fita e impressoras, livremente, de um modelo a outro. A arquitetura escalável reformulou por completo a indústria.

O System/360 foi sucesso absoluto e fez da IBM a mais dinâmica das empresas ligadas à fabricação de mainframes durante os trinta anos seguintes. Os usuários investiram muito no 360, confiantes de que seu comprometimento com software e treinamento não seria desperdiçado. Se precisassem passar para um computador maior, poderiam obter um IBM capaz de rodar o mesmo sistema e partilhar da mesma arquitetura. Em 1977 a DEC introduziu sua própria plataforma de arquitetura escalável, o VAX. A família de computadores VAX ia desde sistemas desktop a conjuntos de máquinas de grande porte, e fez pela DEC o mesmo que o System/360 fez pela IBM. A DEC tornou-se líder absoluta no mercado de minicomputadores.

A arquitetura escalável do System/360 da IBM, e de seu sucessor, o System/370, enterrou vários concorrentes e afugentou as empresas novatas. Em 1970, Eugene Amdahl, que fora engenheiro sênior na IBM, fundou uma nova empresa. Amdahl tinha um plano inusitado de trabalho: a empresa, também chamada Amdahl, construiria computadores totalmente compatíveis com o software do IBM 360. E, assim, a Amdahl não só produziu hardware capaz de rodar os mesmos sistemas operacionais e as mesmas aplicações dos computadores da IBM como também, por ter tirado partido de novas tecnologias, superou os sistemas relativamente mais caros da IBM. Não demorou para que empresas como Control Data, Hitachi e Itel começassem, também, a oferecer mainframes compatíveis em todos os níveis com o sistema IBM. Em meados da década de 1970, a importância da compatibilidade do 360 estava ficando óbvia. As únicas companhias fabricantes de mainframe com sucesso no mercado eram as que produziam hardware capaz de rodar os sistemas operacionais IBM.

Antes do 360, os projetos de computador eram intencionalmente incompatíveis com os de outras empresas, porque o objetivo dos fabricantes era tornar muito difícil e caro ao consumidor que houvesse investido maciçamente no computador de uma companhia mudar para outra marca. Uma vez que o consumidor se comprometesse com uma determinada máquina, ficaria à mercê das ofertas daquele fabricante específico, porque mudar de software, embora fosse viável, era difícil demais. Amdahl e outros acabaram com isso. A compatibilidade, impulsionada pelo próprio mercado, é uma lição importante para a futura indústria do computador pessoal. Lição que não deve ser esquecida por aqueles que estão criando a estrada da informação. O consumidor prefere sistemas que lhe possibilitem escolher o fornecedor de hardware e que lhe ofereçam a mais ampla variedade de aplicações.

Enquanto isso tudo acontecia, eu me entretinha no colégio e nas experiências com computadores. Entrei para Harvard no outono de 1973. Na faculdade, se faz muita pose; dar a impressão de não estar nem aí com nada era tido como uma das melhores maneiras de você afirmar que estava por dentro de tudo. De modo que, durante meu ano de calouro, instituí uma política de matar quantas aulas fosse possível para depois me matar de estudar no final do período. Tornou-se um jogo — não de todo incomum — ver que nota máxima seria possível conseguir dedicando o mínimo de tempo possível aos estudos. As horas vagas eu preenchia com muito pôquer, que tinha atrativos próprios para mim. Um jogador de pôquer coleta fiapos de informação — quem está apostando com ousadia, que cartas estão à mostra, qual o padrão do sujeito ao apostar e blefar —, em seguida junta essa informação toda e esquematiza um plano de jogada. Acabei ficando muito bom nesse tipo de processamento de informação.

As estratégias aprendidas — e o dinheiro ganho — no pôquer foram úteis quando entrei para os negócios, mas o outro jogo que eu vinha jogando, o de adiar, não foi de grande serventia. Na época, porém, eu não sabia disso. Na verdade foi um incentivo ver minha atitude dilatória compartilhada por um novo amigo, Steve Ballmer, estudante de matemática que conheci quando calouro, residente no mesmo alojamento que eu, Currier House. Steve e eu tínhamos vidas muito diferentes, mas estávamos ambos tentando reduzir ao mínimo o tempo de estudo necessário para obter boas notas. Steve é de uma energia ilimitada, um homem dotado de uma sociabilidade natural. Empregava quase todo seu tempo em atividades extracurriculares. No segundo ano já era diretor do time de futebol americano da faculdade, gerente de publicidade do *Harvard Crimson*, o jornal da escola, e presidente de uma revista literária. Também era membro do equivalente, em Harvard, a uma *fraternity* norte-americana (um clube de universitários do sexo masculino, de fins principalmente sociais, com certos ritos secretos de iniciação).

Ele e eu prestávamos pouquíssima atenção às aulas e depois, às vésperas dos exames, absorvíamos furiosamente os livros mais importantes da matéria. Uma vez optamos, juntos, por um curso dificílimo de economia — Economics 2010 — para alunos já formados. O professor permitia que os alunos apostassem tudo na prova final, caso quisessem. Steve e eu nos concentramos em outras áreas, durante todo o semestre, e não pegamos num livro daquele curso até uma semana antes do exame. Aí estudamos feito dois loucos e acabamos tirando A's.

Depois que Paul Allen e eu fundamos a Microsoft, porém, descobri que aquela atitude de ir adiando as coisas não fora a melhor preparação para dirigir uma empresa. Entre os primeiros clientes da Microsoft estavam companhias japonesas tão metódicas que bastava qualquer atraso no nosso cronograma para que enviassem alguém do Japão para ser nossa babá. Sabiam que o enviado deles não poderia realmente ajudar em nada, mas o sujeito ficava ali no escritório dezoito horas por dia, só para mostrar como estavam preocupados. Aqueles caras eram seriíssimos! Costumavam perguntar: "Por que mudou a programação? Precisamos de um motivo. E vamos mudar seja o que for que provocou isso". Até hoje ainda tenho viva lembrança de como foi ficando desagradável atrasar um projeto. Nós melhoramos, mudamos. Às vezes ainda atrasamos um projeto ou outro, mas com muito menos freqüência, graças a nossas temíveis babás.

A Microsoft começou em Albuquerque, Novo México, em 1975, porque era lá que ficava a MITS. A MITS era a minúscula empresa responsável pelo kit do Altair 8800, o computador pessoal que havia aparecido na capa da *Popular Electronics*. Trabalhamos com eles porque foram a primeira empresa a vender computadores pessoais de baixo custo ao grande público. Por volta de 1977, Apple, Commodore e Radio Shack também já haviam entrado no ramo. Nós fornecemos o BASIC para a maioria dos primeiros computadores pessoais. Na época era um ingrediente de software fundamental, porque em vez de comprar pacotes aplicativos os usuários escreviam suas próprias aplicações em BASIC.

No começo, vender o BASIC era um dos muitos encargos que eu tinha. Durante os três primeiros anos, a maioria dos profissionais da Microsoft concentrou-se exclusivamente no trabalho técnico, enquanto eu cuidava das vendas, finanças, marketing, além de escrever programas. Eu mal saíra da adolescência e vender me intimidava. A estratégia da Microsoft era conseguir que empresas de informática, como a Radio Shack, comprassem a licença para incluir nosso software nos computadores pessoais que vendiam (o TRS-80 da Radio Shack, por exemplo) e nos pagassem royalties. Um dos motivos de seguirmos essa linha foi a pirataria de software.

Nos primeiros anos de comercialização do Altair BASIC, vendemos bem menos do que se imagina, tendo em vista o número de pessoas que usavam nosso software. Escrevi uma "carta aberta", amplamente divulgada, pedindo aos primeiros usuários de computadores pessoais que parassem de roubar nosso software para que pudéssemos ganhar o dinheiro que nos permitiria elaborar novos programas. "Nada me daria mais prazer do que poder contratar dez programadores e inundar o mercado de hobby com software de boa qualidade", escrevi. Mas meu argumento não convenceu muita gente a pagar por nosso trabalho; todos pareciam gostar dele e usá-lo, mas preferiam "tomar emprestado" a comprá-lo.

Felizmente hoje em dia a maioria dos usuários compreende que o software está protegido por direitos autorais. A pirataria de software continua uma questão importante nas relações internacionais de comércio porque alguns países ainda não têm — ou não fazem vigorar — a lei de patentes. Os Estados Unidos vêm insistindo para que os governos se empenhem em promulgar leis de proteção aos direitos autorais de livros, filmes, CDs e software. Todo cuidado será pouco para que a futura estrada não se torne um paraíso de piratas.

Embora a Microsoft tenha tido bastante sucesso nas vendas a empresas norte-americanas de hardware, por volta de 1979 metade de nossas transações era com o Japão, graças a um sujeito extraordinário chamado Kazuhiko (Kay) Nishi. Kay me telefonou em 1978 e apresentou-se, em inglês. Tinha lido a respeito da Microsoft e achou que devia fazer negócio conosco. Na verdade, Kay e eu tínhamos muita coisa em comum. Éramos da mesma idade e ele também havia trancado matrícula na faculdade por causa da paixão pelos computadores pessoais.

Conhecemo-nos alguns meses depois, numa convenção em Anaheim, na Califórnia, e ele voltou no mesmo avião que eu até Albuquerque, onde assinamos um contrato de página e meia que lhe dava direitos exclusivos de distribuição do Microsoft BASIC no Extremo Oriente. Não havia nenhum advogado presente, apenas Kay e eu, almas gêmeas. Fizemos negócios num valor superior a 150 milhões de dólares com aquele contrato — mais de dez vezes aquilo que esperávamos.

Kay movimentava-se com desembaraço tanto na cultura empresarial japonesa quanto na norte-americana. Ele era espalhafatoso e, no Japão, isso era um elemento a nosso favor, porque contribuía para a impressão que o empresariado japonês tinha de que éramos garotos brilhantes. Quando eu estava no Japão, ficávamos no mesmo quarto de hotel e Kay recebia telefonemas a noite inteira, fechando negócios de milhões de dólares. Era espantoso. Uma vez não houve nenhuma chamada entre três e cinco da manhã; quando o telefone tocou, às cinco, Kay estendeu o braço e me disse: "Os negócios estão meio devagar hoje". Era uma farra.

Durante os oito anos seguintes, Kay aproveitou todas as oportunidades. Um dia, em 1981, num vôo de Seattle a Tóquio, Kay se viu sentado ao lado de Kazuo Inamori, presidente da Kyocera Corporation, uma empresa de 650 milhões de dólares. Kay, que administrava sua empresa japonesa, a SCII, confiante na cooperação da Microsoft, conseguiu interessar Inamori numa nova idéia — um pequeno laptop que tinha um software simples incorporado ao aparelho. Kay e eu projetamos a máquina. A Microsoft ainda era pequena o suficiente para que eu pudesse me envolver pessoalmente no desenvolvimento de software. Nos Estados Unidos, foi comercializado pela Radio Shack, em 1983, sob o nome de Model 100, por apenas 799 dólares. Também foi vendido no Japao, sob o nome de NEC PC-8200, e na Europa, sob o nome de Olivetti M-10. Graças ao entusiasmo de Kay, foi o primeiro laptop popular, o favorito dos jornalistas durante muito tempo.

Alguns anos depois, em 1986, Kay decidiu dar à SCII um rumo diferente daquele que eu pretendia para a Microsoft, de maneira que a Microsoft abriu uma subsidiária própria no Japão. A empresa de Kay é até hoje uma importante distribuidora de software para o mercado japonês. E Kay, um amigo do peito, continua tão espalhafatoso e comprometido em transformar o microcomputador numa ferramenta universal quanto antes.

A natureza global do mercado para PCs também será elemento vital no desenvolvimento da estrada. A colaboração entre empresas americanas, européias e asiáticas será ainda mais importante para os microcomputadores do que no passado. Os países ou empresas que não souberem globalizar seus produtos não conseguirão liderar.

Em janeiro de 1979 a Microsoft mudou de Albuquerque para um bairro nos arredores de Seattle, no estado de Washington. Paul e eu voltamos para nossa cidade, levando praticamente todos os doze funcionários da Microsoft conosco. Concentramo-nos em escrever linguagens de programação para a profusão de máquinas que começaram a surgir a partir do momento em que a indústria da microinformática deslanchou. As pessoas nos procuravam com tudo quanto é tipo de projeto interessante, potencialmente capaz de se transformar em algo grande. A demanda pelos serviços da Microsoft excedeu nossa capacidade de oferta.

Eu precisava de ajuda para dirigir os negócios e apelei para Steve Ballmer, meu velho colega no curso Economics 2010, em Harvard. Depois de formado, Steve fora trabalhar como gerente de produtos para a Procter & Gamble, em Cincinnati, onde, durante uns tempos, seu trabalho incluía visitas a pequenos armazéns de secos e molhados em Nova Jersey. Alguns anos depois, decidiu fazer a Stanford Business School. Na época em que liguei para ele, Steve tinha acabado de terminar o primeiro ano e queria completar o curso, mas, quando lhe ofereci uma participação societária na Microsoft, ele se tornou mais um aluno com matrícula trancada por tempo indefinido. A sociedade que a Microsoft ofereceu à maioria de seus funcionários, mediante o direito de compra de ações, foi muito mais significativa e bem-sucedida do que se poderia prever. Houve um aumento de bilhões de dólares, literalmente, no valor acionário. A política de conceder aos funcionários de uma empresa o direito à compra de ações, algo que foi ampla e entusiasticamente adotado nos Estados Unidos, é uma das vantagens que permitirão ao país criar um número desproporcional de empresas iniciantes e bem-sucedidas, capitalizando as oportunidades que a era vindoura trará.

Três semanas depois da chegada de Steve à Microsoft, tivemos o primeiro de nossos raríssimos desentendimentos. A Microsoft naquela época contava com cerca de trinta pessoas, e Steve concluíra que precisaríamos contratar mais cinqüenta funcionários imediatamente.

"De jeito nenhum", eu disse. Muitos de nossos primeiros clientes haviam falido e meu temor natural de quebrar num período de *boom* me fizera extremamente conservador, financeiramente falando. Eu queria a Microsoft magra e faminta. Só que Steve não cedeu e acabei concordando. "Então vai contratando gente esperta o mais rápido que puder", eu disse, "e eu aviso quando você ultrapassar os limites do que a gente pode agüentar." Não precisei dar o aviso, porque nossos lucros cresceram com a mesma rapidez com que Steve conseguia encontrar gente magnífica.

Meu maior medo, nos primeiros anos, era de que alguma outra companhia surgisse e tirasse nosso mercado. Várias pequenas empresas, fabricantes de chips ou software, me deixaram especialmente preocupado, mas, felizmente para mim, nenhuma delas via o mercado de software da mesma maneira que nós.

Do mesmo modo, havia sempre o perigo de que um dos principais fabricantes adaptasse o software usado nas máquinas de grande porte para os pequenos computadores equipados com microprocessadores. Tanto a IBM quanto a DEC tinham bibliotecas de programas potentes. Uma vez mais, felizmente para a Microsoft, os grandes nunca se interessaram em levar sua arquitetura e seus programas para a indústria de computadores pessoais. A única vez em que passaram perto foi quando a DEC ofereceu, em 1979, a arquitetura do minicomputador PDP-11 num kit de computador pessoal, comercializado pela HeathKit. A DEC, porém, não acreditava inteiramente nos computadores pessoais e não fez uma boa divulgação do produto.

O objetivo da Microsoft era escrever e fornecer software para microcomputadores sem se envolver diretamente na fabricação ou venda do hardware. A Microsoft licenciava software a preços extremamente baixos. Acreditávamos que seria possível ganhar dinheiro apostando no volume de vendas. Adaptávamos nossas linguagens de programação, como por exemplo nossa versão do BASIC, para cada máquina que surgia. Éramos muito maleáveis a todos os pedidos dos fabricantes de hardware. Não queríamos dar a ninguém algum motivo para procurar outro fornecedor. A intenção era fazer com que a opção pela Microsoft fosse automática.

Nossa estratégia funcionou. Licenciamos linguagens de programação para praticamente todos os fabricantes de microcomputador. Ainda que o hardware fabricado por duas empresas fosse diferente, o fato de ambos rodarem o Microsoft BASIC significava que eram de alguma forma compatíveis. Essa compatibilidade tornou-se uma parte importante daquilo que as pessoas compravam junto com o computador. Os fabricantes em geral anunciavam que seus computadores estavam equipados com as linguagens de programação da Microsoft, inclusive o BASIC.

Em algum ponto dessa trajetória, o Microsoft BASIC se tornou um software-padrão da indústria.

O valor de uma tecnologia nem sempre depende de ampla aceitação. Uma frigideira maravilhosa, não aderente, é útil mesmo que você seja a única pessoa no mundo a comprá-la. Porém, em se tratando de comunicações e de outros produtos envolvendo colaboração, grande parte do valor do produto vem de uma ampla disponibilidade. Podendo escolher entre uma linda caixa de correio, toda feita à mão mas com uma fenda por onde só passa um único tamanho de envelope, e uma caixa velha de papelão onde todo mundo pode deixar correspondência e recados de todo tipo e tamanho, você escolheria a de acesso mais amplo. Você escolheria compatibilidade.

Às vezes, governos e comissões estabelecem padrões com o objetivo de promover a compatibilidade. São chamados de padrões "de direito" e têm força de lei. Contudo, a maioria dos padrões bem-sucedidos são "de fato". Os teclados das máquinas de escrever e dos computadores estão dispostos de tal forma que as teclas da fileira superior são, da esquerda para a direita, QWERTY. Não há nenhuma lei determinando que venham nessa seqüência. Mas funciona, e a maioria dos usuários prefere esse padrão, a menos que surja algo infinitamente melhor no mercado.

Justamente por serem apoiados pelo mercado e não pela lei, os padrões de fato são escolhidos pelos motivos certos e substituídos quando alguma coisa realmente melhor aparece — a exemplo dos discos de vinil, que foram quase totalmente substituídos pelos CDs.

Os padrões de fato em geral se desenvolvem no mercado através de um mecanismo econômico muito semelhante ao conceito da espiral positiva que impulsiona as empresas bem-sucedidas: o sucesso reforça o sucesso. Esse conceito, chamado retorno positivo, explica por que os padrões de fato em geral surgem quando as pessoas estão buscando compatibilidade.

Um ciclo de retorno positivo começa quando, num mercado em expansão, um jeito de fazer alguma coisa é ligeiramente mais vantajoso que o jeito do concorrente. Tem mais probabilidade de acontecer com produtos de alta tecnologia que podem ser produzidos em grande escala com acréscimo muito pequeno nos custos e cujo valor, em parte, advém da compatibilidade. Exemplo disso é o sistema de vídeo game doméstico. Trata-se de um computador de uso especial, equipado com um sistema operacional de uso especial, que forma uma plataforma para o software do jogo. A compatibilidade é importante porque quanto mais aplicações — no caso os jogos — disponíveis, mais valiosa é a máquina para o consumidor. Ao mesmo tempo, quanto mais máquinas compradas pelos consumidores, mais programas aplicativos serão desenvolvidos. Um ciclo de retorno positivo se instala quando uma máquina atinge alto nível de popularidade e as vendas aumentam ainda mais.

Talvez a prova mais famosa do poder do retorno positivo na indústria seja a batalha em torno do formato dos videocassetes, travada no final dos anos 70 e começo dos 80. Ainda persiste o mito de que foi apenas graças ao retorno positivo que o formato VHS suplantou o Beta, ainda que o Beta fosse, tecnicamente, melhor. Na verdade, as primeiras fitas em Beta gravavam apenas uma hora — tempo insuficiente para um filme ou um jogo —, enquanto no formato VHS as fitas eram capazes de gravar até três horas. Os usuários estão mais interessados na capacidade de uma fita do que em determinadas especificações de engenharia. O formato VHS obteve uma pequena dianteira em relação ao Beta, usado pela Sony em seus aparelhos Betamax. A JVC, que desenvolveu o padrão VHS, permitiu que outros fabricantes de videocassete usassem o padrão VHS mediante um royalty muito pequeno. À medida que os videocassetes compatíveis com o formato VHS proliferaram, as locadoras de vídeo começaram a estocar mais fitas em VHS do que em Beta. Portanto, quem possuía um videocassete em VHS tinha mais facilidade de encontrar seu filme preferido do que o dono de um aparelho em Beta, o que por sua vez tornou o VHS muito mais conveniente, transformando-o no formato mais procurado nas lojas. Isso motivou ainda mais as locadoras de vídeo a estocarem fitas em VHS. O formato Beta começou a perder a disputa porque as pessoas escolhiam o VHS acreditando que se tratava de um padrão durável. O formato VHS beneficiou-se com um ciclo de retorno positivo. O sucesso gerou sucesso. Mas não em troca da qualidade.

Enquanto se travava o duelo entre os formatos Betamax e VHS, as vendas de videocassetes pré-gravados aos comerciantes de fitas para locação nos Estados Unidos estavam praticamente paradas, não ultrapassando uns poucos milhões de cópias por ano. Depois que o VHS emergiu como o modelo que aparentemente seria adotado, aí por 1983, cruzou-se um patamar de aceitação e o uso dos aparelhos, conforme indicavam as vendas de fitas, teve uma alta repentina. Naquele ano, venderam-se mais de 9,5 milhões de fitas, o que significava um acréscimo de mais que 50% sobre o ano anterior. Em 1984, as vendas de fitas atingiram os 22 milhões. Depois, nos anos subseqüentes, elas foram de 52 milhões, 84 milhões e 110 milhões de unidades em 1987, época em que a locação de filmes se tornara uma das maneiras mais populares de entretenimento doméstico, e o aparelho de VHS passara a ser algo ubíquo.

Este é um exemplo de como uma mudança quantitativa no nível de aceitação de uma nova tecnologia pode produzir uma mudança qualitativa no papel desempenhado pela tecnologia. A televisão é outro. Em 1946, 10 mil aparelhos de televisão foram vendidos nos Estados Unidos e somente 16 mil no ano seguinte. Porém nesse momento um patamar foi cruzado, e em 1948 o total de vendas foi de 190 mil. Nos anos seguintes ele foi de 1 milhão de unidades, depois 4 milhões, 10 milhões, subindo constantemente até 32 milhões vendidos em 1955. Com o crescimento nas vendas de televisores aumentaram os investimentos na criação de programação, o que por sua vez reforçou o desejo das pessoas de comprar televisores.

Durante os primeiros anos após sua introdução no mercado, os CDs e os respectivos aparelhos de reprodução não venderam muito bem, em parte porque era difícil encontrar lojas com uma boa variedade de discos. Então, aparentemente da noite para o dia, foi vendido um número suficiente de aparelhos, os discos apareceram e o limiar da aceitação foi vencido. Mais gente comprou os aparelhos de CD porque havia mais opções nas lojas de disco e as gravadoras estavam soltando mais CDs. Os amantes da música preferiam o novo som de alta qualidade e a conveniência dos CDs, que acabaram se tornando o padrão de fato e expulsando os LPs das lojas de discos.

Uma das lições mais importantes aprendidas pela indústria da informática foi a de que boa parte do valor de um computador, para o usuário, depende da qualidade e da variedade dos programas aplicativos disponíveis para aquele computador. Todos nós na indústria aprendemos a lição — por bem ou por mal.

No verão de 1980, dois emissários da IBM vieram à Microsoft para conversar a respeito de um computador que eles estavam pensando em fabricar.

Na época, a IBM ocupava uma posição de supremacia no reino do hardware, com mais de 80% do mercado de computadores de grande porte. A empresa tivera um sucesso bem modesto com os computadores pequenos. Ela estava acostumada a vender máquinas grandes e caras a grandes clientes. A diretoria da IBM desconfiava que a empresa, então com 340 mil funcionários, precisaria de assistência externa, caso fosse começar a vender máquinas pequenas e baratas tanto a consumidores particulares quanto a empresas.

A IBM queria lançar seu microcomputador no mercado em menos de um ano. Para poder cumprir esse cronograma, teria de abandonar o esquema tradicional, que consistia em fabricar todo o hardware e software ela mesma. De modo que a IBM decidiu construir seu PC com componentes já prontos, ao alcance de qualquer um. Isso levou a uma plataforma fundamentalmente aberta, fácil de ser copiada.

Embora geralmente construísse seus próprios microprocessadores, a IBM decidiu comprar da Intel os microprocessadores para seu PC. Para a Microsoft, foi importante a IBM ter decidido não criar seu próprio software e licenciar o nosso sistema operacional.

Trabalhando junto com a equipe de projetos da IBM, elaboramos um plano para que ela construísse um dos primeiros computadores pessoais a ter um microprocessador de dezesseis bits, o 8088. A passagem de oito para dezesseis bits elevaria o microcomputador da categoria de

1981: O microcomputador, ou computador pessoal, da IBM

brinquedo e passatempo à de poderosa ferramenta. A geração de computadores de dezesseis bits podia suportar até um megabyte inteiro de memória — 256 vezes mais que um computador de oito bits. A princípio seria apenas uma vantagem teórica, porque a IBM inicialmente pretendia oferecer apenas 16K de memória, 1/64 do total da memória possível. As vantagens de se passar para dezesseis bits foram reduzidas mais ainda com a decisão da IBM de economizar dinheiro usando um chip que empregava apenas conexões de oito bits com o restante do computador. Conseqüentemente, o chip era capaz de pensar muito mais depressa do que conseguia se comunicar. Entretanto, a decisão de usar um processador de dezesseis bits foi muito esperta, porque permitiu ao IBM-PC desenvolver-se e continuar sendo o padrão dos micros até hoje.

Com sua reputação, aliada à decisão de usar um projeto aberto que outras empresas poderiam copiar, a IBM tinha realmente chance de criar um padrão novo e abrangente de computador pessoal. Nós queríamos participar. Aceitamos, portanto, o desafio de escrever o sistema operacional. Adquirimos um trabalho anterior, desenvolvido numa empresa também de Seattle, e contratamos seu engenheiro-chefe, Tim Paterson. Com inúmeras modificações, o sistema transformou-se no Sistema Operacional de Disco da Microsoft, o MS-DOS. Tim tornou-se, na verdade, o pai do MS-DOS.

A IBM, nosso primeiro licenciado, batizou sua versão de PC-DOS; as letras PC são as iniciais de *personal computer*, computador pessoal. O IBM Personal Computer chegou ao mercado em agosto de 1981 e foi um triunfo. A companhia promoveu bem o produto e popularizou o termo "PC". O projeto foi concebido por Bill Lowe e acompanhado até o último estágio por Don Estridge. Prova da qualidade dos funcionários da empresa envolvidos no projeto, o PC da IBM passou da idéia ao mercado em menos de um ano.

Poucos se lembram disso agora, mas o IBM-PC original podia ser adquirido com um entre três sistemas operacionais — o nosso PC-DOS, o CP/M-86 e o UCSD Pascal P-system. Sabíamos que apenas um desses três ia dar certo e virar padrão. Queríamos que o mesmo tipo de pressão que estava levando as fitas em VHS às prateleiras de todas as distribuidoras de vídeo forçasse o MS-DOS a se tornar o padrão. E víamos três maneiras de pôr o MS-DOS na frente. A primeira era fazer do MS-DOS o melhor produto. A segunda era ajudar outras empresas do ramo a escrever software com base no MS-DOS. E a terceira era garantir que o MS-DOS fosse barato.

Fizemos um trato que, para a IBM, era fabuloso: uma taxa única, pequena, concedia à empresa o direito de usar o sistema operacional da Microsoft em tantos computadores quantos conseguisse vender. Ou seja, a IBM tinha um incentivo para promover o MS-DOS e vendê-lo a baixo preço. Nossa estratégia funcionou. A IBM vendia o UCSD Pascal P-System por cerca de 450 dólares, o CP/M-86 por cerca de 175 dólares e o MS-DOS por volta de sessenta dólares.

Nosso objetivo não era fazer dinheiro diretamente com as vendas da IBM, e sim licenciar o uso do MS-DOS a outros fabricantes de computador que quisessem oferecer máquinas mais ou menos compatíveis com o IBM-PC. A IBM podia usar nosso software de graça, mas não tinha direito exclusivo de uso nem controle sobre futuros aperfeiçoamentos. Com isso, a Microsoft se viu em posição de licenciar uma plataforma de software à indústria de microcomputadores. No fim, a IBM acabou abandonando os aperfeiçoamentos do UCSD Pascal P-system e do CP/M-86.

Os consumidores confiaram no IBM-PC e, em 1982, projetistas de software começaram a soltar novas aplicações para rodar nele. A cada novo consumidor e a cada nova aplicação aumentavam as chances de o IBM-PC se tornar um padrão de fato da indústria. Logo a maior parte dos melhores programas, tais como o Lotus 1-2-3, estava sendo escrita para ele. Mitch Kapor, junto com Jonathan Sachs, criou o 1-2-3 e revolucionou as planilhas. Os inventores originais da planilha eletrônica, Dan Bricklin e Bob Frankston, merecem imenso crédito pelo produto que criaram, o VisiCalc, mas o 1-2-3 tornou esse programa obsoleto. Mitch é uma pessoa fascinante, cujos antecedentes ecléticos —

disc-jóquei e instrutor de meditação transcendental — são bem típicos do que rola entre os melhores projetistas de software.

Um ciclo de retorno positivo começou a impulsionar o mercado de PCs. Assim que ele deslanchou, apareceram milhares de produtos de software aplicativo, e um sem-número de empresas passou a fabricar placas adicionais ou "acessórios", que aumentavam a capacidade do hardware. A disponibilidade de complementos de software e de hardware provocou a procura por PCs num ritmo muito maior do que o previsto pela IBM — da ordem de milhões. O ciclo de retorno positivo gerou bilhões de dólares para a IBM. Durante alguns anos, mais da metade de todos os computadores pessoais utilizados profissionalmente era da IBM e a maioria dos restantes era compatível com eles.

O padrão IBM tornou-se a plataforma imitada por todos. Isso ocorreu em grande parte devido ao senso de oportunidade, de momento, e ao uso de um processador de dezesseis bits. Timing e marketing são ambos fatores fundamentais para a aceitação de produtos tecnológicos. O PC de fato era uma boa máquina, mas, com um número suficiente de equipamentos vendidos e de aplicações interessantes no mercado, qualquer outra empresa poderia ter imposto o padrão.

As decisões iniciais da IBM, decorrentes da pressa em lançar o PC, facilitaram muito a fabricação de equipamentos compatíveis. A arquitetura estava à venda. Os microprocessadores da Intel e o sistema operacional da Microsoft podiam ser encontrados. Essa abertura foi um grande incentivo para que fabricantes de componentes, projetistas de software e todos os profissionais do ramo tentassem fazer o mesmo.

Em três anos, quase todos os padrões concorrentes de computador pessoal haviam desaparecido. As únicas exceções eram o Apple II e o Macintosh da Apple. Hewlett Packard, DEC, Texas Instruments e Xerox, apesar da tecnologia, da reputação e da clientela, no início da década de 80 não tiveram êxito no mercado de computadores pessoais, porque suas máquinas não eram compatíveis e não ofereciam aperfeiçoamentos significativos em relação à arquitetura da IBM. Várias principiantes, tais como a Eagle e a Northstar, acharam que as pessoas comprariam o hardware delas porque ofereciam alguma coisa de diferente e ligeiramente melhor que o IBM-PC. Todas as empresas principiantes que não adotaram um hardware compatível fracassaram. O IBM-PC tornou-se o hardware-padrão. Lá pela metade dos anos 80, havia dezenas de computadores pessoais compatíveis com o IBM. Ainda que os compradores de micros não tenham dito, o que eles estavam procurando era um hardware que executasse a maioria dos programas e que fosse igual ao de seus amigos e colegas de trabalho.

Tornou-se muito comum, entre um determinado grupo de historiadores revisionistas, concluir que a IBM cometeu um erro trabalhando com a Intel e a Microsoft para criar seu PC. Argumentam que a IBM deveria ter patenteado a arquitetura de seu PC e também que a Intel e a Microsoft acabaram levando vantagem sobre a IBM. Mas os revisionistas não entenderam o principal. A IBM transformou-se no carro-chefe da indústria de PCs justamente porque foi capaz de canalizar uma quantidade incrível de talentos criativos e de energia empreendedora e utilizá-los para promover sua arquitetura aberta. A IBM estabeleceu os padrões.

Na área de mainframes, a IBM era rainha absoluta e os concorrentes achavam difícil superá-la em vendas e fazer frente à alta capacidade de pesquisa e desenvolvimento da empresa. Se um concorrente ameaçasse usurpar a coroa, a IBM tinha condições de concentrar seus recursos para tornar a empreitada quase impossível. Entretanto, num universo em ebulição como o dos microcomputadores, a IBM se parecia mais com um corredor de maratona na posição dianteira. Desde que continue na frente, correndo tanto ou mais que os outros, o atleta mantém a liderança e os outros vão ter que tentar alcançá-lo. No entanto, se esse corredor afrouxa ou pára de se esforçar, os demais passam na frente. Não havia muitos impedimentos aos outros competidores, como ficaria claro logo mais.

Por volta de 1983, achei que o passo seguinte deveria ser o desenvolvimento de um sistema operacional gráfico. Eu não acreditava que pudéssemos manter a dianteira na indústria de software apenas com o

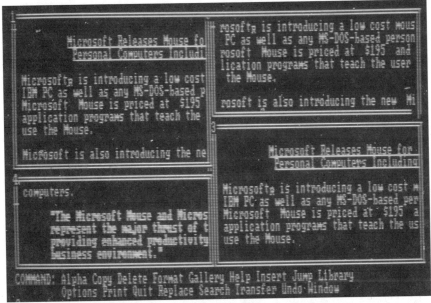

1984: *Processador de texto com interface com usuário de caracteres numa versão antiga do Word para DOS da Microsoft*

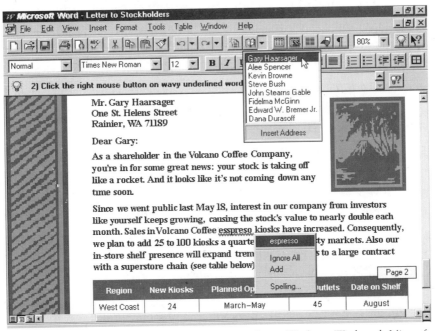

1995: *Processador de texto com interface com usuário gráfico no Word para Windows da Microsoft*

MS-DOS, porque o MS-DOS era baseado em caracteres. O usuário era obrigado a "digitar" comandos em geral obscuros que depois apareciam na tela. O MS-DOS não tinha ilustrações e outros recursos gráficos para ajudar o usuário a interagir com as aplicações. A interface é a maneira como o computador e o usuário se comunicam. Para mim, no futuro as interfaces seriam gráficas e era essencial que a Microsoft fosse além do MS-DOS e estabelecesse um novo padrão no qual imagens e fontes (famílias de tipos) fariam parte de uma interface mais fácil de usar. Para concretizar essa nossa visão, os micros teriam que se tornar mais simples de usar. Além de facilitar a vida de quem já possuía o equipamento, visávamos atrair novos clientes sem tempo de aprender a trabalhar com interfaces complicadas.

Para ilustrar as diferenças enormes que existem entre um programa gráfico e outro baseado em caracteres, imagine-se jogando alguma coisa como xadrez, dama ou banco imobiliário numa tela de computador. Num sistema baseado em caracteres, você tem que digitar as jogadas, usando caracteres. Você escreve "Mova a peça da casa 11 para a casa 19" ou algo mais hermético como "Peão na BD3". Já num sistema gráfico, você vê o tabuleiro de xadrez na tela. Você move as peças apontando para elas e, literalmente, arrastando-as para o lugar escolhido.

Os pesquisadores do agora famoso Centro de Pesquisas de Palo Alto, da Xerox, na Califórnia, exploraram novos paradigmas para a interação entre o ser humano e o computador. Mostraram que é mais fácil instruir um computador se você puder apontar para as coisas na tela e ver imagens. Usaram um dispositivo chamado "mouse", que rolava sobre a superfície de uma mesa movendo um cursor pela tela. A Xerox não tirou partido comercial dessa idéia inovadora porque suas máquinas eram caras e não usavam microprocessadores-padrão. Fazer com que pesquisa de alta qualidade se traduza em produtos vendáveis continua sendo um problema e tanto para muitas empresas.

Em 1983, a Microsoft anunciou que planejávamos levar a computação gráfica para o IBM-PC através de um produto chamado Windows.

1984: o Macintosh da Apple

Nosso objetivo era criar um software capaz de ampliar o MS-DOS e permitir o uso do mouse, empregar imagens gráficas na tela e apresentar, na tela, uma série de "janelas" [*windows*], cada uma executando um programa diferente. Na época havia dois computadores pessoais no mercado com capacidade gráfica: o Xerox Star e o Apple Lisa. Eram ambos caros, de capacidade limitada e construídos com arquitetura proprietária. As demais empresas de hardware não tinham a concessão dos sistemas operacionais para fabricar equipamentos compatíveis, e nenhum dos dois atraiu muitas empresas interessadas em desenvolver aplicações. A Microsoft queria criar um padrão aberto e levar capacidade gráfica a qualquer computador que estivesse rodando com o MS-DOS.

A primeira plataforma gráfica popular chegou ao mercado em 1984, quando a Apple lançou seu Macintosh. Steve Jobs liderava a equipe do Macintosh. Trabalhar com ele foi divertidíssimo. Steve tem uma intuição espantosa para engenharia e projeto, além de uma capacidade de motivar as pessoas que é de primeira linha.

Foi preciso muita imaginação para desenvolver programas gráficos de computador. Que aparência deveria ter? Como é que deveria se comportar? Algumas idéias foram herdadas do trabalho feito na Xerox e outras eram originais. De início exageramos nas possibilidades. Usamos praticamente todas as fontes e ícones que pudemos. Depois percebemos que aquilo tudo dificultava a visão e mudamos para menus mais comportados. Criamos um processador de textos, Microsoft Word, e uma planilha, Microsoft Excel, para o Macintosh. Foram os primeiros produtos gráficos da Microsoft. O Macintosh tinha um software básico excelente, mas a Apple não permitia (até 1995) que qualquer outra empresa fabricasse hardware capaz de executá-lo. Essa era a filosofia tradicional das empresas de hardware. Se você quisesse o software, teria de comprar os computadores da Apple. O desejo da Microsoft era que o Macintosh vendesse bem e fosse amplamente aceito, porque além de termos investido muito criando as aplicações, queríamos que o público aceitasse a computação gráfica.

Erros como esse que a Apple cometeu, limitando a venda do sistema operacional exclusivamente a hardware de fabricação própria, serão repetidos muitas vezes nos próximos anos. Algumas companhias telefônicas e de cabo já estão falando em se comunicar exclusivamente com software controlado por elas. É cada vez mais importante poder competir e ao mesmo tempo cooperar, mas isso requer um bocado de maturidade.

A separação de hardware e software foi uma questão importantíssima no projeto conjunto da IBM e da Microsoft para criar o OS/2. Ainda hoje a separação é questão polêmica. A padronização do software cria um clima de igualdade de condições para as empresas de hardware, porém muitos fabricantes usam o vínculo entre hardware e software para salientar os próprios sistemas. Algumas empresas tratam hardware e software como empreendimentos distintos, outras não. Com a estrada, essas diferentes abordagens voltarão à baila.

Durante toda a década de 80, o desempenho da IBM foi espantoso segundo qualquer parâmetro conhecido pelo capitalismo. Em 1984, registrou um lucro que até então nenhuma empresa conseguira obter num único ano: 6,6 bilhões de dólares. Naquele ano estupendo, a IBM lançou seu microcomputador de segunda geração, uma máquina de alto desempenho chamada PC AT, que incorporava o microprocessador 80286 da Intel (vulgarmente conhecido como "286"). Era três vezes mais rápido que o IBM-PC original. O AT fez um sucesso enorme e, um ano depois, era responsável por mais de 70% de todas as vendas de microcomputadores.

Quando a IBM lançou seu primeiro PC, não imaginou que ele fosse ameaçar as vendas de seus computadores profissionais, ainda que uma porcentagem significativa dos PCs tivesse sido comprada pela clientela tradicional da IBM. No entender dos altos executivos, os computadores menores destinavam-se apenas ao segmento mais barato de mercado. Quando os PCs começaram a ficar mais potentes, a IBM freou o desenvolvimento do PC para evitar a canibalização dos produtos mais caros.

Dentro do setor de mainframe, a IBM nunca teve dificuldade em controlar a adoção de novos padrões. Ela limitava o preço/desempenho de uma nova linha de hardware, por exemplo, de modo a não prejudicar as vendas de outros produtos mais caros já existentes. Incentivava a adoção de uma nova versão de sistema operacional lançando um hardware que exigia novo software, ou vice-versa. Essa estratégia pode ter funcionado bem no mercado de mainframe, mas foi um verdadeiro desastre no mercado velocíssimo do computador pessoal. A IBM ainda conseguia impor preços um pouco mais altos por desempenho equivalente, mas o mundo descobrira que várias empresas estavam fabricando hardware compatível e que, se a IBM não entregasse o produto com o preço certo, outras empresas o fariam.

Três engenheiros que perceberam o potencial oferecido pela entrada da IBM no mercado do computador pessoal largaram seus empregos na Texas Instruments e abriram uma nova empresa, a Compaq Computer. Construíram um hardware que aceitava as mesmas placas adicionais que o IBM-PC e licenciaram o MS-DOS, de forma que seus computadores pudessem executar as mesmas aplicações que o IBM-PC.

A empresa fabricou máquinas que faziam tudo que os IBM-PCs faziam, porém mais portáteis. Muito rapidamente a Compaq se transformou numa das maiores histórias de sucesso do empresariado americano, com um volume de vendas superior a 100 milhões de dólares no primeiro ano de funcionamento. A IBM podia auferir royalties licenciando suas patentes, mas sua fatia do mercado diminuía à medida que iam sendo lançados sistemas compatíveis e que seu hardware não se mostrava competitivo.

A IBM decidiu adiar o lançamento do PC equipado com o potente chip 386 da Intel, sucessor do 286. Isso foi feito para proteger as vendas da linha de minicomputadores *"low end"*, máquinas de médio porte que não tinham muito mais capacidade que um PC 386. O atraso da IBM permitiu que a Compaq fosse a primeira a lançar o 386, em 1986. Conclusão: a Compaq adquiriu uma aura de prestígio e liderança que, até então, pertencera exclusivamente à IBM.

A IBM planejou uma volta por cima com dois golpes decisivos, o primeiro em hardware e o segundo em software. A intenção era construir computadores e escrever sistemas operacionais total e exclusivamente dependentes um do outro, de modo a paralisar os concorrentes ou obrigá-los a pagar taxas salgadíssimas de licença. A estratégia era tornar obsoleto todos os microcomputadores "compatíveis com IBM" que estavam sendo fabricados.

A estratégia da IBM continha algumas boas idéias. Uma delas foi simplificar o desenho do PC incluindo, dentro da própria máquina, várias aplicações que antes eram opcionais externos. Além de reduzir os custos, a medida também aumentaria a porcentagem de componentes da IBM integrados na venda final. O plano exigiu mudanças substanciais na arquitetura do hardware: novos conectores e padrões para placas adicionais, teclados, mouses e até mesmo vídeos. Na expectativa de obter ainda um pouco mais de vantagem, a IBM não divulgou as especificações de nenhum desses conectores até entregar os primeiros sistemas. A intenção era redefinir os parâmetros de compatibilidade.

Outros fabricantes de PCs e periféricos teriam que começar do zero — a IBM estaria de novo na liderança.

Por volta de 1984, a Microsoft dedicava parte considerável de suas atividades ao fornecimento do MS-DOS a fabricantes de micros compatíveis com os sistemas IBM. Começamos a trabalhar com a IBM num projeto de substituição do MS-DOS, que acabou batizado de OS/2. Pelo acordo, a Microsoft podia vender a outros fabricantes o mesmo sistema operacional incluído nas máquinas da IBM. Ambas as empresas tinham permissão para ampliar o sistema operacional para além daquilo que havíamos projetado juntas. Ao contrário do projeto para desenvolver o MS-DOS, dessa vez a IBM queria controlar o padrão para ajudar nas vendas do hardware e mainframes que fabricava. A empresa envolveu-se diretamente no projeto e implementação do OS/2.

O OS/2 era crucial para os planos da IBM no setor de software. Seria a primeira vez que implementavam o chamado Systems Application Architecture, mediante o qual a empresa pretendia ter um ambiente de desenvolvimento comum para toda sua linha de computadores, desde mainframes e computadores de médio porte até os PCs. No entender dos executivos da IBM, usar a tecnologia de mainframe nos PCs seria uma medida irresistível para os clientes da empresa, que estavam transferindo cada vez mais operações dos mainframes e minicomputadores para os PCs. Eles também achavam que isso daria à IBM uma enorme vantagem sobre os concorrentes, que não teriam acesso à tecnologia dos mainframes. As extensões proprietárias do OS/2 que a IBM fez — chamadas de Extended Edition — incluíam serviços de comunicações e banco de dados. A IBM planejava ainda elaborar todo um conjunto de aplicações profissionais para escritório — chamado de OfficeVision — para trabalhar sobre a Extended Edition. Segundo seus planos, essas aplicações, inclusive de processamento de texto, permitiriam à IBM tornar-se um dos principais concorrentes na indústria do software para PCs, ao lado da Lotus e WordPerfect. O desenvolvimento do OfficeVision exigiu equipe adicional de milhares de profissionais. O OS/2 não era apenas um sistema operacional, era parte de uma cruzada corporativa.

O projeto tinha que atender às exigências de uma série de características conflitantes e cumprir os prazos do cronograma da IBM para os sistemas Extended Edition e OfficeVision, o que sobrecarregou os trabalhos. A Microsoft foi em frente e desenvolveu aplicações para o OS/2, para ajudar a criar um mercado, mas com o tempo nossa confiança no OS/2 diminuiu. Entramos no projeto acreditando que a IBM permitiria uma semelhança tal entre o OS/2 e o Windows que bastaria a um projetista de software fazer modificações mínimas para executar uma aplicação numa ou noutra plataforma. Mas diante da insistência da IBM em tornar a aplicação compatível com seus computadores de grande e médio porte, e das pressões inerentes à estrutura da empresa, o resultado foi um produto muito mais próximo de um desajeitado sistema operacional de mainframe do que de um sistema operacional de PC.

Para a Microsoft, os negócios com a IBM eram vitais. Naquele ano, 1986, abrimos o capital para garantir liquidez aos funcionários da empresa com direito à opção de compra de ações. Foi por volta dessa época que Steve Ballmer e eu propusemos à IBM adquirir até 30% da Microsoft — por uma pechincha —, para participarmos lado a lado do futuro, bom ou mau. Achávamos que isso contribuiria para que as duas empresas trabalhassem de modo mais amigável e produtivo. A IBM não se interessou.

Demos um duro danado para garantir que o sistema operacional que fizéramos em conjunto com a IBM funcionasse. Para mim, tratava-se de uma passagem para o futuro, para ambas as empresas. Entretanto o projeto acabou criando um imenso abismo entre nós. Um novo sistema operacional é um projeto de monta. Nossa equipe estava nos arredores de Seattle. A IBM tinha equipes em Boca Raton, Flórida; em Hursley Park, na Inglaterra; e, mais tarde, em Austin, Texas.

Mas os problemas geográficos não eram tão espinhosos quanto os gerados pela herança dos mainframes da IBM. Os projetos anteriores de software executados pela IBM quase nunca convenciam os usuários de PC, justamente porque eram projetados tendo em mente o cliente de computadores de grande porte. Uma das versões do OS/2, por exemplo, levava três minutos para "inicializar" (para estar pronta para ser usada, depois de ligado o computador). Isso não lhes parecia de todo ruim porque, no universo dos mainframes, a inicialização podia levar quinze minutos.

Uma das coisas que atrapalhavam a IBM, com mais de 300 mil empregados, era o compromisso da empresa com o consenso geral. Todas as seções da IBM eram convidadas a apresentar os chamados Design Change Requests, literalmente Pedidos de Mudança de Projeto, que em geral chegavam solicitando mudanças no sistema operacional dos PCs para melhor atender às necessidades dos mainframes. Recebemos mais de 10 mil desses pedidos e gente talentosa, funcionários da IBM e da Microsoft, reuniam-se para discuti-los durante dias a fio.

Lembro-me da exigência de mudança nº 221: "Remover fontes do produto. Razão: maior destaque à substância do produto". Alguém, na IBM, não queria que o sistema operacional do PC oferecesse diversos tipos porque uma determinada impressora IBM não tinha como utilizá-los.

Por fim acabou ficando óbvio que o projeto conjunto não ia dar certo. Pedimos então à IBM para desenvolvermos sozinhos o sistema operacional, que depois licenciaríamos para eles por uma taxa ínfima. Os lucros da Microsoft viriam da venda dos mesmos produtos a outras companhias. Entretanto a IBM havia estabelecido uma diretriz que exigia o envolvimento dos programadores da empresa na criação de todo software considerado estratégico. E um sistema operacional era obviamente estratégico.

A IBM era uma grande empresa. Por que tantos problemas no desenvolvimento de software para micros? Uma das respostas possíveis é que a empresa costumava promover todos seus bons programadores para cargos administrativos e deixar os menos talentosos para trás. Ainda mais significativo, a IBM estava sendo perseguida por seu passado de sucessos. Os processos tradicionais da empresa eram inadequados ao ritmo veloz e às exigências do mercado de software para PCs.

Em abril de 1987 a IBM lançou seu sistema integrado de hardware e software que supostamente iria acabar com os imitadores. O hardware "que ia matar os clones" era chamado de PS/2 e executava o novo sistema operacional OS/2.

O PS/2 incluiu uma série de inovações. A mais famosa foi um novo bus, ou barramento, chamado Microchannel Bus, que permitia conectar placas adicionais ao sistema e expandir os recursos do hardware do PC a fim de atender a necessidades específicas do usuário, como som ou capacidade de comunicação com um mainframe. Todo PC compatível incluía um barramento de conexões ao hardware, para permitir o funcionamento dessas placas com o micro. O Microchannel do PS/2 era uma substituição elegante do bus do PC/AT. Só que resolvia problemas que a maioria dos usuários não tinha. Potencialmente, era muito mais rápido que o bus do PC/AT. Entretanto, na prática a velocidade do bus não estava atrapalhando ninguém e, portanto, não era um avanço que os usuários pudessem tirar proveito. Mais importante do que isso, o Microchannel não funcionava com nenhuma das milhares de placas adicionais que funcionavam com o PC/AT e PCs compatíveis.

No fim a IBM concordou em licenciar o Microchannel, mediante royalties, a fabricantes de placas adicionais e PCs. Àquela altura, porém, uma coalizão de fabricantes já anunciara um novo bus que, além de ter várias das capacidades do Microchannel, era compatível com o bus do PC/AT. Os usuários rejeitaram o Microchannel em favor de máquinas com o antigo bus do PC/AT. O total de placas adicionais para o PS/2 nunca chegou perto do número disponível para os sistemas compatíveis com o PC/AT. Isso obrigou a IBM a continuar produzindo máquinas compatíveis com o velho bus. A IBM perdeu o controle da arquitetura dos microcomputadores — e essa perda foi a baixa mais importante da batalha. Nunca mais a empresa seria capaz, sozinha, de levar toda a indústria a adotar um novo projeto.

Apesar de toda a promoção feita tanto pela IBM quanto pela Microsoft, os usuários acharam o OS/2 muito desajeitado e complicado. Quanto pior a imagem do OS/2, melhor parecia o Windows. Havíamos perdido a oportunidade de compatibilizar o Windows com o OS/2 e de fazer o OS/2 rodar em máquinas menores, portanto para nós o mais lógico era continuar a desenvolver o Windows. O Windows era muito "menor" — vale dizer, consumia muito menos espaço em disco rígido e podia funcionar em máquinas com menos memória, de modo que haveria um lugar para ele em máquinas que jamais poderiam executar o OS/2. A isso a Microsoft deu o nome de estratégia de "família". Ou seja, o OS/2 ficaria com o segmento mais caro do mercado, enquanto o Windows seria o membro mais novo da família, para máquinas menores.

A IBM nunca apreciou nossa estratégia de família e tinha planos próprios. Na primavera de 1988, uniu-se a outros fabricantes de computadores para instituir a Open Software Foundation e promover o UNIX, um sistema operacional originalmente desenvolvido pelos Laboratórios Bell, da AT&T, em 1969, mas pulverizado em inúmeras versões, com o correr dos anos. Algumas das versões foram desenvolvidas em universidades, que usavam o UNIX como laboratório de trabalho para a teoria dos sistemas operacionais. Outras versões foram desenvolvidas por fabricantes de computadores. Cada empresa aperfeiçoou o UNIX para seus próprios computadores, incompatibilizando assim seu sistema operacional com todos os demais. Portanto, em vez de ser um sistema aberto único, o UNIX virou uma coleção de sistemas operacionais competindo uns com os outros. As diferenças todas dificultaram a compatibilização do software e desencorajaram o desenvolvimento de software para UNIX por terceiros. Apenas umas poucas empresas de software podiam se dar ao luxo de desenvolver e testar aplicações para uma dezena de versões diferentes do UNIX. Além do mais, as lojas de software também não tinham condições econômicas de estocar todas as diferentes versões.

A Open Software Foundation foi a mais promissora de todas as tentativas de "unificar" o UNIX e criar uma arquitetura comum de software capaz de funcionar no hardware de diferentes fabricantes. Em teoria, um UNIX unificado poderia desencadear um ciclo de retorno positivo. Porém, em que pesem os investimentos significativos, foi impossível à Open Software Foundation instituir uma cooperação entre fornecedores que disputavam cada venda efetuada. Seus integrantes, inclusive IBM, DEC e outras, continuaram promovendo as vantagens de suas versões particulares do UNIX. As empresas comprometidas com o UNIX sugeriam que o sistema seria vantajoso na medida em que haveria mais escolhas. Acontece que se você comprasse um sistema UNIX, seu software não poderia rodar automaticamente em nenhum outro sistema a não ser no daquele fornecedor. Ou seja, você ficaria preso àquele fornecedor, ao passo que no universo dos PCs você podia escolher de quem comprar o hardware.

Os problemas encontrados pela Open Software Foundation e por outras iniciativas semelhantes demonstram como é difícil tentar impor um padrão de direito num campo em que as inovações surgem rapidamente e no qual as empresas que compõem a comissão de padronização são concorrentes. O mercado (de computadores ou de produtos eletrônicos de consumo) adota padrões porque os usuários insistem na padronização. A padronização serve para garantir intercâmbio operacional, para minimizar o treinamento do usuário e, claro, para fomentar ao máximo a indústria de software. Qualquer empresa desejosa de criar um padrão terá de estabelecer preços razoáveis, caso contrário o padrão não será adotado. O mercado na verdade escolhe um padrão que tenha preço razoável e o substitui quando se torna obsoleto ou caro demais.

Os sistemas operacionais da Microsoft são oferecidos, hoje em dia, por mais de novecentos fabricantes, o que dá possibilidade de escolhas e opções aos usuários. Fomos capazes de oferecer compatibilidade porque os fabricantes de hardware concordaram em proibir modificações no software da Microsoft que introduzissem incompatibilidades. O que significa que centenas de milhares de programadores não precisam se preocupar em saber quais PCs poderão rodar que programas. Embora o termo *aberto* seja usado de várias formas distintas, para mim significa oferecer uma escolha de hardware e de aplicativos ao usuário.

O mercado de eletrônicos de consumo também se beneficiou com a padronização conseguida pelas empresas privadas. Anos atrás, era freqüente ver os fabricantes de produtos eletrônicos tentando impedir que a concorrência usasse sua tecnologia; hoje em dia todos os principais fabricantes licenciam tecnologias patenteadas e segredos comerciais. Os royalties representam em geral menos de 5% do preço do aparelho. Gravadores de fitas cassete, de fitas VHS, CDs, aparelhos de televisão e telefones celulares são alguns exemplos de tecnologias criadas por companhias privadas, que recebem royalties de todos os que fabricam esses equipamentos. Os algoritmos dos Laboratórios Dolby, por exemplo, são o padrão de fato para a redução de ruído.

Em maio de 1990, semanas antes do lançamento do Windows 3.0, tentamos chegar a um acordo para que a IBM licenciasse e usasse o Windows em seus microcomputadores. Dissemos à IBM que, embora o OS/2 fosse dar certo, naquele momento o sucesso seria do Windows; o OS/2 encontraria seu nicho de mercado vagarosamente.

Em 1992 a IBM e a Microsoft suspenderam o desenvolvimento conjunto do OS/2. A IBM continuou a desenvolver sozinha o sistema operacional. O ambicioso plano para o OfficeVision acabou sendo cancelado.

Alguns analistas calculam que a IBM despejou mais de 2 bilhões de dólares no OS/2, OfficeVision e projetos afins. Se por caso a IBM e a Microsoft tivessem encontrado uma maneira de trabalhar juntas, os melhores anos de alguns dos melhores funcionários das duas empresas não teriam sido desperdiçados. Se o OS/2 e o Windows fossem compatíveis, a computação gráfica teria se popularizado alguns anos antes.

A aceitação das interfaces gráficas também atrasou porque a maioria das principais empresas fabricantes de software aplicativos não investiu nelas. De modo geral ignoraram o Macintosh e ignoraram ou ridicularizaram o Windows. A Lotus e a WordPerfect, líderes do mercado em aplicativos de planilhas e processamento de texto, fizeram apenas ensaios tímidos com o OS/2. Em retrospecto, foi um erro e, ao fim e ao cabo, um erro caro. Quando o Windows finalmente se beneficiou com um ciclo de retorno positivo, gerado por aplicativos produzidos por várias das pequenas empresas de software, as grandes ficaram para trás porque não avançaram depressa o bastante ao lado do Windows.

O Windows, assim como o PC, continua se desenvolvendo. A Microsoft acrescentou novos atributos a diversas versões. Qualquer pessoa pode desenvolver software aplicativo para rodar na plataforma Windows, sem ter que notificar ou obter permissão da Microsoft. Na verdade, existem hoje no mercado dezenas de milhares de aplicativos para a plataforma Windows, inclusive concorrentes diretos da maioria das aplicações da Microsoft.

Já ouvi comentários de usuários preocupados com a possibilidade de a Microsoft — por definição a única fonte do sistema operacional Microsoft — elevar os preços e reduzir o ritmo das inovações ou até suspendê-las. Mesmo que o fizéssemos, não venderíamos as versões mais recentes. Os usuários não fariam atualizações e não conseguiríamos nenhum novo cliente. Nossa renda diminuiria e várias outras empresas concorreriam para tomar nosso lugar. O mecanismo do retorno positivo ajuda tanto quem está atrás na fila quanto quem está na frente. Não se pode dormir sobre os louros, porque tem sempre um concorrente pronto para alcançá-lo.

Produto nenhum fica no topo se não for aperfeiçoado. Até mesmo o padrão VHS será substituído quando aparecerem melhores formatos com melhores preços. Na verdade, a era do VHS está quase no fim. Nos próximos anos, veremos surgir novos formatos de fitas digitais, filmes de longa-metragem em discos semelhantes aos CDs de música e, um dia, a estrada trará novos serviços, tais como o *video-on-demand.** A fita em VHS se fará desnecessária.

O MS-DOS está hoje sendo substituído. Apesar de sua força extraordinária como líder dos sistemas operacionais para microcomputadores, o MS-DOS está sendo substituído por um sistema com uma interface gráfica com o usuário. O software do Macintosh poderia ter se tornado seu sucessor. Assim como o OS/2 ou o UNIX. Tudo indica, porém, que o Windows esteja na dianteira, no momento. Entretanto, no universo da alta tecnologia, isso não garante que continue nessa posição, mesmo num futuro próximo.

Entretanto, foi preciso melhorar nosso software para acompanhar os avanços que houve em hardware. As próximas versões só terão sucesso entre novos usuários se forem adotadas pelos usuários atuais. A Microsoft tem de fazer o possível para que as novas versões sejam tão atraentes em termos de preço e características que as pessoas queiram mudar. Isso é difícil, porque qualquer mudança implica despesas pesadas tanto para os que desenvolvem os avanços quanto para quem os adota. Somente grandes aperfeiçoamentos são capazes de convencer um número suficiente de usuários de que vale a pena mudar. Um número suficiente de inovações torna isso possível. Espero trazer novas gerações de Windows ao público a cada dois ou três anos.

As sementes da nova concorrência estão sendo constantemente plantadas, em ambientes de pesquisa e garagens espalhados pelo mundo inteiro. A Internet, por exemplo, está se tornando tão importante que o Windows só conseguirá prosperar se for inquestionavelmente a melhor maneira de obter acesso a ela. Todos os fabricantes de sistemas operacionais estão se apressando em descobrir formas vantajosas de fornecer apoio à Internet. Quando o reconhecimento de voz

(*) Literalmente vídeo-sob-encomenda, o *video-on-demand* é um sistema que permite que o espectador selecione, receba e pague, individual e isoladamente, cada programa a que assiste. (N. S.)

for de fato confiável, haverá mais uma grande mudança nos sistemas operacionais.

Em informática, tudo anda rápido demais, não dá para passar muito tempo olhando para trás. Entretanto dou atenção especial a nossos erros e tento me concentrar nas oportunidades futuras. É importante reconhecer os erros e tirar deles alguma lição. Também é importante que ninguém fique achando que será penalizado pelo que houve ou que a direção não está trabalhando para resolver o problema. Praticamente nenhum erro individual é fatal.

Nos últimos tempos, sob a liderança de Lou Gerstner, a IBM se tornou muito mais eficiente e recuperou tanto a lucratividade quanto o enfoque positivo no futuro. Ainda que o declínio contínuo das vendas relacionadas aos mainframes continue sendo um problema para a IBM, a empresa obviamente será uma das principais fornecedoras de produtos a profissionais e para a estrada da informação.

Em anos recentes a Microsoft contratou, deliberadamente, alguns gerentes com experiência em companhias malsucedidas. Quando você está fracassando, é forçado a ser criativo, a pensar muito, dia e noite. Quero ter algumas pessoas em volta que já passaram por isso. Com certeza a Microsoft sofrerá alguns fracassos no futuro e quero ter comigo gente que já provou que pode se sair bem em situações difíceis.

A morte chega rápido a um líder de mercado. No momento em que você sai do ciclo de retorno positivo, em geral é tarde demais para mudar o curso que estava seguindo. Então entram em cena todos os elementos da espiral negativa. É difícil reconhecer que você está em crise e reagir a tempo quando os negócios parecem extremamente saudáveis. Esse será um dos paradoxos para as empresas que construírem a estrada da informação. Isso me deixa alerta. Nunca previ que a Microsoft cresceria tanto quanto cresceu e agora, no início desta nova era, vejo-me, inesperadamente, como parte do establishment. Meu objetivo é provar que uma corporação bem-sucedida pode se renovar e continuar na dianteira.

4

APARELHOS
E APLICATIVOS

Quando eu era menino, o *Ed Sullivan show* ia ao ar aos domingos, às oito da noite. A maioria dos norte-americanos que tinha televisão procurava ficar em casa para assistir, porque podia ser uma oportunidade única de ver os Beatles, Elvis Presley, The Temptations, ou então aquele sujeito que equilibrava dez pratos girando ao mesmo tempo em cima do focinho de dez cachorros. Mas se você estava voltando de carro da casa dos avós ou acampando com os escoteiros, azar seu. Não estar em casa no domingo à noite significava também ficar de fora de todas as conversas de segunda-feira de manhã, sobre o programa da véspera.

A televisão convencional nos permite escolher o que assistir, mas não quando assistir. O termo técnico para esse tipo de transmissão é *síncrona*. Os espectadores têm de sincronizar o seu horário com o de um programa transmitido para todo mundo. Era assim que eu assistia ao *Ed Sullivan show*, há trinta anos, e é assim que a maioria de nós ainda vai assistir ao noticiário de hoje à noite.

No começo dos anos 80, o gravador de videocassete nos deu maior flexibilidade. Se você gostava tanto de um programa a ponto de antecipadamente se ver às voltas com timers e fitas, podia assisti-lo a hora que quisesse. Milhões de pessoas já têm a liberdade e podem se dar ao luxo de fazer o seu próprio horário de programação. Uma conversa por telefone também é síncrona, porque as duas partes têm de estar na linha ao mesmo tempo. Quando você grava um programa de televisão ou deixa a secretária eletrônica atender um telefonema, está convertendo a comunicação síncrona em uma forma mais conveniente: a comunicação "assíncrona".

Faz parte da natureza humana encontrar maneiras de converter a comunicação síncrona em formas assíncronas. Antes da invenção da escrita, há 5 mil anos, a única forma de comunicação era a palavra oral e as pessoas tinham de estar na presença do narrador para não perder a mensagem. Quando a mensagem passou a ser escrita, podia ficar armazenada e ser lida depois, à conveniência do leitor. Estou escrevendo estas palavras em 1995, na minha casa, mas não faço idéia de quando ou onde você vai lê-las.

Um dos benefícios da estrada da informação será um maior controle sobre nossos horários. Haverá muitos outros. Quando você transforma em assíncrona uma forma de comunicação, pode também aumentar a sua variedade e possibilidades de seleção. Mesmo espectadores que raramente gravam programas de televisão têm o hábito de alugar filmes. Existem milhares de opções em qualquer locadora de vídeos, a baixo custo, de forma que o espectador pode passar a noite que quiser tendo em casa a companhia de Elvis, dos Beatles — ou de Greta Garbo.

A televisão existe há menos de sessenta anos, mas nesse período passou a ser uma poderosa influência na vida de quase todo mundo, nas nações desenvolvidas. Porém, em certo sentido, a televisão veio apenas substituir o rádio comercial, que havia vinte anos já levava entretenimento eletrônico a domicílio. Nenhum meio de transmissão é comparável ao que será a estrada.

Ela vai permitir capacidades que parecem mágicas quando descritas, mas que representam a tecnologia em ação, para fazer nossas vidas mais fáceis e melhores. Como os consumidores já entendem o valor dos filmes e estão acostumados a pagar para assisti-los, o *video-on-demand* será uma importante aplicação da estrada da informação. Mas não será a primeira. Já sabemos que os micros vão estar conectados muito antes do que os aparelhos de televisão, e que a qualidade dos filmes exibidos nesses sistemas iniciais não será muito boa. Os sistemas poderão oferecer outros aplicativos, como jogos, correio eletrônico e serviços bancários em casa. Quando vídeo de alta qualidade puder ser transmitido, não haverá mais o gravador de videocassete intermediário; você simplesmente pedirá aquilo que quer de uma longa lista de programas disponíveis. Sistemas limitados de *video-on-demand* já funcionam em quartos de hotéis de luxo, substituindo ou complementando os canais especiais de cinema. Quartos de hotel, aeroportos e mesmo aviões constituem grandes laboratórios para todos os novos serviços da estrada que, mais tarde, se estenderão às residências. Eles proporcionam um ambiente controlado e uma platéia qualificada para a experimentação.

Os programas de televisão continuarão a ser transmitidos como hoje, para consumo síncrono. Depois de irem ao ar, esses programas — assim como milhares de filmes e qualquer outro tipo de vídeo — estarão disponíveis a qualquer momento. Você vai poder ver o novo episódio de *Seinfeld* às nove da noite de quinta-feira, ou às 9h13, ou 9h45, ou onze da manhã de sábado. Se você preferir outro tipo de programa, poderá escolher entre milhares deles. O seu pedido para um determinado filme ou episódio de programa de televisão vai ser registrado e os bits serão dirigidos a você pela rede. A estrada da informação vai dar a sensação de que todas as máquinas intermediárias entre você e o objeto do seu interesse foram removidas. Você indica o que quer e *pronto*! Na hora!

Cinema, programa de televisão e todo tipo de informação digital serão armazenados em "servidores", que são computadores com alta capacidade de disco. Os servidores fornecerão informação para uso em qualquer ponto da rede. Se você pedir para assistir a um determinado filme, confirmar um fato ou recolher a sua correspondência eletrônica, o seu pedido será dirigido por centrais de comutação [*switches*] ao servidor ou servidores que armazenam aquela informação. Você não vai saber se o material que chega até sua casa está armazenado num servidor na esquina da sua rua ou no outro lado do país, e isso não terá a menor importância.

Os dados digitais solicitados serão obtidos no servidor e devolvidos por centrais de comutação, para a sua televisão, computador pessoal ou telefone — para os seus aparelhos de informação. Esses recursos digitais terão sucesso pela mesma razão que os seus precursores analógicos também tiveram — vão tornar algum aspecto da vida mais fácil. Ao contrário dos processadores de texto dedicados que levaram os primeiros microprocessadores a muitos escritórios, esses aparelhos de informação serão computadores programáveis de uso geral conectados à estrada da informação.

Mesmo que um programa esteja sendo transmitido ao vivo, você vai poder usar o seu controle remoto infravermelho para ligar, desligar ou voltar para qualquer parte anterior do programa, a qualquer momento. Se alguém tocar a campainha, você vai poder dar uma pausa no programa, pelo tempo que quiser. Terá controle absoluto. Exceto, é claro, a possibilidade de avançar para um pedaço lá da frente num programa que está acontecendo ao vivo.

Transmitir filmes e programas de televisão é, tecnicamente, uma das coisas mais simples de se fazer. A maioria dos espectadores consegue compreender o que é o *video-on-demand* e receberá de braços abertos a liberdade que ele proporcionará. O recurso tem o potencial que, em jargão de computação, chamamos de "*killer application*" para a estrada. Uma *killer application* (ou apenas *killer app*) [uma "aplicação arrasadora", em uma tradução aproximada] indica uma tecnologia cujo uso é tão atraente para os consumidores que as forças do mercado se incendeiam e a invenção se torna quase indispensável, mesmo que isso não tenha sido previsto pelo inventor. A Skin-so-Soft era apenas mais uma loção disputando um mercado já sobrecarregado quando alguém descobriu sua capacidade de repelir insetos. Agora, pode ser que ainda seja vendida para a sua aplicação original — amaciar a pele —, mas o aumento das vendas ocorreu devido à "aplicação arrasadora".

A expressão é nova, mas a idéia não. Thomas Edison era tão bom nos negócios quanto nas invenções. Quando fundou a Edison General Electric Company, em 1878, entendeu que para vender eletricidade tinha de demonstrar o seu valor para os consumidores — vender a idéia de que a lâmpada podia encher uma casa de luz, dia e noite, com um mero toque de botão. Edison acendeu a imaginação do público com a promessa de que a iluminação elétrica no futuro custaria tão barato que apenas os ricos comprariam velas. Ele previu corretamente que as pessoas pagariam para levar a energia elétrica até as residências, a fim de aproveitar a grande aplicação da tecnologia elétrica — a luz.

A eletricidade encontrou seu lugar na maioria das residências como fonte de iluminação, mas um grande número de aplicações extras veio se somar a esta rapidamente. A Hoover Company aperfeiçoou bastante as primeiras vassouras elétricas. O fogão elétrico se popularizou. Logo existiam aquecedores elétricos, torradeiras, refrigeradores, máquinas de lavar roupa, ferros de passar, ferramentas elétricas, secadores de cabelo e uma porção de outras aplicações que economizavam trabalho, tornando a eletricidade um serviço público essencial.

A aplicação arrasadora ajuda a transformar os avanços técnicos, de simples curiosidades, em indispensáveis fontes de renda. Sem eles uma invenção não pega. Isso aconteceu com uma porção de fracassos do consumo eletrônico, como o cinema em 3-D e o som quadrafônico.

No capítulo 3, mencionei que o processador de texto levou os microprocessadores para os escritórios empresariais nos anos 70. Inicialmente, ele era fornecido por máquinas dedicadas, como a de Wang, usadas unicamente para criar documentos. O mercado para os processadores de texto cresceu incrivelmente rápido, e logo abrangia mais de cinqüenta fabricantes, com vendas que, somadas, chegavam a mais de 1 bilhão de dólares anualmente.

Poucos anos depois, apareceu o microcomputador. A sua capacidade de rodar diferentes tipos de aplicativos era algo novo. Era sua "aplicação arrasadora". Um usuário de PC podia sair do WordStar (durante muitos anos um dos mais populares aplicativos de processamento de texto) e entrar em outro aplicativo, como a planilha eletrônica VisiCalc ou o dBASE para gerenciamento de banco de dados. Juntos, o WordStar, o VisiCalc e o dBASE eram suficientemente atraentes para motivar a compra de um computador pessoal. Eram aplicações arrasadoras.

A primeira aplicação arrasadora para o IBM-PC original foi o Lotus 1-2-3, uma planilha eletrônica feita sob medida para a capacidade dessa máquina. As aplicações arrasadoras para o Apple Macintosh foram o Aldus PageMaker, para a editoração dos documentos a serem impressos, o Microsoft Word, para processamento de texto, e o Microsoft Excel, para planilhas. Desde o início, mais de um terço dos Macintoshes usados em escritórios e muitos dos domésticos foram comprados para o que ficou conhecido como editoração eletrônica.

A estrada vai existir por causa de uma confluência de avanços tecnológicos, tanto nas comunicações como nos computadores. Nenhum avanço individual poderia produzir os aplicativos arrasadores necessários. Mas os dois juntos conseguem. A estrada será indispensável porque vai oferecer uma combinação de informação, serviços educacionais, entretenimento, compras e comunicação individual. Ainda não podemos ter certeza de quando exatamente todos os componentes necessários vão estar prontos. Aparelhos de informação fáceis de usar serão componentes críticos. Nos anos imediatamente à nossa frente haverá uma proliferação de aparelhos digitais, que assumirão diferentes formas e possibilitarão a comunicação em diversas velocidades. Mais adiante discutirei cada um deles em maiores detalhes. Por ora, basta saber que uma série de aparelhos parecidos com micros permitirá a cada um de nós, através da estrada, estar em contato com outras pessoas e também com a informação. Esta compreenderá substitutos digitais para muitos dos aparelhos analógicos que hoje nos cercam, como a televisão e o telefone. Já podemos ter certeza de que os mais aceitos serão aqueles que se tornarem indispensáveis. Não sabemos quais as formas que serão mais populares, mas sabemos que serão computadores programáveis de uso geral, ligados à estrada da informação.

Muitas residências já estão ligadas a duas infra-estruturas de comunicação dedicadas: as linhas telefônicas e os cabos de televisão. Quando esses sistemas de comunicação especializados convergirem, de forma generalizada, para um único aparelho de informação digital, a estrada da informação terá chegado.

Nosso aparelho de televisão não vai parecer um computador e não vai ter um teclado, mas será acrescido de componentes eletrônicos para transformá-lo, em termos de arquitetura, em algo igual a um microcomputador. Os aparelhos de televisão vão estar ligados à estrada por meio de um decodificador similar aos que são hoje fornecidos pela maioria das companhias de TV a cabo. Mas esses novos decodificadores vão ter um computador de uso geral muito poderoso dentro deles. Poderão ficar dentro da televisão, atrás da televisão, em cima da televisão, numa parede do porão, ou mesmo fora da casa. Tanto o PC quanto o decodificador estarão ligados à estrada da informação, "dialogando" com centrais de comutação e servidores da rede, obtendo informação, programando e atendendo às escolhas do assinante.

1995: Um servidor de mídia interativo baseado num microcomputador

Por mais que o decodificador se pareça com um PC, sempre haverá uma diferença fundamental entre a maneira como os PCs e as televisões são usados: a distância que os separa do usuário. Hoje, mais de um terço das residências dos Estados Unidos têm microcomputadores (sem contar os aparelhos de vídeo games). Um dia, quase todas as residências terão pelo menos um, ligado diretamente à estrada da informação. Será esse o aparelho que você vai usar quando os detalhes forem importantes ou quando quiser digitar alguma coisa. Ele coloca um monitor de alta qualidade a quarenta ou cinqüenta centímetros do seu rosto, de forma que os seus olhos focalizam facilmente o texto e outras imagens pequenas. A TV de tela grande, do outro lado da sala, não se presta ao uso de um teclado, nem oferece privacidade, apesar de ser ideal para aplicações que várias pessoas observam ao mesmo tempo.

Os decodificadores e o equipamento de interface do PC serão projetados de forma que mesmo o mais antigo aparelho de TV e a maioria dos atuais microcomputadores possam ser usados na estrada, mas haverá novas televisões e PCs com melhor imagem. As imagens dos aparelhos de televisão de hoje são bastante pobres comparadas com as fotos das revistas ou a projeção do cinema. Os sinais de televisão nos Estados Unidos podem chegar a ter 486 linhas de informação da imagem, mas a maioria dos aparelhos não capta tudo isso e o típico aparelho de videocassete doméstico pode gravar e reproduzir apenas cerca de 280 linhas de resolução. O resultado é que fica difícil ler os créditos no fim do filme num aparelho de televisão. As telas de televisão convencionais são também de formato diferente da maioria das telas de cinema. Nossas TVs têm uma "razão de aspecto" (a relação entre a largura e a altura do quadro) de quatro por três, o que quer dizer que a largura do quadro é um terço maior do que a altura. Os filmes de cinema são feitos com uma razão de aspecto de cerca de dois por um — largura duas vezes maior que a altura.

Está provado que os sistemas de televisão de alta definição (HDTV) que oferecem mais de mil linhas de resolução, com razão de aspecto de dezesseis por nove e cores melhores, são uma maravilha de assistir.

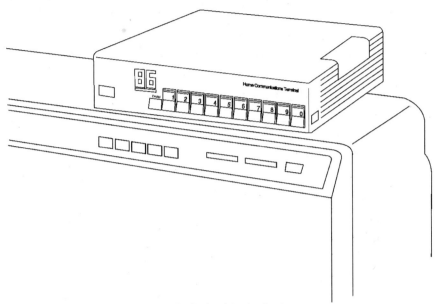

Protótipo de um decodificador de televisão

Mas, apesar dos esforços do governo e da indústria do Japão, onde esses sistemas foram criados, a HDTV é uma idéia que não "pegou", porque exigia novos equipamentos caríssimos, tanto para transmissão quanto para recepção. Os anunciantes não pagariam mais para custear a HDTV, pois isso não tornaria seus anúncios consideravelmente mais eficazes. No entanto, a HDTV ainda pode dar certo, já que a estrada permitirá que o sinal de vídeo seja recebido em múltiplas razões de aspecto e resoluções. Essa idéia de resolução ajustável é conhecida dos usuários de microcomputadores, que podem escolher entre a típica resolução de 480 linhas (chamada VGA) e outras resoluções, de seiscentas, 768, 1024 ou 1200 linhas horizontais de resolução, dependendo daquilo que o seu monitor e a sua placa de vídeo suportem.

Tanto as telas de TV como as do PC vão continuar evoluindo — no sentido de ficarem menores e terem melhor qualidade. A maioria será de telas planas. Uma forma nova será a lousa [*whiteboard*] digital: uma grande tela montada na parede, com menos de três centímetros de espessura, talvez, que tomará o lugar dos quadros-negros e brancos de hoje. Ela poderá mostrar imagens, filmes e outros materiais visuais, como texto e detalhes mais finos. As pessoas vão poder desenhar ou escrever uma lista em cima dela. O computador de controle da lousa reconhecerá a lista manuscrita e a converterá em tipos de impressão. Esses aparelhos aparecerão primeiro nas salas de reunião de empresas, depois em escritórios particulares e mesmo em residências.

O telefone de hoje estará ligado à mesma rede dos micros e das TVs. Muitos telefones futuros terão telas planas e câmaras pequenas. Quanto ao resto, continuarão parecendo mais ou menos com os instrumentos de hoje. A cozinha vai continuar tendo os seus telefones de parede, porque eles economizam superfície de trabalho nas mesas. Você vai sentar perto do telefone e olhar para uma tela que mostra a pessoa com quem está falando — ou uma imagem gravada que a pessoa tenha escolhido transmitir em lugar da imagem ao vivo. Tecnologicamente, o telefone pendurado em cima da máquina de lavar pratos terá, amanhã, muito em comum com o decodificador da sala e o microcomputador do seu quarto, mas terá a mesma forma do telefone. Por trás das aparências, todos os aparelhos de informação terão quase a mesma arquitetura do computador. Seu design será diferente, para combinar com suas diversas funções.

Numa sociedade móvel, as pessoas têm necessidade de trabalhar com eficiência enquanto se locomovem. Há dois séculos, os viajantes muitas vezes levavam uma "escrivaninha de colo" [lap desk], que era uma prancha para escrever articulada com uma caixinha de mogno com gaveta para penas e tinta. Quando dobrada, era razoavelmente compacta, e, aberta, oferecia ampla superfície para escrever. Na verdade, a Declaração de Independência [dos Estados Unidos] foi escrita numa lap desk na Filadélfia, muito longe da casa de Thomas Jefferson, na Virgínia. A necessidade de um suporte de escrita portátil, hoje, é atendida pelo laptop, o microcomputador dobrável, que cabe no colo. Muitas pessoas que trabalham tanto em casa quanto no escritório, inclusive eu, escolhem o laptop (ou uma versão um pouquinho menor,

1995: Computador notebook multimídia da Digital Equipment Corporation

conhecida como notebook) como seu computador principal. Esses pequenos computadores podem também ser ligados a um monitor maior
e à rede do escritório. Os notebooks vão continuar a ficar cada vez
mais finos, até chegarem ao tamanho de um bloco de papel. Hoje, os
notebooks são os menores e mais portáteis dos computadores de verdade, mas logo vai existir o micro de bolso [*wallet PC*, ou PC-"carteira"], com tela colorida do tamanho de uma foto. Quando você tirar
um do bolso, ninguém vai dizer: "Puxa! Você tem um computador!".

O que você carrega hoje com você? Provavelmente, pelo menos
o chaveiro, a carteira de identidade, dinheiro e um relógio. Muito possivelmente, leva também cartões de crédito, talão de cheque, *traveler's
checks*, uma agenda de endereços, uma agenda de compromissos, bloquinho de anotações, material de leitura, uma câmara, um gravador de
bolso, um telefone celular, um pager, ingressos para um concerto, um
mapa, uma bússola, uma calculadora, um crachá de acesso, fotografias
e, talvez, um bom apito para pedir socorro.

Você vai poder armazenar tudo isso e ainda mais no aparelho de
informação que chamamos de micro de bolso. Ele vai ser mais ou menos do mesmo tamanho de uma carteira, o que quer dizer que poderá
ser carregado no bolso ou na bolsa. Ele vai exibir mensagens e horários
e também permitir que você leia ou envie correspondência eletrônica
e fax, informe-se sobre a meteorologia e as ações da Bolsa, e jogue dos

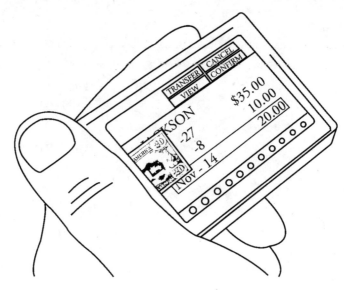

Protótipo do micro de bolso

jogos mais simples aos mais sofisticados. Numa reunião, você poderá tomar notas, verificar compromissos, xeretar informações, caso esteja entediado, ou escolher uma entre as milhares de fotos dos seus filhos.

Em vez de guardar dinheiro de papel, o novo micro de bolso vai guardar dinheiro digital, impossível de ser falsificado. Hoje, quando você dá para alguém uma nota de dinheiro, um cheque, um vale-presente ou qualquer outro instrumento negociável, a transferência de papel representa uma transferência de fundos. Mas o dinheiro não precisa ser expresso em papel. Operações de cartão de crédito e ordens de pagamento são operações de informação financeira digital. Amanhã, o micro de bolso vai permitir que qualquer um possa facilmente gastar e receber fundos digitais. O seu micro de bolso poderá ser conectado ao computador da loja, permitindo a transferência do dinheiro sem nenhuma troca física no caixa. O dinheiro digital será usado também em transações interpessoais. Se o seu filho precisar de dinheiro, você poderá, digitalmente, passar algum do seu micro de bolso para o dele.

Quando os micros de bolso tiverem se disseminado, poderemos eliminar os congestionamentos que hoje infernizam os aeroportos, teatros e outros locais onde as pessoas fazem fila para mostrar a identidade ou um ingresso. Ao passar pelo portão do aeroporto, por exemplo, o seu micro de bolso será conectado ao computador do aeroporto para verificar se você pagou o bilhete. Você também não vai mais precisar de uma chave ou de um cartão magnético para abrir portas. O seu micro de bolso vai identificá-lo para o computador que controla a fechadura.

À medida que o papel-moeda e os cartões de crédito forem desaparecendo, os criminosos vão ficar de olho no seu micro de bolso, de modo que deverá haver mecanismos de segurança para impedir que um micro de bolso possa ser usado da mesma forma que um cartão de crédito roubado. O micro de bolso vai ter "chaves" que você usará para se identificar. Você vai poder facilmente sustar essas chaves, e elas serão trocadas com regularidade. Para transações mais importantes, apenas a chave do seu PC não será suficiente. Você terá que usar uma senha no momento. Os caixas eletrônicos lhe pedirão para fornecer um número de identificação pessoal da transação, uma senha bastante breve. Outra opção, que eliminaria a necessidade de memorizar uma senha, é a utilização de medidas biométricas. Mais seguras, elas quase com certeza farão parte integrante de alguns micros de bolsos.

Um sistema de segurança biométrico registra um traço físico, como o timbre de voz ou a impressão digital. Por exemplo, o seu micro de bolso poderá solicitar que você leia em voz alta uma palavra escolhida ao acaso que ele fará aparecer em sua tela, ou que você pressione o polegar sobre um dos lados do aparelho, toda vez que você estiver fazendo uma transação com implicações financeiras importantes. O micro de bolso então fará a comparação do que "ouviu" ou "sentiu" com o registro digital que ele possui da sua voz ou da impressão digital de seu polegar.

Um micro de bolso com o equipamento adequado será capaz de lhe dizer exatamente onde você se encontra, em qualquer ponto da face da Terra. Os satélites do Global Positioning System (GPS) [Sistema de Posicionamento Global], que se encontram na órbita em torno da Terra, emitem sinais que permitem a aviões de carreira, barcos em alto-mar e mísseis intercontinentais, ou a qualquer andarilho que tenha um receptor manual de GPS, saber exatamente qual é a sua localização, com precisão de centenas de metros. Esses aparelhos já existem, ao custo de algumas centenas de dólares, mas virão embutidos em muitos micros de bolso.

O micro de bolso poderá ser conectado à estrada da informação quando você estiver viajando por uma estrada de verdade, e dizer em que ponto você está. O alto-falante nele embutido poderá informar direções, para você saber qual é a próxima saída da estrada ou qual o próximo cruzamento que costuma ter acidentes freqüentes. Poderá também monitorar informações digitais a respeito do trânsito e aconselhar que talvez seja melhor você ir direto para um aeroporto, ou então sugerir uma estrada alternativa. Os mapas coloridos do micro de bolso acrescentarão à sua localização qualquer informação que você deseje — condições meteorológicas e de tráfego, *campings*, paisagens e até paradas para refeições rápidas. Você pode perguntar: "Qual o restaurante chinês mais próximo que ainda está aberto?", e a informação requisitada será transmitida para seu micro de bolso por meio de uma rede sem fio. Longe das estradas, pelas trilhas de uma floresta, ele será a sua bússola, tão útil quanto um canivete suíço.

Na verdade, considero o micro de bolso como o novo canivete suíço. Eu tinha um desses quando era criança. O meu não era daqueles simples, com apenas duas lâminas, nem daqueles que têm uma oficina inteira. Tinha o clássico cabo vermelho brilhante, com a cruz branca e uma porção de lâminas e utensílios, inclusive uma chave de fenda, uma tesourinha e até um saca-rolhas (apesar de, na época, eu não ter nenhum uso para esse acessório). Alguns micros de bolso vão ser simples e elegantes, oferecendo apenas o essencial, como uma pequena tela, um microfone, uma maneira segura de fazer transações com dinheiro digital e a capacidade de ler ou utilizar de alguma outra forma informações básicas. Outros virão cheios de todo tipo de acessórios, inclusive câmaras, scanners capazes de ler texto impresso ou manuscrito e receptores de posicionamento global. A maioria terá um botão de pánico, para você apertar quando precisar de ajuda numa emergência. Alguns modelos terão termômetros, barômetros, altímetros e sensores para medir o batimento cardíaco.

Os preços deverão variar conforme o modelo, mas no geral os micros de bolso terão mais ou menos o preço de uma câmara fotográfica hoje. Os mais simples, "cartões inteligentes" usados apenas como dinheiro digital, custarão o que uma câmara descartável custa hoje, ao passo que, assim como uma câmara mais elaborada, um micro de bolso sofisticado poderá custar mil dólares ou mais, mas terá mais funções que os mais exóticos computadores de dez anos atrás. Os cartões inteligentes, forma mais básica do micro de bolso, se parecem com um cartão de crédito e são hoje populares na Europa. Seus microprocessadores estão embutidos no plástico. O cartão inteligente do futuro será capaz de identificar o seu dono e armazenar dinheiro digital, ingressos e informações médicas. Não terá tela, nem capacidades de áudio, nem nenhuma das opções mais elaboradas dos micros de bolso mais caros. Será prático para viagens ou como reserva, e poderá ser suficiente para os usos de algumas pessoas.

Se você não estiver com seu micro de bolso, ainda assim vai poder acessar a estrada utilizando quiosques — alguns grátis, outros cobrando uma taxa — que serão encontrados em edifícios de escritório, shopping centers e aeroportos, mais ou menos no mesmo espírito dos bebedouros, banheiros e telefones públicos. Na verdade, eles vão substituir não só os telefones públicos, mas também os caixas eletrônicos, pois oferecerão as mesmas capacidades que eles, assim como todas as outras aplicações da estrada, desde mandar e receber mensagens até consultar mapas e compar ingressos. Será essencial ter acesso aos quiosques e eles estarão por toda parte. Alguns quiosques exibirão anúncios publicitários de serviços específicos assim que você entrar em conexão — um pouco como os telefones de aeroportos que ligam diretamente para o departamento de reservas de hotéis e empresas de aluguel de carros. Assim como os caixas eletrônicos que vemos hoje nos aeroportos, terão a aparência de máquinas simples, mas por dentro também serão PCs.

Seja qual for a forma tomada pelo microcomputador, os usuários ainda terão de ser capazes de se localizar em meio aos seus aplicativos. Pense na maneira como você usa hoje o controle remoto da televisão para escolher o que assistir. Os futuros sistemas, com maior número de escolhas, terão de ser melhores. Terão de evitar que você precise avançar passo a passo por todas as opções. Em vez de lembrar que número de canal usar para encontrar um programa, você verá um menu gráfico e escolherá o que quiser apontando para uma imagem de fácil compreensão.

Você não terá necessariamente de apontar para mostrar o que quer. Um dia, vamos poder falar com nossos televisores, microcomputadores e outros aparelhos de informação. De início teremos de usar um vocabulário limitado, mas chegará o dia em que o contato será como uma conversa. Essa capacidade exige hardware e software muito potentes, porque a conversa que um ser humano pode entender sem esforço nenhum é de difícil interpretação por um computador. Hoje, o reconhecimento de voz já funciona bem para um pequeno grupo de comandos predefinidos, como "Ligue para minha irmã". É muito mais difícil para um computador decifrar uma frase arbitrária, mas nos próximos dez anos também isso também será possível.

Alguns usuários vão preferir escrever à mão as instruções para o computador, em vez de falar ou digitar. Muitas companhias, inclusive a Microsoft, passaram alguns anos trabalhando no que chamamos de "computadores baseados em caneta", capazes de ler a escrita cursiva. Fui otimista demais quanto ao tempo que levaríamos para criar softwares capazes de reconhecer a escrita cursiva de uma grande variedade de pessoas. As dificuldades acabaram sendo bastante sutis. Quando nós mesmos testamos os sistemas, funcionou bem, mas novos usuários sempre tinham problemas. Descobrimos que, inconscientemente, estávamos fazendo uma letra mais caprichada e reconhecível que a normal. Estávamos nos adaptando à máquina e não o contrário. Uma outra ocasião, quando o grupo achou que tinha criado um programa eficaz, vieram todos, orgulhosos, me mostrar o resultado. E não funcionou já na demonstração. Acontece que todo mundo no projeto era destro e o computador, programado para examinar os traços da escrita, não conseguia identificar os traços, muito diferentes, da minha caligrafia de canhoto. A conclusão é que fazer o computador reconhecer a escrita cursiva é tão difícil quanto fazê-lo reconhecer a fala. Mas continuo otimista: à medida que o desempenho dos computadores melhorar, eles também serão capazes de fazer isso.

Quer você dê o comando por intermédio de sua voz, escrevendo ou apontando, as seleções que você fará implicarão escolhas mais complicadas do que a do filme que se quer assistir, e você vai querer ser capaz de fazê-las com facilidade. Os usuários não vão tolerar confusões, frustrações e perda de tempo. A plataforma de software da estrada terá de tornar quase infalivelmente fácil encontrar informação, mesmo que o usuário não saiba o que está procurando. Haverá montanhas de informação. A estrada dará acesso a tudo o que existe em centenas de bibliotecas e a todo tipo de mercadoria.

Uma das preocupações mais constantes acerca da estrada diz respeito à "sobrecarga de informação". Ela é sempre formulada por alguém que imagina, com razão, que os cabos de fibra ótica da estrada da informação serão como enormes canos, fornecendo grandes quantidades de informação.

A sobrecarga de informação não é exclusividade da estrada e não precisa constituir um problema. Já lidamos, hoje, com uma quantidade inacreditável de informação quando recorremos à extensa infra-estrutura que foi desenvolvida para nos ajudar a ser seletivos — desde catálogos de biblioteca até críticas de cinema, das Páginas Amarelas às recomendações dos amigos. Quando as pessoas estiverem preocupadas com o problema da sobrecarga de informação, pergunte-lhes como elas escolhem o que lêem. Quando visitamos uma livraria ou uma biblioteca não nos preocupamos em ler todos os volumes. A gente se arranja sem ler tudo porque existem auxiliares de navegação que apontam a informação que nos interessa, de forma que possamos encontrar o material que queremos. Esses indicadores são, entre outros, a banca da esquina, o sistema decimal de Dewey nas bibliotecas e as resenhas de livros no jornal.

Na estrada da informação, a tecnologia e os serviços editoriais vão se aliar para oferecer uma variedade de maneiras de encontrar informação. O sistema de navegação ideal será poderoso, apresentará informações aparentemente ilimitadas e, mesmo assim, continuará sendo fácil de usar. Os softwares oferecerão tantas rotinas de consulta, filtros, navegação espacial, *hyperlinks* e agentes quanto as técnicas de seleção mais simples.

Uma maneira de entender os diferentes métodos de seleção é pensar neles metaforicamente. Imagine informações específicas — uma coletânea de fatos, uma notícia de última hora, uma lista de filmes —, todas colocadas num armazém imaginário. Uma rotina de consulta faz a busca por todos os itens do armazém, para ver se lhe corresponde algum critério determinado por você. Um filtro é uma checagem de todas as novidades que entraram no armazém, para verificar se combinam com aquele critério. A navegação espacial é a maneira como você se desloca dentro do armazém, checando o estoque por localização. Talvez a abordagem mais intrigante e a que promete ser de uso mais fácil seja engajar o auxílio de um agente eletrônico que o represente na estrada. O agente será, na verdade, um software, mas que terá uma personalidade com a qual você vai poder conversar de uma forma ou de outra. Será como nomear um assistente para examinar o estoque por você.

Vamos ver como vão funcionar os diversos sistemas. A consulta, como o próprio nome indica, é uma pergunta. Você vai poder fazer uma ampla gama de perguntas e receber respostas completas. Se você não consegue se lembrar do nome de um filme, mas se lembra que era com Spencer Tracy e Katharine Hepburn e que tinha uma cena em que ele fazia uma porção de perguntas para ela, que estava toda tremendo, você pode digitar uma rotina de consulta perguntando por todos os filmes que incluem "Spencer Tracy", "Katharine Hepburn", "frio" e "perguntas". Na resposta, um servidor na estrada vai indicar a comédia romântica de 1957, *Desk set*, na qual Tracy interroga uma trêmula Hepburn no terraço superior do edifício, no meio do inverno. Você pode então assistir à cena, assistir ao filme todo, ler o roteiro, consultar as críticas e ler todos os comentários que Tracy e Hepburn possam ter feito em público sobre aquela cena. Se foi feita uma versão dublada ou legendada para distribuição em países que não são de língua inglesa, você poderá assistir às versões estrangeiras. Elas podem estar arquivadas em servidores em diversos países, mas estarão imediatamente disponíveis para você.

O sistema será capaz de responder perguntas diretas como: "Exiba todas as matérias do mundo inteiro sobre o primeiro bebê de proveta", ou "Liste todas as lojas que vendem uma ou mais marcas de comida de cachorro e que possam entregar uma caixa em minha casa dentro de sessenta minutos" ou: "Com qual dos meus parentes eu não entro em contato há mais de três meses?". Ele poderá também enviar respostas a consultas muito mais complexas. Você pode perguntar: "Qual a cidade que tem a maior porcentagem de espectadores de vídeos de rock e que lê regularmente sobre comércio internacional?". As consultas, em geral, não vão demorar muito para ser respondidas, porque a maior parte das perguntas já terá sido feita antes e as respostas já terão sido computadas e armazenadas.

Você vai poder também instalar "filtros" que são, na verdade, rotinas de consulta permanentes. Os filtros funcionarão 24 horas por dia, verificando novas informações que combinem com um interesse seu, filtrando todo o resto. Você poderá programar um filtro para coletar informações sobre seus interesses particulares, como notícias sobre os times esportivos locais ou determinadas descobertas científicas. Se a coisa mais importante para você for a meteorologia, o seu filtro colocará isso no alto do seu jornal personalizado. Alguns filtros serão criados automaticamente pelo seu computador, com base nas informações que ele tem sobre a sua formação e áreas de interesse. Um filtro desses pode me alertar sobre um acontecimento importante que envolva uma pessoa ou instituição do meu passado: "Meteoro cai sobre a Lakeside School". Você vai poder também criar um filtro específico. Poderá ser um pedido de algo particular, como "Compro peças para Nissan Maxima 1990", ou "Informe quem quer vender *souvenirs* da última Copa do Mundo", ou "Tem alguém das redondezas querendo companhia para andar de bicicleta aos domingos de tarde, chova ou faça sol?". O filtro ficará procurando até você interromper a busca. Se o filtro encontrar alguma companhia ciclística para o domingo, por exemplo, automaticamente verificará todas as outras informações que a pessoa tenha publicado na rede. Isso para tentar responder a pergunta "Como é ele?" — que será provavelmente a sua primeira pergunta sobre um novo amigo em potencial.

A navegação espacial seguirá o modelo que usamos para localizar informações hoje em dia. Quando queremos descobrir algo sobre algum assunto, hoje, o natural é irmos à seção específica da biblioteca ou da livraria. Os jornais têm seções de esportes, imóveis e negócios, aonde as pessoas "vão" buscar determinados tipos de notícias. Na maioria dos jornais, a informação meteorológica aparece no mesmo lugar, dia após dia.

A navegação espacial, que já está sendo usada em alguns produtos de software, vai permitir que você vá onde está a informação, permitindo interagir com o modelo visual de um mundo real ou imaginário. Pense nesse modelo como um mapa — um índice ilustrado tridimensional. A navegação espacial será particularmente importante para a interação com televisões e com micros pequenos, portáteis, que dificilmente terão teclados convencionais. Para operar com o banco, você pode ir para a imagem de uma rua e aí apontar, usando o mouse, o controle remoto ou mesmo o seu dedo, a imagem de um banco. Apontando o tribunal, você verificará que casos estão sendo julgados por quais juízes ou quais os processos em pauta. Poderá apontar o terminal de *ferry-boat* para descobrir o horário dos barcos e se não estão atrasados. Se estiver pensando hospedar-se num determinado hotel, vai saber quando há quartos disponíveis e olhar a planta de um andar, e, se o hotel tiver uma câmara de vídeo conectada à estrada, poderá até ver o saguão e o restaurante, e saber se está cheio naquele momento.

Você vai poder saltar para dentro do mapa e navegar por uma rua ou pelas salas de um edifício. Vai poder dar um zoom ou uma panorâmica por diversos locais com toda facilidade. Vamos dizer que esteja querendo comprar um cortador de grama. Se a tela está mostrando o interior de uma casa, você pode sair pela porta dos fundos e ver, entre outras coisas, uma garagem. Um clique na garagem e você está lá dentro, vendo as ferramentas, inclusive um cortador de grama. Um clique no cortador de grama o leva a todo tipo de informações relevantes, inclusive comerciais, comentários, manual do usuário e *showrooms* de vendas no ciberespaço. Será fácil comparar produtos, fazendo uso de todas as informações que quiser. Quando você clica na imagem da garagem e aparentemente entra nela, informações referentes aos objetos "dentro" da garagem serão mostradas em sua tela, a partir de servidores espalhados por milhares de quilômetros da estrada.

Quando você aponta um objeto na tela para fazer aparecer informação sobre ele, está usando uma forma de "*hyperlinking*". Os *hyperlinks* permitem que o usuário salte de um local informacional para outro, instantaneamente, da mesma maneira que as espaçonaves da ficção científica saltam de um local geográfico para outro através do "hiperespaço". *Hyperlinks* na estrada da informação permitirão que você encontre respostas para suas perguntas sempre que elas lhe ocorrerem. Vamos dizer que você esteja assistindo ao noticiário e veja alguém que não conhece andando ao lado do primeiro-ministro britânico. Quer saber quem é. Usando o controle remoto da televisão, você apontará a pessoa. Esse ato trará uma biografia e uma lista de outras matérias em que essa pessoa apareceu recentemente. Aponte um item da lista, e você vai poder ler ou assistir à matéria do item, saltando quantas vezes quiser de tópico para tópico, recebendo informações de vídeo, áudio e texto do mundo inteiro.

A navegação espacial também pode ser usada para turismo. Se você quer ver reproduções das obras de arte de um museu ou galeria, vai poder "andar" por uma representação visual, navegando entre as obras como se estivesse fisicamente lá. Para maiores detalhes sobre uma pintura ou escultura, você usa um *hyperlink*. Sem multidões, sem correrias e podendo perguntar o que quiser sem dar a impressão de que é ignorante. Vai topar com coisas interessantes, como se estivesse numa galeria de verdade. Navegar pela galeria virtual não será a mesma coisa que andar por uma galeria de arte de verdade, mas será uma aproximação gratificante — da mesma forma que assistir a um balé ou a um jogo de basquete pela televisão pode ser divertido, mesmo você não estando no teatro ou no estádio.

Se outras pessoas estiverem visitando o mesmo "museu", será possível escolher se você quer vê-las e interagir com elas ou não, como quiser. Suas visitas não precisam ser experiências solitárias. Alguns locais serão usados exclusivamente para socializar no ciberespaço; em outros ninguém será visível. Em alguns você terá de aparecer até certo ponto como você é; em outros, não. A sua aparência para os outros usuários dependerá das suas escolhas e das regras de determinados locais.

Quando estiver usando a navegação espacial, o lugar pelo qual você se desloca não vai ter de ser real. Você vai poder inventar lugares imaginários e voltar a eles toda vez que quiser. No seu próprio museu, vai poder deslocar paredes e corredores imaginários e redistribuir as obras de arte. Talvez queira colocar todas as naturezas-mortas expostas juntas, mesmo que uma delas seja fragmento de um afresco de Pompéia, pertencente a uma galeria de arte romana antiga, e outra um Picasso cubista de alguma galeria do século XX. Vai poder brincar de curador e juntar imagens das suas obras favoritas do mundo todo para pendurar nas paredes de sua própria galeria. Imagine que você deseje acrescentar à coleção uma pintura que lhe traz recordações, mostrando um homem dormindo e sendo farejado por um leão, mas não se lembra nem quem pintou, nem onde a viu. A estrada da informação não vai forçá-lo a procurar a informação. Você vai poder descrever o que quer fazendo uma consulta. Esta vai fazer seu computador ou outro aparelho esquadrinhar um repositório de informações para mostrar todas as obras que se encaixam na sua solicitação.

Será possível até convidar os amigos para dar uma volta, quer eles estejam ao seu lado ou assistindo do outro lado do mundo. "Aqui, entre o Rafael e o Modigliani", você poderá dizer, "está a minha pintura a dedo favorita, que fiz quando tinha três anos de idade."

O último tipo de aparato navegacional e, em muitos sentidos, o mais útil de todos, é um agente. Trata-se de um filtro que assumiu uma personalidade e aparentemente demonstra iniciativa. A função de um agente é ajudá-lo. Na Era da Informação, isso significa que o agente vai estar ali para ajudá-lo a encontrar informação.

Para entender as maneiras como um agente pode ser útil em diversas tarefas, imagine como você poderia melhorar a interface do seu PC, hoje. O atual estado da interface do usuário é a interface gráfica, como o Macintosh, da Apple, e o Windows, da Microsoft, que mostra informação e relações na tela, em vez de simplesmente descrevê-las em forma de texto. As interfaces gráficas também permitem que o usuário aponte para e mova objetos — inclusive imagens — ao longo da tela.

Mas o manuseio de uma interface gráfica não é prático o suficiente no que diz respeito aos sistemas futuros. Colocamos tantas opções na tela que os programas ou atributos do programa usados apenas de vez em quando se tornaram assustadores. Os atributos são amplos e rápidos para quem está familiarizado com o software, mas para o usuário médio a máquina não dá orientação suficiente para que se sinta confortável. Os agentes solucionarão esse problema.

Os agentes saberão como ajudá-lo, em parte porque o computador se lembrará de suas atividades anteriores. Ele será capaz de encontrar padrões de uso que o ajudarão a trabalhar com maior eficácia. Através da mágica do software, aplicações de informação conectadas na estrada darão a impressão de aprender ao interagir com você e lhe darão sugestões. Chamo isso de *softer* software ["software mais suave".]

O software permite que o hardware desempenhe uma porção de funções, mas, uma vez escrito o programa, ele continua sempre o mesmo. O *softer* software vai parecer cada vez mais inteligente, à medida que você o usa. Ele vai aprender quais são as suas necessidades, de maneira praticamente igual a um assistente humano, e, como este, vai se tornar mais eficiente à medida que aprender sobre você e seu trabalho. No primeiro dia do novo assistente, você não pode simplesmente pedir a ele que formate um documento igual a outro que você escreveu semanas antes. Não dá para dizer: "Mande uma cópia para todos os que precisam saber disso". Mas ao longo de meses e anos o assistente se torna mais útil, à medida que apreende a rotina típica e a maneira como você gosta que as coisas sejam feitas.

Hoje, o computador é como um assistente no primeiro dia. Precisa das instruções explícitas do primeiro dia o tempo todo. E continua um assistente de primeiro dia para sempre. Jamais mudará uma vírgula em resposta à experiência. Estamos trabalhando para aperfeiçoar o *softer* software. Ninguém vai ter de agüentar um assistente, neste caso um software, que não aprende com a experiência.

Se um agente capaz de aprender estivesse disponível hoje, ia querer que assumisse certas tarefas para mim. Por exemplo, seria muito útil se pudesse examinar todos os projetos, anotar as mudanças e distinguir aquelas em que tenho de prestar atenção daquelas em que não. Ele aprenderia os critérios que distinguem o que precisa da minha atenção: a dimensão do projeto, quais outros projetos dependem desse, a causa e as dimensões de qualquer atraso. Ele aprenderia quando um atraso de duas semanas pode ser ignorado e quando isso significa problemas de fato, de forma que seria melhor eu examiná-lo logo, antes que a coisa piore. Leva tempo chegar a esse objetivo, em parte porque é tão difícil quanto com um assistente humano encontrar o equilíbrio exato entre iniciativa e rotina. Não queremos exagerar. Se o agente embutido tenta ser esperto demais e antecipa ou realiza confidencialmente serviços não solicitados ou indesejados, ele será incômodo para usuários que estão acostumados a ter controle total sobre seus computadores.

Quando você usar um agente, estará dialogando com um programa que se comporta, até certo ponto, como uma pessoa. Pode ser que o software imite o comportamento de uma celebridade ou de uma personagem de desenho animado ao atendê-lo. Um agente que assume uma personalidade constitui uma "interface social". Diversas companhias, inclusive a Microsoft, estão desenvolvendo agentes com capacidades de interface social. Eles não vão substituir o software de interface gráfica, mas, ao contrário, suplementá-lo, fornecendo uma personalidade à sua escolha para assisti-lo. A personagem desaparecerá quando você usar partes do produto que conhece bem. Mas, se você hesitar ou pedir ajuda, o agente reaparecerá para oferecer assistência. Você pode até passar a pensar no agente como um colaborador, embutido no seu software. Ele irá lembrar aquilo em que você é bom e o que fez antes e tentará antecipar problemas e sugerir soluções. E chamará a sua atenção para qualquer coisa fora do comum. Se você trabalhou em alguma coisa por alguns minutos e aí decidiu descartar o trabalho, o agente poderá perguntar se você tem certeza que quer jogar aquilo fora. Alguns dos programas de hoje já fazem isso. Mas se você trabalhar duas horas e aí der uma instrução para deletar o que acabou de fazer, a interface social consideraria isso fora do comum e talvez um sério erro de sua parte. O agente diria: "Você trabalhou nisso durante duas horas. Tem certeza mesmo que quer deletar?".

Algumas pessoas, ao ouvir falar de *softer* software e interface social, acham horripilante a idéia de um computador humanizado. Mas acredito que mesmo essas pessoas vão acabar gostando dele, quando experimentarem. Nós, humanos, tendemos a antropomorfizar. O cinema de animação se vale dessa tendência. *O rei Leão* não é muito realista, nem tenta ser. Qualquer um poderia ver a diferença entre o pequeno Simba e um leãozinho de verdade num filme. Quando um carro quebra ou o computador dá problemas, somos capazes de gritar com o aparelho, ou xingar, ou mesmo perguntar por que nos deixou na mão. Sabemos que não é assim, claro, mas temos a tendência de tratar objetos inanimados como se fossem vivos e tivessem vontade própria. Pesquisadores de universidades e companhias de software estão pesquisando a maneira de tornar as interfaces de computador mais eficientes, usando essa tendência humana. Em programas como o Bob, da Microsoft, eles demonstraram que as pessoas tratarão os agentes mecânicos que tenham personalidade com um grau surpreendente de consideração. Descobriu-se também que as reações dos usuários diferem se voz do agente é masculina ou feminina. Recentemente, trabalhamos num projeto em que usuários avaliavam a sua experiência com um computador. Quando o computador em que o usuário tinha trabalhado pedia uma avaliação de seu próprio desempenho, as respostas tendiam a ser positivas. Mas quando um segundo computador pedia às mesmas pessoas para avaliar os encontros com a primeira máquina, as pessoas eram significativamente mais críticas. Essa relutância em criticar o primeiro computador "na cara dele" sugeria que elas não queriam magoá-lo, mesmo sabendo que se tratava apenas de uma máquina. As interfaces sociais podem não ser adequadas para todos os usuários, em todas as situações, mas acredito que veremos muitas delas no futuro, porque elas "humanizam" os computadores.

Temos uma idéia bastante clara dos tipos de navegação que teremos na estrada. Quanto ao ambiente em que vamos navegar, isso é menos claro, mas temos alguns bons palpites. Muitos aplicativos disponíveis na estrada serão só para puro divertimento. Os prazeres serão tão simples quanto jogar bridge ou algum jogo de tabuleiro com seus melhores amigos, mesmo que todos estejam em cidades diferentes. Eventos esportivos televisionados oferecerão a oportunidade de escolher os ângulos da câmara, os replays, e até mesmo quais serão os comentarista de sua versão. Você vai poder ouvir qualquer canção, a qualquer hora, em qualquer lugar, ligado na maior loja de discos do mundo: a estrada da informação. Talvez você cantarole num microfone uma melodia que inventou, e aí possa tocá-la de novo para ouvir como é que ficaria orquestrada ou tocada por um grupo de rock. Ou então assista a ...E o vento levou com a sua cara e a sua voz no lugar da de Vivien Leigh ou de Clark Gable. Ou assista a si mesmo desfilando na passarela de um desfile de modas, vestindo as últimas criações de Paris ajustadas ao seu corpo ou ao corpo que você gostaria de ter.

Usuários curiosos ficarão hipnotizados com a abundância de informação. Quer saber como funciona um relógio mecânico? Você verá um deles por dentro, de qualquer ponto de vista, e poderá fazer perguntas. Poderá até andar por dentro de um relógio, usando um aplicativo de realidade virtual. Ou assumir o papel de um cardiologista ou tocar bateria num concerto de rock lotado, graças à capacidade da estrada da informação de produzir simulações elaboradas nos computadores domésticos. Algumas opções da estrada serão superversões dos programas de hoje, mas os gráficos e a animação serão muito, muito melhores.

Outras aplicações serão estritamente práticas. Por exemplo, quando você sair de férias, um aplicativo de gerenciamento doméstico poderá desligar o aquecimento, notificar o correio para que retenha sua correspondência e o jornaleiro para que não entregue o jornal, cumprir o ciclo diário da sua iluminação para parecer que você está em casa e, automaticamente, pagar as contas de sempre.

Outros aplicativos serão completamente sérios. Meu pai quebrou o dedo com alguma gravidade certo fim de semana e foi ao pronto-socorro mais próximo, que era o Hospital Infantil de Seattle. Recusaram-se a atendê-lo porque estava algumas décadas acima da idade-limite. Se já existisse na época a estrada da informação, ele teria sido informado para não perder tempo procurando aquele hospital. Um aplicativo, em comunicação com a estrada, teria informado quais os prontos-socorros mais bem localizados para atendê-lo naquele determinado momento.

Se meu pai quebrar outro dedo daqui a alguns anos, ele não só poderá usar o aplicativo da estrada da informação para encontrar o hospital adequado, mas poderá até preencher a ficha do hospital eletronicamente, enquanto dirige até lá, evitando toda a papelada convencional. Se o médico pedir um raio X, a chapa ficará armazenada sob forma digital num servidor, podendo ser imediatamente examinado por qualquer médico ou especialista autorizado daquele hospital ou mesmo de qualquer parte do mundo. Os comentários feitos por quem quer que examine o raio X, seja oralmente, seja por escrito, estariam em *link* com os relatórios médicos de papai. Depois, meu pai poderia olhar os raios

X em casa e ouvir os comentários dos profissionais. Poderia mostrar os raios X à família: "Veja o tamanho dessa fratura! Escute o que o médico disse!".

A maioria desses aplicativos, da escolha do menu da pizzaria à consulta de relatórios médicos centralizados, já está começando a aparecer nos micros. A utilização de informação interativa já está perto de se tornar parte da vida cotidiana. No entanto, antes que isso aconteça, muitos pedaços da estrada ainda terão de ser colocados em seus lugares.

5

CAMINHOS
PARA A ESTRADA

Antes que possamos gozar dos benefícios dos aparelhos e aplicativos descritos no capítulo precedente, a estrada da informação tem de existir. Não existe ainda. Isso pode surpreender algumas pessoas que ouvem a expressão "superestrada da informação" sendo aplicada para descrever desde a rede de telefones de longa distância até a Internet. Na verdade, é pouco provável que a estrada plena esteja disponível nas casas antes de pelo menos uma década.

Os microcomputadores, o software de CD-ROM multimídia, as redes de televisão a cabo de alta capacidade, as redes telefônicas com fio e sem fio e a Internet são todos importantes precursores da estrada da informação. Cada um deles sugere o futuro. Mas nenhum representa a verdadeira estrada da informação.

A construção da estrada será um trabalho imenso. Exigirá a instalação não só da infra-estrutura física, como dos cabos de fibra ótica e das centrais de comutação e servidores de alta velocidade, e também o desenvolvimento das plataformas de software. No capítulo 3 discuti a evolução do hardware e da plataforma de software que permitiu a existência do PC. Os aplicativos da estrada da informação, como aqueles que descrevi no capítulo 4, também terão de ser construídos numa plataforma — uma plataforma que se desenvolverá a partir do PC e da

Internet. O mesmo tipo de concorrência que ocorreu dentro da indústria de PC durante os anos 80 está ocorrendo agora na criação dos componentes de software que constituirão a plataforma da estrada da informação.

O software que roda a estrada terá de oferecer grande navegabilidade e segurança, capacidades de correio eletrônico e de conferência eletrônica, conexões para componentes de software do mercado e serviços de contabilidade e cobrança.

Os fornecedores de componentes para a estrada proverão padrões de ferramentas e interfaces para facilitar aos desenvolvedores a criação de aplicações, o estabelecimento de formulários e o gerenciamento de bancos de dados para o sistema. Para possibilitar que os aplicativos funcionem em conjunto, sem interrupções, a plataforma terá de definir um padrão para o perfil de seus usuários, de forma que informações sobre suas preferências possam ser passadas de um aplicativo para outro. Essa informação compartilhada permitirá que os aplicativos rendam o máximo para atender as necessidades do usuário.

Diversas companhias, inclusive a Microsoft, confiando que o fornecimento de software para a estrada será um negócio rendoso, estão competindo para desenvolver os componentes da plataforma. Esses componentes serão o alicerce sobre o qual os aplicativos da estrada da informação poderão ser construídos. Diversos fornecedores de software para a estrada acabarão sendo bem-sucedidos e seus programas irão se interconectar.

A plataforma da estrada terá também de aceitar muitos tipos diferentes de computador, inclusive os servidores e todos os aparelhos de informação. Os consumidores de grande parte desses programas serão os sistemas de cabos, as companhias telefônicas e outros fornecedores de rede, mais do que indivíduos, mas os consumidores é que, em última análise, decidirão quais os que funcionam. Os fornecedores de rede gravitarão em torno do software que ofereça aos consumidores os melhores aplicativos e a mais ampla gama de informação. Portanto, a primeira concorrência entre companhias que desenvolvem a plataforma de software se dará entre os que desenvolvem aplicativos e fornecem informação, porque seu trabalho é que criará a maior parte dos lucros.

À medida que os aplicativos forem se desenvolvendo, eles demonstrarão o valor da estrada da informação para futuros investidores — passo crucial, considerando a quantidade de dinheiro que a construção da estrada exigirá. Estima-se hoje em cerca de 1200 dólares, cem ou duzentos dólares a mais ou a menos, dependendo das escolhas de arquitetura e equipamento, o custo da conexão de um aparelho de informação (como uma TV ou um PC) em cada residência dos Estados Unidos. Esse preço inclui o cabeamento de cada bairro, os servidores, as centrais de comutação e aparelhos eletrônicos na residência. Contando cerca de 100 milhões de residências nos Estados Unidos, isso chega em torno dos 120 bilhões de dólares de investimento, para apenas um país.

Ninguém vai gastar essa quantidade de dinheiro enquanto não estiver claro que a tecnologia realmente funciona e que os consumidores estão interessados em pagar o suficiente pelos novos aplicativos. As taxas que os consumidores pagarão pelo serviço de televisão, incluindo o *video-on-demand*, não serão suficientes para custear a construção da estrada. Para financiar a construção, investidores terão de acreditar que novos serviços irão gerar quase tanto retorno quanto a televisão a cabo gera hoje. Se não for evidente que haverá retorno financeiro na estrada, o dinheiro para o investimento não aparecerá e a sua construção terá de ser retardada. E é assim que deve ser. Seria ridículo iniciar a construção antes que as firmas privadas percebam a possibilidade de retorno para seu investimento. E acredito que ao longo dos próximos cinco anos será possível comprovar esse retorno, à medida que os inovadores trouxerem novas idéias e os investidores começarem a entender os novos aplicativos e serviços. Uma vez provada a potencialidade de lucro financeiro da infra-estrutura da estrada, não haverá grandes problemas para levantar esse capital. Não é mais caro do que outras infra-estruturas que já assimilamos. As rodovias, os reservatórios de água, os esgotos e as redes elétricas que chegam às casas custam a mesma coisa.

Estou otimista. O crescimento na Internet ao longo dos últimos cinco anos sugere que os aplicativos da estrada serão bastante populares, rapidamente, e justificarão grandes investimentos. A Internet refere-se a um grupo de computadores conectados, usando "protocolos"-padrão ou descrições de tecnologias para trocar informação. Está muito longe de ser a estrada, mas é o mais próximo dela que estamos hoje, e evoluirá na direção da estrada.

A popularidade da Internet é o mais importante desenvolvimento isolado do mundo da computação desde que o IBM-PC foi lançado, em 1981. A analogia com o PC é válida por muitas razões. O PC não era perfeito. Alguns aspectos dele eram arbitrários ou mesmo pobres. Apesar disso, sua popularidade cresceu, a ponto de se tornar o padrão para o desenvolvimento de aplicativos. As companhias que tentaram combater os padrões do PC tinham, muitas vezes, boas razões para fazê-lo, mas seus esforços fracassaram porque tantas outras companhias continuavam a trabalhar no sentido de tentar melhorar o PC.

Hoje, a Internet é formada por um conjunto de redes de computadores comerciais e não comerciais, inclusive serviços de informação on-line para assinantes. Os servidores estão espalhados pelo mundo, ligados à Internet por uma variedade de canais de alta e baixa capacidade. A maioria dos consumidores usa microcomputadores para entrar no sistema, através da rede telefônica, que tem largura de banda estreita e, conseqüentemente, não pode transportar muitos bits por segundo. Os "modems" (abreviatura de MOdulador-DEModulador) são os dispositivos que conectam os micros à linha telefônica. Os modems, convertendo em 0s e 1s para diferentes tons, permitem que os computadores se conectem via linha telefônica. Nos primeiros dias do IBM-PC, os modems transmitiam dados à velocidade de trezentos ou 1200 bits por segundo (também conhecidos como trezentos ou 1200 baud). A maior parte dos dados transmitidos via linha telefônica nessas velocidades era texto, porque transmitir imagens era um processo dolorosamente lento quando tão pouca informação podia ser transmitida por segundo. Os modems mais rápidos ficaram muito mais baratos. Hoje, muitos modems que conectam PCs com outros computadores via sistema telefônico enviam e recebem 14 400 (14.4K) ou 28 800 (28.8K) bits por segundo. De um ponto de vista prático, essa largura de banda ainda é insuficiente para muitos tipos de transmissão. Uma página de texto é enviada em um segundo, mas a transmissão nessa velocidade de uma fotografia completa, do tamanho da tela, mesmo comprimida, exige talvez dez segundos. Leva minutos para transmitir uma fotografia colorida com resolução suficiente para poder ser transformada num slide. A essas velocidades, a transmissão de vídeo em movimento levaria tanto tempo que não seria prática.

Já é possível para qualquer um mandar para alguém uma mensagem pela Internet — de negócios, educativa, ou simplesmente por brincadeira. Estudantes do mundo todo podem mandar mensagens uns para os outros. Inválidos podem conversar animadamente com amigos que talvez jamais pudessem sair para encontrar. Correspon-

"Na Internet, ninguém sabe que você é um cachorro"
Desenho de Peter Steiner © 1993 The New Yorker Magazine, Inc. Todos os direitos reservados.

dentes que talvez se sentissem incomodados só de falar um com o outro pessoalmente estabelecem laços através da rede. A estrada da informação acrescentará o vídeo, que, infelizmente, acabará com a cegueira social, racial, sexual e de classe que as trocas baseadas apenas no texto permitem.

A Internet e outros serviços de informação via telefone sugerem alguns aspectos de como a estrada da informação irá operar. Quando envio uma mensagem para você, ela é transmitida por linha telefônica do meu computador para o servidor que tem a minha "caixa postal" e daí passa, direta ou indiretamente, para o servidor que tem a sua caixa postal. Quando você se conecta com seu servidor, via rede telefônica ou rede de computadores, pode recolher o conteúdo de sua caixa postal, inclusive a minha mensagem. É assim que funciona o correio eletrônico. Você pode digitar uma mensagem uma vez e mandá-la para uma ou para 25 pessoas, ou enviá-la para o que se chama "conferência eletrônica" (de "*Bulletin Board*", literalmente "quadro de avisos").

Como diz o nome, quadro de avisos é onde as mensagens são deixadas para que todos leiam. Disso resultam conversas públicas, à medida que as pessoas respondem às mensagens. São as "conferências eletrônicas". Esse intercâmbio é, em geral, assíncrono. Geralmente, as conferências eletrônicas são organizadas por tópicos para atender a determinadas comunidades de interesses. Com isso, tornam-se meios eficazes de atingir grupos específicos. Serviços comerciais oferecem conferências eletrônicas para pilotos, jornalistas, professores e comunidades muito mais restritas. Na Internet, conferências eletrônicas abertas são chamadas de *Usenet newsgroups*. Existem milhares de comunidades dedicadas a tópicos tão específicos quanto cafeína, Ronald Reagan ou gravatas. Você pode ler todas as mensagens a respeito de um tópico, ou só as mais recentes, ou todas de uma determinada pessoa, ou só aquelas que respondem a alguma outra mensagem particular, ou que contenham uma determinada palavra sobre o assunto, e assim por diante.

Além do correio eletrônico e da troca de arquivos, a Internet tem também a *Web Browsing* [busca na teia], um dos seus aplicativos mais

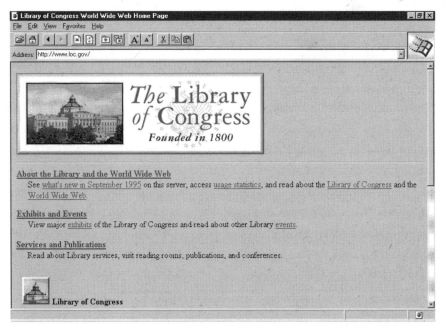

1995: Home page *da Biblioteca do Congresso na World Wide Web, mostrando* hyperlinks

populares. A World Wide Web [teia de alcance mundial] (abreviada para Web ou WWW) refere-se aos servidores conectados à Internet que oferecem páginas gráficas de informação. Quando você se conecta a um desses servidores, aparece uma tela de informação com vários *hyperlinks*. Quando você ativa um *hyperlink* clicando sobre ele com seu mouse, vai para outra página com mais informações e outros *hyperlinks*. Essa página pode estar armazenada no mesmo servidor ou em qualquer outro servidor da Internet.

A página principal de uma empresa ou indivíduo é chamada *home page*. Quando você cria uma, registra seu endereço e com isso os usuários da Internet podem encontrar você digitando o endereço. Na propaganda, hoje, estamos começando a ver a *home page* entre as informações de endereço. O software para criar um servidor da Web é muito barato e acessível a quase todos os computadores. O software para fazer uma busca na Web também pode ser encontrado para todas as máquinas, geralmente grátis. No futuro, haverá sistemas de operação integrando o sistema de busca da Internet.

A facilidade com que companhias e indivíduos podem publicar informações na Internet está mudando a própria idéia do que significa "publicar". A Internet, por conta própria, estabeleceu-se como um lugar para publicar conteúdos. Tem usuários suficientes para beneficiar-se do retorno positivo: quanto mais assinantes tem, mais conteúdo consegue, e quanto mais conteúdo, mais assinantes.

A posição única da Internet provém de uma variedade de fatores. Os protocolos TCP/IP que definem seu nível de transporte permitem processamento distribuído e funcionam incrivelmente bem, não importa o hardware onde rodem. Os protocolos que definem o sistema de busca na Web são extremamente simples e vêm permitindo aos servidores manipular bastante bem um imenso tráfego. Muitas das previsões sobre livros interativos e *hyperlinks* — feitas décadas atrás por pioneiros como Ted Nelson — estão se tornando realidade na Web.

A Internet de hoje não é a estrada da informação que eu imagino, mas pode-se pensar nela como o começo da estrada. Podemos fazer uma analogia com a Trilha do Oregon. Entre 1841 e os primeiros anos de 1860, mais de 300 mil sujeitos audaciosos partiram em carroças de Independence, no Missouri, numa perigosa jornada de mais de 3 mil quilômetros, atravessando o sertão na direção do território do Oregon ou das minas de ouro da Califórnia. Estima-se que 20 mil pessoas tenham sucumbido a bandidos, cólera, fome ou às intempéries. Essa rota ficou conhecida como Trilha do Oregon. Pode-se dizer que a Trilha do Oregon foi o começo do sistema rodoviário de hoje. Cruzava muitas fronteiras e permitia tráfego de duas mãos para viajantes em veículos de rodas. O trajeto atual da rodovia interestadual 84, e de muitas outras rodovias, acompanha o trajeto da Trilha do Oregon por boa parte de sua extensão. No entanto, muitas conclusões que se poderiam tirar da descrição da Trilha do Oregon seriam ilusórias se aplicadas ao futuro sistema. A cólera e a fome não são problema na interestadual 84.

Motoristas bêbados e os que grudam na traseira do carro da frente não eram um grande problema na época das carroças.

A trilha aberta pela Internet vai direcionar muitos dos elementos da estrada. A Internet é um progresso maravilhoso e definitivo e um elemento muito nítido do sistema final, mas irá se transformar significativamente nos anos vindouros. A Internet de hoje carece de segurança e necessita de um sistema de cobrança. Boa parte da cultura da Internet parecerá tão estranha a futuros usuários da estrada quanto as histórias dos pioneiros da Trilha do Oregon parecem hoje para nós.

De fato, a Internet de hoje não é nem a Internet de pouco tempo atrás. O ritmo de sua evolução é tão rápido que a descrição da Internet tal como há um ano, ou mesmo seis meses, estaria seriamente ultrapassada. Isso aumenta a confusão. É muito difícil ficar atualizado diante de algo tão dinâmico. Muitas companhias, inclusive a Microsoft, estão trabalhando em conjunto para definir padrões que estendam a Internet e superem suas limitações.

Como a Internet teve sua origem como um projeto de computação e não como um serviço de comunicações, ela sempre atraiu hackers — programadores que usam seus talentos para, com más intenções ou por simples travessura, invadir o sistema de computação de outros.

Em 2 de novembro de 1988, milhares de computadores ligados à rede começaram a funcionar mais devagar. Muitos acabaram parando temporariamente. Nenhum dado foi destruído, mas milhões de dólares em tempo de computação se perderam, enquanto os administradores de sistemas de computação lutavam para retomar o controle de suas máquinas. Muita gente deve ter ouvido falar da Internet pela primeira vez quando esse caso recebeu cobertura da imprensa. A causa era um programa de computador malcomportado chamado "verme", que se espalhava de computador para computador da rede, reproduzindo-se à medida que avançava. (Foi chamado "verme", e não vírus, porque não infectava outros programas.) Usava uma "porta dos fundos", desapercebida no software do sistema, para entrar diretamente na memória do computador que estava atacando. Ali se escondia e passava informações erradas que dificultavam ainda mais a detecção e a solução. Poucos dias depois, o jornal *New York Times* identificou o hacker como sendo Robert Morris Jr., um estudante de 23 anos da Cornell University. Mais tarde, Morris declarou que tinha projetado e liberado o verme para ver quantos computadores podia atingir, mas um erro no seu programa fez com que o verme se reproduzisse muito mais depressa do que ele esperava. Morris foi condenado por violar o Computer Fraud and Abuse Act, de 1986, o que constitui crime federal. Foi sentenciado a três anos de liberdade condicional, multa de 10 mil dólares e quatrocentas horas de serviços à comunidade.

Houve quebras e problemas de segurança ocasionais, mas não muitos, e a Internet é hoje um canal de comunicação razoavelmente confiável para milhões de pessoas. Ela fornece conexões internacionais entre servidores, facilitando a troca de correio eletrônico, tópicos de conferências eletrônicas e outros dados. As trocas variam de mensagens curtas, de algumas dezenas de caracteres, até transferências de milhões de bytes de fotografias, software e outros tipos de dados. Solicitar dados de um servidor a poucos quilômetros não custa mais que de um outro a milhares de quilômetros de distância.

O modelo de cobrança da Internet já provocou mudanças na noção de que a comunicação tem de ser paga por tempo e distância. A mesma coisa aconteceu com a computação. Se você não tinha meios de ter um computador grande, podia pagar o seu uso por hora. O microcomputador mudou isso.

Como o uso da Internet é barato, as pessoas pensam que ela é mantida pelo governo. Não é. Ela resulta, porém, de um projeto governamental dos anos 60. O ARPANET, como foi chamado, era usado inicialmente apenas para projetos de computação e engenharia. Tornou-se um elo de comunicação vital entre colaboradores em projetos avançados, mas era praticamente desconhecido do público em geral.

Em 1989, o governo dos Estados Unidos resolveu interromper o financiamento do ARPANET e planejou-se seu sucessor comercial, a ser chamado "Internet". O nome vinha do protocolo de comunicações que servia como base para a comunicação. Mesmo quando ele passou a ser um serviço comercial, os primeiros clientes da Internet eram sobretudo cientistas em universidades e empresas da indústria da computação que a utilizavam como correio eletrônico.

O modelo financeiro que permite à Internet ser tão barata é, na verdade, um de seus aspectos mais interessantes. Se você usa hoje um telefone, sabe que vai ser cobrado por tempo e distância. Empresas que falam muito com um local remoto evitam esses custos usando uma linha privada, uma linha telefônica especial usada apenas para chamadas entre as duas localidades. Não há cobrança de tráfego numa linha privada — a mesma quantia é cobrada todo mês, não importa o quanto ela seja usada.

A base da Internet consiste num conjunto dessas linhas privadas conectadas a sistemas de comutação que indicam o caminho seguido pelos dados. As conexões de longa distância são fornecidas, nos Estados Unidos, por cinco companhias, que obtêm linhas privadas dos fornecedores de telecomunicações. Desde o desmembramento da AT&T, os preços para linhas privadas ficaram muito competitivos. Como o volume de tráfego da Internet é muito grande, essas cinco companhias procuram manter o preço o mais baixo possível — o que significa que fornecem enorme largura de banda a preços bastante baixos.

O termo "largura de banda" merece maiores explicações. Como já disse, ele se refere à velocidade com que uma linha pode transportar informação para as máquinas a ela conectadas. A largura de banda depende, em parte, da tecnologia usada para transmitir e receber a informação. As redes de telefone foram projetadas para conexões particulares de mão dupla, com largura de banda estreita. Os telefones são aparelhos analógicos que se comunicam com o equipamento da companhia telefônica por meio de correntes flutuantes — análogas ao som da voz. Quando um sinal analógico é digitalizado por uma companhia telefônica de longa distância, o sinal digital resultante contém cerca de 64 mil bits de informação por segundo.

Os cabos coaxiais usados para transmitir programas de televisão a cabo têm um potencial de largura de banda muito maior do que os cabos telefônicos convencionais, porque têm de ser capazes de transportar sinais de vídeo de alta freqüência. Os sistemas de TV a cabo atuais, no entanto, não transmitem bits; usam tecnologia analógica para transmitir de trinta a 75 canais de vídeo. O cabo coaxial pode facilmente transportar centenas de milhões ou até mesmo 1 bilhão de bits por segundo, mas será preciso acrescentar novas centrais de comutação para dar-lhes condições de dar suporte à transmissão de informação digital. Um cabo de fibra ótica de longa distância que transmite 1,7 bilhão de bits de informação de uma estação repetidora (algo como um amplificador) para outra tem largura de banda suficiente para fazer 25 mil ligações telefônicas simultâneas. O número de ligações possíveis cresce significativamente se elas forem comprimidas, pela remoção de informação redundante, tais como as pausas entre palavras e frases, de forma que cada ligação consuma menos bits.

Muitas empresas utilizam um tipo especial de linha telefônica para se conectar com a Internet. É chamada linha T-1 e transmite 1,5 milhão de bits por segundo, o que é uma largura de banda relativamente alta. Os assinantes pagam para a companhia telefônica local uma taxa mensal pela linha T-1 (que transmite seus dados para o ponto de acesso da Internet mais próximo) e, depois, paga uma taxa fixa de cerca de 20 mil dólares por ano para a companhia que os conecta com a Internet. Essa taxa anual, baseada na capacidade de conexão, ou *on ramp* [rampa de acesso], cobre toda a sua utilização da Internet, quer a usem o tempo inteiro, quer não a utilizem nunca, e quer o tráfego pela Internet implique poucos quilômetros ou tenha de rodar o mundo. A soma desses pagamentos sustenta toda a rede Internet.

Isso funciona porque os custos são baseados no pagamento por capacidade, e os preços simplesmente seguiram o mesmo caminho. Seria preciso muita tecnologia e esforço para que as empresas pudessem ter controle sobre o tempo e a distância. Por que o fariam se podem ter lucro sem isso? Nessa estrutura de cobrança, o consumidor que tem a conexão com a Internet não terá custo extra se usá-la intensamente, coisa que estimula a utilização. A maioria dos indivíduos não pode pagar por uma linha privada T-1. Para se conectar com a Internet, eles entram em contato com um fornecedor do serviço on-line. Este seria uma companhia que pagou os 20 mil dólares anuais para se conectar, via T-1 ou algum outro meio de alta velocidade, com a Internet. Usuários individuais usam suas linhas telefônicas normais para ligar para seu fornecedor local, que, por sua vez, os conecta com a Internet. Geralmente, o custo mensal é de vinte dólares para vinte horas de uso.

O fornecimento de acesso à Internet vai ficar ainda mais competitivo nos próximos anos. Grandes companhias telefônicas de todo o mundo vão entrar no negócio. Os preços cairão significativamente. As companhias de serviços on-line como a CompuServe e a America Online vão incluir o acesso à Internet como parte dos seus serviços. Ao longo dos próximos anos, a Internet irá melhorar e permitir fácil acesso, grande disponibilidade, interface consistente, navegação fácil e integração com outros serviços comerciais on-line.

Um desafio técnico com que a Internet ainda se depara é como lidar com o conteúdo de "tempo real"   especialmente áudio (voz inclusive) e vídeo. A tecnologia de base da Internet não garante que os dados se desloquem de um ponto a outro com velocidade constante. O congestionamento da rede determina a velocidade de envio dos pacotes. Várias abordagens muito inteligentes efetivamente permitem o tráfego de mão dupla de sinais de áudio e vídeo de alta qualidade, mas o suporte para áudio e vídeo plenos exigirá mudanças significativas na rede e, provavelmente, não estará disponível por alguns anos ainda.

Quando essas mudanças acontecerem, elas colocarão a Internet em competição direta com as redes de comunicação de voz das companhias telefônicas. Suas diferentes políticas de preços tornarão a competição muito interessante.

Como a Internet está mudando a maneira como pagamos pela comunicação, poderá também mudar a maneira como pagamos pela informação. Existem aqueles que acham que a Internet já demonstrou que a informação será grátis, ou quase. Apesar de uma grande parte da informação, desde fotos da NASA até entradas de usuários nas conferências eletrônicas, continuar sendo grátis, acredito que a informação mais atraente, sejam filmes de Hollywood ou banco de dados enciclopédicos, continuará a ser produzida tendo em mente o lucro.

Programas de computador são um tipo particular de informação. Existe uma porção de programas grátis na Internet hoje, alguns bastante úteis. Geralmente, trata-se de algum software escrito por um estudante como projeto de graduação ou por algum laboratório mantido pelo governo. No entanto, acredito que o desejo de qualidade, suporte e abrangência de uma ferramenta tão importante como um software aponta para um aumento na demanda de programas comerciais. Já agora, muitos estudantes e professores que escreveram software gratuito na universidade planejam fundar companhias que forneçam versões comerciais de seus programas, com novas características. Os criadores de software, tanto aqueles que querem cobrar por seu produto quanto aqueles que querem dá-lo, terão maiores facilidades para distribuí-los do que atualmente.

Todos esses são bons presságios do futuro da estrada da informação. No entanto, antes que isso se torne realidade diversas tecnologias de transição serão usadas, trazendo-nos novos aplicativos. Mesmo ficando aquém daquilo que será possível quando tivermos acesso à estrada de banda plena, elas estarão um passo à frente daquilo que podemos fazer agora. Esses avanços evolutivos são suficientemente baratos para ter seus custos justificados pelos aplicativos que já funcionam e comprovaram ter demanda.

Algumas dessas tecnologias de transição utilizarão as redes telefônicas. Por volta de 1997, a maioria dos modems mais rápidos poderá suportar a transmissão simultânea de voz e dados, via linhas telefônicas já existentes. Quando estiver fazendo planos de viagem, se você e seu agente de viagens tiverem ambos um microcomputador, ele poderá mostrar-lhe fotos dos hotéis que você tem em mente, ou mostrar uma tabela comparando preços. Quando você ligar para um amigo querendo saber como ele abriu a massa de confeiteiro para que ficasse tão alta, se vocês dois tiverem micros conectados à linha telefônica, ele vai poder lhe transmitir um esquema durante a conversa, enquanto sua massa estiver descansando.

A tecnologia que tornará isso possível atende pela sigla DSVD, que significa *digital simultaneous voice data* [voz e dados digitais simultâneos]. Ela demonstrará, com mais clareza do que qualquer outra coisa até hoje, as possibilidades que existem para troca de informações pela rede. Acredito que será amplamente adotada nos próximos três anos. É barata, porque não exige troca do telefone já existente. As companhias telefônicas não terão de modificar as suas centrais de comutação, nem aumentar a sua conta telefônica. A DSVD funciona com a condição de que os dois extremos da ligação estejam equipados com os modems e programas de computador adequados.

Outro passo intermediário, para usar as redes das companhias telefônicas, exigirá linhas e centrais de comutação especiais. A tecnologia é chamada ISDN, *integrated services digital network* [rede digital de serviços integrados]. Ela transfere voz e dados a partir de 64 mil ou 128 mil bits por segundo, o que significa que pode fazer tudo o que a DSVD faz, só que de cinco a dez vezes mais rápido. Perfeito para aplicações de velocidades intermediárias de transmissão de dados. Com isso você consegue transmissão rápida de texto e fotografias. Vídeo em movimento pode ser transmitido, mas a qualidade é medíocre — insuficiente para assistir a um filme inteiro, apesar de razoável para videoconferências rotineiras. A estrada plena exige vídeo de alta qualidade.

Centenas de funcionários da Microsoft utilizam a ISDN, todos os dias, para conectar seus computadores domésticos com a rede da nossa companhia. A ISDN foi inventada há mais de uma década mas, sem a demanda dos aplicativos de microcomputadores, quase ninguém precisava dela. É surpreendente que as companhias telefônicas tenham investido enormes somas em centrais de comutação especiais para a ISDN, sem ter a menor idéia de como ela seria usada. A boa nova é que o microcomputador gerará uma explosão da demanda. Uma placa de

expansão que possibilite o uso da ISDN no micro custa quinhentos dólares em 1995, mas o preço deve cair para menos de duzentos dólares
ao longo dos próximos anos. O custo da linha varia de acordo com o
local, mas geralmente é de cinqüenta dólares mensais nos Estados
Unidos. Espero que esse preço caia para menos de vinte dólares, não
muito mais do que custa uma linha telefônica normal. Estamos entre
as empresas que estão trabalhando para convencer as companhias telefônicas de todo o mundo a baixar esses custos, a fim de estimular os
donos de microcomputadores a se conectarem usando a ISDN.

As companhias de cabo têm tecnologias e estratégias intermediárias próprias. Elas querem usar as redes de cabo coaxiais existentes para
competir com as companhias telefônicas no fornecimento de serviços
telefônicos locais. Já demonstraram também que modems especiais
para cabo podem conectar microcomputadores à rede de cabos. Isso
permite que as companhias de cabo ofereçam larguras de banda maiores que a ISDN.

Outro passo intermediário nas companhias de cabo será aumentar de cinco a dez vezes o número de canais. Elas farão isso usando tecnologia de compressão digital para espremer mais canais nos cabos já
existentes.

Essa abordagem, chamada de abordagem dos quinhentos canais
— que na maior parte das vezes terá apenas 150 canais —, torna possível algo próximo do *video-on-demand*, só que para apenas um número
limitado de programas e filmes. Você poderá escolher de uma lista na
tela, em vez de selecionar um canal numerado. Um filme de sucesso
poderá ser exibido em vinte canais, com o horário de início da projeção escalonado em intervalos de cinco minutos, de modo que você poderá começar a assistir ao filme cinco minutos, depois da hora que você
escolher. Você selecionará filmes e programas de televisão entre os horários disponíveis e o decodificador mudará para o canal adequado. O
CNN Headline News, de meia hora de duração, poderá ser oferecido
em seis canais em vez de num só, com a transmissão das seis da tarde
exibida de novo às 6h05, 6h10, 6h15, 6h20 e 6h25. Haveria uma nova

transmissão ao vivo a cada meia hora, exatamente como acontece agora. Quinhentos canais acabarão lotados bem depressa, usados dessa forma.

As companhias de cabo estão sob pressão para oferecer mais canais, em parte como reação à competição. Os satélites de transmissão direta, como o da DIRECTV Hugues Electronics, já emitem centenas de canais diretamente para os domicílios. As companhias de cabo querem aumentar a sua linha da canais rapidamente, para não perder clientes. Se a única razão para uma estrada da informação fosse transmitir um número limitado de filmes, então um sistema de quinhentos canais seria adequado.

Um sistema de quinhentos canais ainda será, em grande parte, síncrono, limitará suas escolhas e oferecerá apenas um canal de retorno de estreita largura de banda, na melhor das hipóteses. O canal de retorno é um canal de informação usado para transportar instruções e outras informações do aparelho de informação do consumidor de volta para a rede, via cabo. Um canal de retorno num sistema de quinhentos canais poderá permitir que você use seu decodificador para pedir produtos ou programas, responder a enquetes ou perguntas de programas de jogos, e participar de certos tipos de jogos com múltiplos jogadores. Mas um canal de retorno de baixa largura de banda não poderá oferecer a plena flexibilidade e interatividade exigidas pelos aplicativos mais interessantes. Ele não permitirá que você envie o vídeo dos seus filhos para os avós, nem que participe de jogos realmente interativos.

As companhias de cabo e de telefone em todo o mundo avançarão por quatro caminhos paralelos. Primeiro, cada uma delas estará perseguindo os negócios da outra. As companhias de cabo irão oferecer serviços telefônicos e as companhias de telefone oferecerão serviços de vídeo, inclusive televisão. Segundo, os dois sistemas fornecerão melhores meios de conectar os micros sem ISDN ou modems de cabo. Terceiro, ambas se voltarão para a tecnologia digital, a fim de fornecer mais canais de televisão e sinais de melhor qualidade. Quarto, ambas

estarão experimentando sistemas de grande largura de banda conectados a aparelhos de televisão e micros. Cada uma dessas quatro estratégias motivará investimentos na capacidade da rede digital. Haverá intensa competição entre as companhias telefônicas e as redes de
televisão a cabo, para ver qual será a primeira rede fornecedora num
determinado bairro.

Ao final, a Internet e outras tecnologias de transição serão absor-
vidas pela verdadeira estrada da informação. A estrada combinará as
melhores qualidades de ambos os sistemas, o de telefones e o da rede
de cabo. Assim como a rede telefônica, oferecerá conexões privadas,
de forma que todos os usuários da rede possam cuidar de seus próprios
interesses no horário que for conveniente. Terá também mão dupla
plena, igual à rede telefônica, o que possibilitará formas mais ricas de
interação. Assim como a rede de televisão a cabo, terá alta capacidade,
de modo que haverá largura de banda suficiente para permitir que múltiplas televisões ou microcomputadores, numa mesma residência, sejam conectados simultaneamente a diferentes programas de vídeo ou
fontes de informação.

A maioria dos cabos que conectam os servidores uns com os outros e com os outros bairros do mundo será feita de fibra ótica incrivelmente pura, que será o "asfalto" da estrada da informação. Todos os
troncos principais de linhas de longa distância que transmitem chamadas telefônicas nos Estados Unidos, hoje, usam fibra, mas as linhas que
conectam nossas casas a essas ruas de dados ainda são de fios de cobre.
As companhias telefônicas substituirão os fios de cobre, as microondas
e os *links* de satélites de suas redes pelo cabo de fibra ótica, a fim de que
possam ter largura de banda suficiente para transmitir os bits
necessários para vídeo de alta qualidade. As companhias de televisão
a cabo aumentarão a quantidade de fibra que usam. Ao mesmo tempo
em que a fibra estiver sendo estendida, as companhias de telefone e de
cabo estarão incorporando novas centrais de comutação às suas redes,
de forma que os sinais digitais de vídeo e outras informações possam ser
conduzidos de um ponto para qualquer outro ponto. Modernizar as re-

des existentes, preparando-as para a chegada da estrada, custará menos de um quarto daquilo que seria gasto caso fosse preciso estender novos fios para cada casa.

Você pode imaginar um tronco de fibra como aquela tubulação principal que leva a água de sua rua. Ela não chega diretamente até sua casa; em vez disso, um cano menor conecta sua casa com o cano mestre da rua. No início, a fibra provavelmente chegará apenas até os pontos de distribuição do bairro, e os sinais serão levados dessa fibra por meio do cabo coaxial que leva televisão a cabo até sua casa ou pelo par trançado de fios de cobre que fornece o serviço telefônico. Eventualmente, porém, as conexões de fibra irão direto até sua casa, se você é daqueles que utiliza muitos dados.

Centrais de comutação são computadores sofisticados que desviam fluxos de dados de um trilho para outro, como se fossem vagões num parque de manobras de estrada de ferro. Milhões de fluxos simultâneos de comunicação viajarão por amplas redes e, não importa quantas escalas sejam necessárias, todos os diversos bits de informação terão de ser conduzidos a seus destinos, com a garantia de que chegarão aos lugares certos e pontualmente. Para entender a dimensão dessa tarefa na era da estrada da informação, imagine bilhões de vagões que têm de ser conduzidos ao longo dos trilhos da ferrovia, através de vastos sistemas de comutação, para chegar aos seus destinos na hora certa. Como os vagões estão ligados uns aos outros, os sistemas de comutação ficam congestionados, esperando a passagem de longos trens de múltiplos vagões. Haveria menos empecilhos se cada vagão pudesse viajar independentemente e achar seu caminho em meio às centrais, para depois se reagruparem todos na forma de trem no seu destino.

As informações que atravessarem a estrada da informação serão quebradas em pequenos pacotes, e cada pacote será direcionado independentemente através da rede, da mesma maneira como os automóveis rodam pelas estradas. Quando você pedir um filme, ele será quebrado em milhões de pequenos pedaços e cada um deles encontrará o seu caminho através da rede até sua televisão.

Esse direcionamento de pacotes será conseguido por meio de um protocolo de comunicação conhecido como modo de transferência assíncrono ou ATM (não confundir com *automatic teller machine* [caixa eletrônico]). Isso será uma das peças-chave da estrada da informação. As companhias telefônicas de todo o mundo já estão começando a usar o ATM, porque ele aproveita melhor a incrível largura de banda da fibra. Um dos pontos fortes do ATM é a sua capacidade de garantir a pontualidade na entrega da informação. O ATM quebra cada fluxo digital em pacotes uniformes, cada um contendo 48 bytes da informação a ser transportada e cinco bytes de informação de controle, o que permite às centrais de comutação da estrada direcionar os pacotes muito rapidamente até seu destino. No destino final, os pacotes são recombinados num fluxo.

O ATM transmite fluxos de informação em velocidades muito altas — primeiro em até 155 milhões de bits por segundo, saltando depois para 622 milhões de bits por segundo e, no fim, para 2 bilhões de bits por segundo. Essa tecnologia possibilitará enviar chamadas de vídeo com tanta facilidade quanto as de voz, e a custo muito baixo. Assim como os avanços na tecnologia do chip baixaram o custo da computação, o ATM, sendo também capaz de carregar uma enorme quantidade das chamadas vocais tradicionais, baixará o custo dos telefonemas de longa distância.

Conexões a cabo de grande largura de banda ligarão a maior parte dos aparelhos à estrada, mas alguns dispositivos poderão ser conectados sem fio. Já usamos diversos aparelhos de comunicação sem fio — os telefones celulares, os pagers e os controles remotos de aparelhos eletrônicos. Eles enviam sinais de rádio e nos permitem mobilidade, mas sua largura de banda é limitada. As redes sem fio do futuro serão mais rápidas, mas, a menos que haja um gigantesco avanço, as redes via cabo terão largura de banda muito maior. Aparelhos portáteis poderão mandar e receber mensagens, mas será muito caro e raro usá-los para receber um fluxo de vídeo individual.

As redes sem fio que vão nos permitir a comunicação em trânsito se desenvolverão a partir dos sistemas de telefonia celular de hoje, e de uma nova alternativa de serviços de telefonia sem fio, chamada PCS. Quando estiver na estrada e precisar de informações do computador de sua casa ou do escritório, seu dispositivo portátil de informação será conectado à parte sem fio da estrada, uma central de comutação conectará esta última com a parte cabeada, e daí para o computador/servidor de sua casa ou escritório, oferecendo-lhe a informação que você pediu.

Haverá também tipos locais mais baratos, de redes sem fio, disponíveis em empresas e na maioria dos domicílios. Essas redes permitirão que você se conecte com a estrada ou com seu próprio sistema de computação sem ter de pagar taxas por tempo de uso, com a condição de que você esteja dentro de determinada área. As redes sem fio locais usarão tecnologia diferente daquela utilizada para redes sem fio de maior alcance. No entanto, os aparelhos portáteis de informação selecionarão automaticamente a rede mais barata com que puderem se conectar, de forma que o usuário nem note as diferenças tecnológicas. As redes sem fio internas permitirão que o micro de bolso seja usado no lugar de controles remotos.

Serviços sem fio fazem surgir evidentes preocupações com a privacidade e a segurança, visto que os sinais de rádio podem ser facilmente interceptados. Até mesmo redes de fios podem ser invadidas. O software da estrada terá de codificar as transmissões para evitar espionagem.

Os governos já entenderam há muito a importância de manter a privacidade da informação, tanto por razões militares quanto econômicas. A necessidade de segurança (ou de invasão) das mensagens pessoais, comerciais, militares ou diplomáticas atraem grandes inteligências há gerações. Decifrar uma mensagem codificada dá grande satisfação. Charles Babbage, que conseguiu incríveis progressos na arte de decifrar códigos em meados dos anos 1800, escreveu: "Decifrar, na minha opinião, é a mais fascinante das artes, e temo ter dedicado a ela mais horas do que merece". Descobri esse fascínio quando era menino e, como acontece com todos os meninos, um grupo do qual eu fazia parte brincava com códigos simples. Codificávamos nossas mensagens substituindo uma letra do alfabeto por outra. Se um amigo me mandasse um código começando assim: "ULFW NZXX", era fácil adivinhar que isso representava "DEAR BILL" [Caro Bill], e que o U era D, o L era E, e assim por diante. Com essas sete letras não era difícil desvendar o resto do código rapidamente.

Guerras do passado foram vencidas ou perdidas porque os governos mais poderosos da Terra não tinham a potência criptológica que qualquer estudante secundário pode dominar, hoje, com um microcomputador. Muito cedo qualquer criança com idade suficiente para usar um computador é capaz de transmitir mensagens em código que nenhum governo da Terra acharia fácil decifrar. Esta é uma das implicações profundas da difusão da fantástica potência dos computadores.

Quando você enviar uma mensagem pela estrada da informação, ela será "assinada" pelo seu computador, ou outro dispositivo de informação, com uma assinatura digital que só você será capaz de aplicar, e será codificada de forma que só seu destinatário real será capaz de decifrá-la. Você enviará uma mensagem, que pode ser informação de qualquer tipo, inclusive voz, vídeo ou dinheiro digital. O destinatário poderá ter certeza quase absoluta de que a mensagem é mesmo sua, que foi enviada exatamente na hora indicada, que não foi nem minimamente alterada e que outros não podem decifrá-la.

O mecanismo que tornará isso possível é baseado em princípios matemáticos, inclusive os chamados *one-way functions* [funções sem retorno] e *public-key encryption* [codificação de chave pública]. Trata-se de conceitos bastante avançados, portanto vou apenas mencioná-los. Tenha sempre em mente que, por mais complicado que o sistema seja tecnicamente, será sempre extremamente fácil de usar. Você apenas dirá a seu aparelho de informação o que quer que ele faça, e a coisa acontecerá, aparentemente sem esforço.

Uma função sem retorno é algo mais fácil de fazer do que de desfazer. Quebrar uma placa de vidro é uma função sem retorno, mas não muito útil para codificação. O tipo de função sem retorno necessário para criptografia é aquele que é fácil de fazer se você tem uma partezinha extra de informação e muito difícil de desfazer sem essa informação. Existem diversas dessas funções sem retorno em matemática. Uma delas utiliza números primos. As crianças aprendem números primos na escola. Um número primo é aquele que não tem divisão exata a não ser por 1 e por si mesmo. Dos doze primeiros, são primos 2, 3, 5, 7 e 11. Os números 4, 6, 8 e 10 não são primos porque são divisíveis por 2. O 9 não é primo, porque é divisível por 3. A quantidade de números primos é infinita e não existe nenhum padrão conhecido para eles, exceto o fato de serem primos. Quando você multiplica dois números primos, consegue um resultado que só é divisível por aqueles mesmos dois números primos. Por exemplo, 35 só é divisível por 5 e 7. O processo de encontrar primos chama-se "fatorar" o número.

É fácil multiplicar os números primos 11 927 e 20 903 para obter o número 249 310 081, mas é muito mais difícil recuperar do produto, 249 310 081, os dois números primos que foram seus fatores. Essa função sem retorno, a dificuldade de fatorar números, está por trás de um engenhoso tipo de código: constitui o mais sofisticado sistema criptográfico hoje utilizado. Até o maior dos computadores precisa de um longo tempo para fatorar um produto grande de volta aos seus números primos constitutivos. Um sistema de código baseado no fatoramento utiliza duas chaves de decodificação diferentes, uma para cifrar a mensagem e outra, diferente mas correlata, para decifrá-la. Com apenas uma chave criptográfica é fácil codificar uma mensagem, mas decifrá-la num período de tempo exeqüível é quase impossível. A decifração exige uma chave separada, disponível apenas para o destinatário real da mensagem — ou melhor, para o computador do destinatário. A chave codificadora é baseada nos próprios números primos. Um computador pode gerar um par de chaves únicas numa fração de segundo, porque é fácil para o computador gerar dois números primos grandes e multiplicar um pelo outro. A chave codificadora assim criada pode ser dada a público sem grande risco, por causa da dificuldade que até um outro computador teria para fatorá-la e obter a chave decifradora.

O centro do sistema de segurança da estrada da informação dependerá da aplicação prática desse sistema criptográfico. O mundo se tornará bastante dependente dessa rede, de forma que será importante garantir a segurança de forma competente. Você pode imaginar a estrada da informação como uma rede postal em que todo mundo tem uma caixa postal inviolável e com uma fechadura inquebrável. Toda caixa postal tem uma fenda, permitindo que qualquer pessoa deposite informação ali dentro, mas só o dono da caixa postal tem a chave para retirá-la dali. (Alguns governos insistem que cada caixa postal deve ter uma segunda porta com uma chave separada, guardada pelo governo, mas vamos ignorar essa consideração política por ora e nos concentrar na segurança que esse software pode fornecer.)

Cada computador, ou outro aparelho de informação do usuário, utilizará números primos para gerar a chave codificadora, que será dada a público, e uma chave decifradora correspondente que só o usuário conhecerá. É assim que funcionará na prática: tenho uma informação que quero mandar para você. O sistema de computação do meu aparelho de informação procura a sua chave pública e a usa para codificar a informação antes de enviá-la. Ninguém pode ler a mensagem, mesmo sendo a sua chave de domínio público, porque a chave pública não contém a informação necessária para a decifração. Você recebe a mensagem e seu computador a decifra com a chave privada que corresponde à sua chave pública.

Você quer responder. Seu computador procura a minha chave pública e a utiliza para codificar sua resposta. Ninguém mais pode ler a mensagem, mesmo sendo ela codificada por uma chave que é totalmente pública. Só eu posso lê-la, pois só eu tenho a chave decodificadora privada. Isso é muito prático, porque ninguém tem de trocar chaves previamente.

Que tamanho têm de ter os números primos e seus produtos para garantir uma função sem retorno eficaz?

O conceito de codificação por chave pública foi inventado por Whitfield Diffie e Martin Hellman, em 1977. Um outro grupo de cientistas de computação, Ron Rivest, Adi Shamir e Leonard Adelman, logo formulou a noção de fatoração por números primos como parte do que é agora conhecido como sistema criptográfico RSA, batizado com as iniciais dos seus sobrenomes. Segundo o projeto deles, levaria milhões de anos para fatorar um número de 130 dígitos que fosse produto de dois primos, não importando a potência de computação utilizada para isso. Para provar o que afirmavam, lançaram ao mundo o desafio de encontrar dois fatores para este número de 129 dígitos, conhecido pelo pessoal do ramo como o RSA 129:

114 381 625 757 888 867 669 235 779 976 146 612 010 218 296 721 242 362 562 561 842 935 706 935 245 733 897 830 597 123 563 958 705 058 989 075 147 599 290 026 879 543 541

Eles tinham certeza de que uma mensagem codificada usando esse número como chave pública seria totalmente segura para sempre. Porém eles não tinham previsto nem o efeito final da Lei de Moore, discutida no capítulo 2, que fez com que os computadores ficassem muito mais potentes, nem o sucesso do microcomputador, que aumentou drasticamente o número de computadores e de usuários no mundo. Em 1993, um grupo de mais de seiscentos acadêmicos e amadores de todo o mundo atacaram o número de 129 dígitos, usando a Internet para coordenar os trabalhos de vários computadores. Em menos de um ano, conseguiram fatorar o número em dois primos, um de 64 dígitos, e o outro de 65. Os primos são os seguintes:

3 490 529 510 847 650 949 147 849 619 903 898 133 417 764 638 493 387 843 990 820 577

e

32 769 132 993 266 709 549 961 988 190 834 461 413 177 642 967 992 942 539 798 288 533

E a mensagem codificada era: *"The magic words are squeamish and ossifrage"* [As palavras mágicas são nauseantes e osteofrágeis].

Uma lição que se pode tirar desse desafio é que uma chave pública de 129 dígitos não é grande o suficiente, se a informação a ser codificada for de fato importante e delicada. Outra é que ninguém deve ficar absolutamente confiante na segurança de um código.

Com o acréscimo de apenas alguns dígitos, a chave se torna muito mais difícil de decifrar. Os matemáticos de hoje acreditam que um produto de dois primos de 250 dígitos exigiria milhões de anos para fatorar, não importa qual a potência dos computadores do futuro. Mas quem é que pode saber? Essa incerteza — e a improvável, mas tangível, possibilidade de alguém encontrar uma maneira fácil de fatorar números grandes — significa que uma plataforma de software para a estrada da informação terá de ser projetada de tal forma que seu esquema de codificação possa ser mudado prontamente.

Uma coisa com que não precisamos nos preocupar é com a possibilidade de os números primos se esgotarem ou de que dois computadores venham a usar por acaso os mesmos números como chave. Existem muito mais números primos de tamanho adequado do que os átomos do universo, de forma que a possibilidade de haver uma duplicação acidental é infinitamente pequena.

A chave codificadora permite mais do que privacidade. Ela pode também garantir a autenticidade de um documento, porque a chave privada pode ser usada para codificar uma mensagem que só a chave pública pode decodificar. Funciona assim: se eu tenho uma informação que quero assinar antes de mandar de volta para você, meu computador usa minha chave privada para codificá-la. Agora a mensagem só pode ser lida se minha chave pública — que você e todo mundo conhece — for usada para decifrá-la. Essa mensagem é com certeza minha, pois ninguém mais tem a chave privada capaz de codificá-la dessa forma.

Meu computador pega a mensagem cifrada e a codifica novamente, desta vez usando a sua chave pública. Depois, envia-lhe essa mensagem duplamente codificada através da estrada da informação.

Seu computador recebe a mensagem e usa a sua chave privada para decifrá-la. Isso remove o segundo nível de codificação, mas resta o nível que apliquei com a minha chave privada. Então seu computador usa a minha chave pública para decifrar a mensagem de novo. Como ela é realmente minha, a mensagem será decifrada corretamente e você terá certeza de que é autêntica. Se um bit qualquer de informação tiver sido alterado, a mensagem não será decodificada de modo adequado e a violação ou erro de comunicação ficará evidente. Essa extraordinária segurança lhe permitirá realizar negócios com estranhos ou mesmo com pessoas em quem não confia, porque você terá certeza de que o dinheiro digital é válido e as assinaturas e documentos são de fato autênticos.

A segurança pode ser ainda maior caso se incorporem comprovantes de tempo às mensagens codificadas. Se qualquer pessoa tentar alterar a hora em que o documento foi supostamente escrito ou enviado, a falsificação será detectável. Isso reabilitará o valor das fotografias e vídeos como provas, coisa que vem sendo depreciada desde que o retoque digital se tornou tão fácil de fazer.

Minha descrição da codificação com chave pública simplifica demais os detalhes técnicos do sistema. Como ele é relativamente lento, não será a única forma de codificação usada na estrada. Mas a codificação por chave pública será a maneira de assinar documentos, estabelecer sua autenticidade e distribuir com segurança as chaves para outros tipos de codificação.

O maior benefício da revolução da informática foi a maneira como ela deu poderes às pessoas. As comunicações de baixo custo que a estrada tornará possíveis lhes proporcionarão poderes ainda mais fundamentais. Os beneficiários não serão apenas os indivíduos voltados para a tecnologia. À medida que mais e mais computadores forem conectados às redes de grande largura de banda, e as plataformas de software fornecerem uma base para grandes aplicações, todos terão acesso à maior parte da informação mundial.

6

A REVOLUÇÃO DO CONTEÚDO

Por mais de quinhentos anos, todo conhecimento humano e informação foram armazenados em documentos de papel. Você tem um deles em suas mãos agora (a menos que esteja lendo isto em um CD-ROM ou em uma futura edição on-line). O papel estará conosco indefinidamente, mas sua importância como meio de encontrar, preservar e distribuir informação já está diminuindo.

Quando você pensa em um "documento", provavelmente visualiza pedaços de papel com alguma coisa impressa neles, mas essa definição é limitada. Um documento pode ser qualquer corpo de informação. Um artigo de jornal é um documento, mas a definição mais ampla inclui também um programa de televisão, uma canção ou um vídeo game interativo. Uma vez que toda informação pode ser armazenada em forma digital, será fácil achar, armazenar e enviar documentos pela estrada. É mais difícil transmitir papel, que é também muito limitante, se o conteúdo for mais do que texto com desenhos e imagens. No futuro, documentos armazenados em forma digital poderão incluir imagens, áudio, instruções de programação para interatividade e animação, ou uma combinação desses e de outros elementos.

Na estrada da informação, elaborados documentos eletrônicos poderão fazer coisas que nenhum pedaço de papel pode. A poderosa tecnologia de banco de dados da estrada permitirá que eles sejam indexados e lidos por meio da exploração interativa. Será extremamente barato e fácil distribuí-los. Em resumo, esses novos documentos digitais substituirão muitos dos documentos impressos em papel porque eles poderão nos ajudar de novas maneiras.

Mas ainda levará um bom tempo para que isso aconteça. O livro, revista ou jornal de papel ainda têm muitas vantagens sobre suas contrapartidas digitais. Para ler um documento digital você precisa de um aparelho de informação, como um microcomputador, por exemplo. O livro é pequeno, leve, de alta resolução e barato, comparado ao custo de um computador. Por uma década ainda, pelo menos, não será tão confortável ler um longo documento seqüencial numa tela quanto lê-lo no papel. Os primeiros documentos a conquistar um uso generalizado o farão por oferecer uma nova funcionalidade e não apenas por duplicarem o meio antigo. Um aparelho de televisão é também maior, mais caro, mais desajeitado e de resolução mais baixa do que um livro ou uma revista, mas isso não limitou sua popularidade. A televisão levou o entretenimento visual para nossos lares, e era tão absorvente que encontrou seu lugar ao lado dos livros e revistas.

Os constantes melhoramentos tecnológicos dos computadores e das telas nos darão um livro eletrônico, ou *e-book*, leve e universal, que se aproxima do livro de papel de hoje. Dentro de um estojo, mais ou menos do mesmo tamanho e peso de um livro de capa dura ou de bolso de hoje, você terá uma tela que mostrará texto, imagens e vídeo de alta resolução. Vai poder virar páginas com os dedos ou usar comandos de voz para encontrar os trechos que quiser. Poderá se ter acesso a qualquer documento da rede com tal aparelho.

O ponto importante dos documentos eletrônicos não será simplesmente que poderemos lê-los em nossos aparelhos de hardware. A passagem do livro de papel para o eletrônico constitui o estágio final de um processo já bastante adiantado. O aspecto excitante da documentação digital é a redefinição do documento em si.

Isso terá repercussões drásticas. Teremos de repensar não apenas o significado do termo *documento*, mas também o de *autor, editor, escritório, sala de aula* e *livro*.

Hoje, se duas companhias estão negociando um contrato, a primeira versão dele é provavelmente digitada num computador, depois impressa em papel. É também provável que ela seja então enviada por fax à outra parte, que corrige, acrescenta e altera dados, escrevendo no papel ou redigitando o documento novo em um outro computador, a partir do qual ele é impresso. Depois, é enviado de volta, por fax; as mudanças são incorporadas; um novo documento de papel é impresso e mandado de volta por fax; e o processo de alterações se repete. Ao longo dessa transação, fica difícil dizer quem fez qual mudança. A coordenação de todas as alterações e transmissões introduz uma porção de despesas. Os documentos eletrônicos podem simplificar esse processo, ao permitir que uma versão do contrato seja passada para lá e para cá com correções, anotações e indicações de quem as fez e quando foram feitas, impressas ao lado do texto original.

Dentro de poucos anos o documento digital, completo com as assinaturas digitais autenticáveis, será o original, e as cópias em papel serão secundárias. Muitas empresas já estão superando o papel e os aparelhos de fax e trocando documentos editáveis, de computador para computador, através do correio eletrônico. Este livro teria sido muito mais difícil de escrever sem o correio eletrônico. Alguns leitores, cuja opinião solicitei, receberam eletronicamente alguns rascunhos, e foi muito útil ver as sugestões de revisão e saber quem as tinha feito e quando.

Por volta do fim da década, uma significativa porcentagem de documentos, mesmo em escritórios, não será nem mesmo passível de impressão em papel. Serão como um filme ou uma canção, hoje. Você ainda poderá imprimir uma visão bidimensional do seu conteúdo, mas será como ler uma partitura musical em vez de experimentar a gravação em áudio.

Alguns documentos são tão superiores em forma digital que a versão em papel raramente é usada. A Boeing decidiu projetar o jato 777 usando um gigantesco documento eletrônico para reter todas as informações de engenharia. Para coordenar o trabalho conjunto entre as equipes de projeto, de manufatura e os fornecedores externos, a Boeing precisou, durante o desenvolvimento de aeronaves anteriores, de milhares de plantas, além de construir um dispendioso modelo do avião, em tamanho natural. Esse modelo era necessário para garantir que as partes do aeroplano, desenhadas por diversos engenheiros, de fato se encaixassem adequadamente. Durante o desenvolvimento do 777, a Boeing dispensou as plantas e o modelo e, desde o início, utilizou um documento eletrônico que continha modelos digitais em 3-D de todas as partes e de como elas se encaixavam. Engenheiros em terminais de computador podiam olhar os desenhos e ter diversos pontos de vista do conteúdo. Podiam acompanhar o desenvolvimento da cada área, pesquisar resultados de testes, anotar informações de custos e transformar qualquer parte do desenho de maneiras que seriam impossíveis no papel. Cada pessoa, trabalhando com os mesmo dados, podia procurar aquilo que lhe dizia respeito especificamente. Cada mudança podia ser compartilhada, e todos podiam ver quem havia feito a mudança, quando tinha sido feita e por quê. A Boeing economizou milhares de dólares em papel e muitos homens-ano em desenhos e cópias, usando documentos digitais.

O trabalho com documentos digitais pode também ser mais fácil do que com papel. Você pode transmitir a informação instantaneamente e recebê-la de volta quase de imediato. Quem usa documentos digitais já está descobrindo como é muito mais simples procurar e navegar através deles com rapidez, por ser tão fácil reestruturar seu conteúdo.

A estrutura organizacional do livro de reservas de um restaurante é por data e horário. Uma reserva para as nove da noite é escrita na página mais abaixo do que uma para as oito. As reservas para o jantar de sábado à noite vêm depois das reservas para o almoço de sábado. Um maître ou qualquer outra pessoa pode encontrar rapidamente quem tem uma reserva para qualquer data e qualquer hora, porque as informações do livro estão ordenadas dessa maneira. Mas se, por alguma razão, alguém quiser extrair informações de alguma outra forma, a simples cronologia é inútil.

Imagine o infortúnio do gerente de um restaurante se eu telefonasse e dissesse: "Meu nome é Gates. Minha mulher fez reservas para algum dia do mês que vem. Você poderia verificar e me dizer para quando é?".

"Desculpe-me, senhor, sabe a data da sua reserva?", provavelmente diria o gerente.

"Não. Isso é o que eu estou querendo descobrir."

"Seria para um fim de semana?"

Ele sabe que vai ter de folhear o livro à mão, e espera reduzir a tarefa tentando restringir as datas de alguma forma.

Um restaurante pode usar um livro de reservas porque o número total de reservas não é grande. O sistema de reserva de uma linha aérea não é um livro, mas um banco de dados contendo enorme quantidade de informações — vôos, tarifas aéreas, reservas, lugares marcados e informações contábeis — a respeito de centenas de vôos diários pelo mundo todo. O sistema de reservas SABRE, da American Airlines, armazena a sua informação — 4,4 trilhões de bytes, o que significa mais de 4 milhões de milhões de caracteres — em disco rígido de computador. Se a informação do sistema SABRE fosse copiada para um hipotético livro de reservas, precisaria de mais de 2 bilhões de páginas.

Enquanto utilizamos documentos de papel ou coleções de documentos, ordenamos informações linearmente, com índices, listas e referências cruzadas de vários tipos, para prover meios alternativos de navegação. Na maioria dos escritórios, os armários de arquivos são organizados por clientes, vendedores ou projetos em ordem alfabética, mas para acelerar o acesso muitas vezes uma cópia dos documentos é arquivada cronologicamente. Indexadores profissionais valorizam um livro fornecendo maneiras alternativas de localizar a informação. E, antes de os catálogos de biblioteca serem computadorizados, os livros novos eram registrados em catálogos de papel, em fichas diversas, de forma que o leitor pudesse encontrar um livro pelo título ou por qualquer dos autores ou assuntos. Essa redundância servia para facilitar a localização da informação.

Quando eu era jovem adorava a *World book encyclopedia* de 1960 de minha família. Seus pesados volumes encadernados continham apenas texto e imagens. Mostravam como era o fonógrafo de Edison, mas não permitiam que eu escutasse o chiado de seu som. A enciclopédia tinha fotografias de uma lagarta toda peluda se transformando em borboleta, mas não havia vídeo para dar vida à transformação. Teria sido ótimo se ela me fizesse perguntas sobre o que eu tinha lido, ou se a informação fosse sempre atualizada. Naturalmente, na época, eu não tinha consciência dessas limitações. Quando eu tinha oito anos, comecei a ler o primeiro volume. Estava decidido a ler cada volume inteirinho. Teria absorvido muito mais se fosse fácil ler todos os artigos sobre o século XVI em seqüência ou todos os artigos sobre medicina. Em vez disso, li sobre as *garter snakes* [serpente norte-americana não venenosa], depois sobre Gary, Indiana [uma das maiores cidades do estado de Indiana, localizada ao sul do lago Michigan], depois sobre *gas* [gás]. Mesmo assim, diverti-me muito lendo a enciclopédia e fui em frente durante cinco anos, até chegar à letra P. Aí, descobri a *Encyclopedia britannica*, mais sofisticada e cheia de detalhes. Sabia que jamais teria a paciência de ler tudo aquilo. Além disso, meu entusiasmo por computadores consumia, então, a maior parte do meu tempo livre.

As enciclopédias impressas atuais consistem de quase duas dúzias de volumes, com milhões de palavras e milhares de ilustrações, e custam centenas ou milhares de dólares. É um investimento e tanto, especialmente se considerarmos a velocidade com que a informação se supera. A *Encarta*, da Microsoft, que está vendendo mais que as enciclopédias impressas e outras enciclopédias dé multimídia, vem num único CD-ROM (de Compact Disc-Read Only Memory) com menos de trinta gramas de peso. A *Encarta* tem 26 mil tópicos, com 9 milhões de palavras, oito horas de som, 7 mil fotos e ilustrações, oitocentos mapas, 250 tabelas e quadros interativos e cem animações e videoclipes. Custa menos de cem dólares. Se você quer saber como era o som do *ud* (instrumento musical egípcio), ou escutar o discurso de renúncia do rei Eduardo VIII, da Grã-Bretanha, ou ver uma animação explicando como funciona uma máquina, a informação está toda lá — e nenhuma enciclopédia de papel jamais a terá.

Os artigos de uma enciclopédia impressa vêm, em geral, acompanhados de uma lista de artigos sobre assuntos correlatos. Para lê-los você precisa encontrar o artigo indicado, que pode estar em outro volume. Com uma enciclopédia em CD-ROM tudo o que você tem de fazer é clicar na referência e o artigo aparece. Na estrada da informação, artigos de enciclopédia irão incluir *links* com assuntos correlatos — não apenas os que integram a enciclopédia, mas também de outras fontes. Não haverá limite para a quantidade de detalhes que você poderá

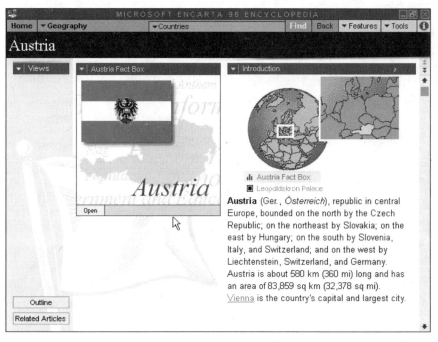

1995: Tela da Enciclopédia eletrônica multimídia do Encarta da Microsoft

explorar sobre um assunto de seu interesse. De fato, uma enciclopédia na estrada será mais do que apenas um trabalho de referência específico — será, igual ao catálogo de fichas da biblioteca, uma porta para todo o conhecimento.

Hoje em dia, a informação impressa é difícil de localizar. É quase impossível encontrar toda a melhor informação — inclusive livros, artigos de jornal e clipes de filmes — sobre um tópico específico. É extremamente demorado organizar toda a informação que se pode encontrar. Por exemplo, se você quisesse ler biografias de todos os laureados recentes com o prêmio Nobel, levaria um dia inteiro para compilar todos eles. Os documentos eletrônicos, no entanto, serão interativos. Peça um determinado tipo de informação e o documento responde. Indique que mudou de idéia e o documento responde de novo. Quando você se acostuma com esse tipo de sistema, descobre que a possibilidade de ver a informação de diferentes maneiras torna-a mais valiosa. A flexibilidade convida à exploração, e esta é recompensada com a descoberta.

Você vai poder receber suas notícias diárias de maneira semelhante. Poderá especificar quanto tempo quer que dure o seu jornal. Isso será possível porque você poderá escolher cada notícia individualmente. O jornal montado e transmitido só para você poderá incluir notícias internacionais da NBC, da BBC, da CNN ou do *Los Angeles Times*, com o boletim de seu meteorologista de TV local favorito — ou de qualquer instituto particular que ofereça seus serviços. Você poderá pedir notícias mais longas sobre os assuntos que são de seu particular interesse e apenas resumos dos outros. Se, enquanto está assistindo ao jornal, resolver que quer mais do que aquilo que foi mostrado ali, poderá facilmente pedir mais informações ou detalhes, tanto de algum outro jornal quanto de arquivos de informações.

De todos os tipos de documentos de papel, a narrativa de ficção é a única que não será beneficiada com a organização eletrônica. Quase todo livro de referência tem um índice, mas os romances não precisam de índice, porque não há necessidade de se procurar alguma coisa específica num romance. Romances são lineares. Da mesma forma, continuaremos a assistir à maioria dos filmes do começo para o fim. Isso não é um julgamento técnico, mas artístico: a linearidade é inerente ao processo de contar histórias. Novas formas de ficção interativa estarão sendo inventadas, aproveitando as vantagens do mundo eletrônico, mas os romances e os filmes lineares continuarão sendo populares.

A estrada vai facilitar a distribuição de documentos digitais a preços baixos, seja qual for a sua forma. Milhões de pessoas e companhias estarão criando documentos e publicando-os na rede. Alguns documentos serão dirigidos a platéias pagantes e alguns serão grátis, para quem estiver disposto a lhes dar atenção. A armazenagem digital é fantasticamente barata. Unidades de disco rígido para microcomputadores logo estarão custando cerca de quinze centavos de dólar por megabyte (1 milhão de bytes) de informação. Para se ter uma idéia, um megabyte guarda cerca de setecentas páginas de texto, de forma que o custo será algo como 0,00021 dólar por página — cerca de 1/200 do que a papelaria mais próxima cobraria por uma fotocópia, se a tabela for de cinco centavos por página. E, como existe a possibilidade de reutilizar o espaço de armazenamento para outras coisas, o custo passa a ser o de armazenamento por unidade de tempo — em outras palavras, por aluguel do espaço. Se presumirmos que um drive de disco rígido tem uma vida útil média de apenas três anos, o preço amortizado por página, por ano, é de 0,00007 dólar. E a armazenagem está ficando cada dia mais barata. Os preços dos discos rígidos vêm caindo cerca de 50% ao ano, ao longo dos últimos anos.

É particularmente fácil armazenar texto porque ele é muito compacto em forma digital. O velho ditado de que uma imagem vale por mil palavras é mais do que verdadeiro no mundo digital. Imagens fotográficas de alta qualidade consomem mais espaço do que texto, e o vídeo (que você pode pensar como uma seqüência de até trinta novas imagens por segundo) consome ainda mais. No entanto, o custo de distribuição desse tipo de dado ainda é bastante baixo. Um filme de longa-metragem consome cerca de quatro gigabytes (4 mil megabytes) em formato digital comprimido, o que significa cerca de 1600 dólares de espaço de disco rígido.

Mil e seiscentos dólares para armazenar um único filme não parece um custo baixo. Mas não se esqueça que qualquer locadora de vídeo normal compra geralmente pelo menos oito cópias de um filme de sucesso, recém-lançado, por cerca de oitenta dólares a cópia. Com essas oito cópias, a locadora pode atender apenas oito clientes por dia.

Quando o disco e o computador que o opera estiverem conectados à estrada, apenas uma cópia da informação será necessária para todo mundo ter acesso a ela. Os documentos mais populares terão cópias feitas em diversos servidores para evitar atrasos quando houver um número grande demais de usuários querendo acessar. Com um único investimento, praticamente o mesmo que uma única locadora gasta hoje com um título de vídeo de sucesso, um servidor baseado em disco poderá servir milhares de clientes simultaneamente. O custo extra para cada usuário será simplesmente o de uso da armazenagem em disco durante um curto período de tempo, e as taxas de comunicação. E isto está se tornando extremamente barato. Portanto, o custo extra por usuário será quase zero.

Isso não significa que a informação será grátis, mas o custo de distribuição será muito pequeno. Quando você compra um livro, boa parte de seu dinheiro paga os custos de produção e distribuição dele, não o trabalho do autor. Árvores foram derrubadas e trituradas para fabricar a polpa que se transforma em papel. O livro tem de ser impresso e encadernado. O capital que a maioria dos editores investe numa primeira edição tem por base o número máximo de exemplares que acreditam que será vendido de imediato, porque a tecnologia de impressão só é eficiente se forem feitos muitos exemplares de uma vez. O capital empatado nesse investimento é um risco financeiro para os editores — pode ser que não vendam todos os exemplares e, mesmo que isso ocorra, leva algum tempo para vender todos. Enquanto isso, o editor tem de armazenar os livros, despachá-los para os distribuidores e daí para as livrarias. Todas essas pessoas também investem capital no empreendimento e esperam ter lucros.

Quando, finalmente, o consumidor escolhe um livro e o sininho do caixa tilinta, o lucro do autor pode ser um pedaço muito pequeno do bolo, comparado ao dinheiro que vai para o aspecto físico do fornecimento de informação impressa em polpa de madeira processada. Chamo isso de "força de atrito" da distribuição, porque diminui a variedade e desvia dinheiro do autor para outras pessoas.

A força de atrito será muito baixa na estrada da informação, tema que desenvolverei mais no capítulo 8. Essa ausência de força de atrito na distribuição de informação é incrivelmente importante. Dará oportunidade a um maior número de autores, porque só uma pequena parte do dinheiro do consumidor será gasta em distribuição.

Quando Gutenberg inventou a imprensa, produziu-se a primeira mudança real na força de atrito da distribuição — a imprensa permitiu que a informação sobre qualquer assunto fosse distribuída rapidamente, a custo relativamente baixo. A imprensa criou um meio de massa porque permitiu a duplicação com pouca força de atrito. A proliferação dos livros motivou um interesse público generalizado pela leitura e pela escrita, mas, assim que as pessoas adquiriram essas capacidades, muitas outras coisas puderam ser feitas com a palavra escrita. As empresas podiam registrar seus negócios e escrever contratos. Amantes podiam trocar cartas. Indivíduos podiam fazer anotações e diários. Essas aplicações não tinham sido em si mesmas suficientemente atraentes para fazer um número significativo de pessoas aprender a ler e escrever. Enquanto não existiu uma razão real para se criar uma massa crítica (ou "base instalada", no jargão da informática) de pessoas alfabetizadas, a palavra escrita não foi realmente útil como meio de armazenar informação. Os livros provocaram a alfabetização em massa, a ponto de quase podermos dizer que foi a imprensa que nos ensinou a ler.

A imprensa possibilitou que se tirassem muitas cópias de um documento, mas que dizer das coisas que eram escritas para poucas pessoas? Era preciso uma nova tecnologia para a publicação em pequena escala. O papel-carbono servia bem quando se queria só uma ou duas cópias. Mimeógrafos e outras máquinas desajeitadas podiam fazer dezenas de cópias, mas o uso desses processos tinha de ser previsto já ao escrever o documento original.

Na década de 30, Chester Carlson, frustrado com a dificuldade de preparar formulários para patentes (que exigiam que desenhos e texto fossem copiados a mão), resolveu inventar uma forma melhor de duplicar informação em pequenas quantidades. Ele chegou a um processo que batizou de "xerografia" quando foi patenteado, em 1940. Em 1959, a companhia que ele havia fundado — depois conhecida como Xerox — lançou a primeira copiadora industrial bem-sucedida. Ao possibilitar a reprodução de um número limitado de documentos com grande facilidade e baixo custo, a copiadora 914 provocou uma explosão nas formas e na quantidade de informação distribuída a pequenos grupos. Pesquisas de mercado haviam revelado que a Xerox venderia no máximo 3 mil desse primeiro modelo de copiadora. Na realidade, foram vendidas cerca de 200 mil unidades. Um ano depois do lançamento da copiadora, faziam-se 50 milhões de cópias mensalmente. Em 1986, mais de 200 bilhões de cópias eram feitas todos os meses, e o número continuou crescendo desde então. A maioria dessas cópias jamais seria feita se a tecnologia não fosse tão rápida e barata.

A fotocopiadora e sua prima mais nova, a impressora a laser — junto com o software de editoração eletrônica para microcomputadores —, facilitaram a produção de boletins, memorandos, mapas para festas, folhetos e outros documentos destinados a públicos de proporções modestas. Carlson foi outro que reduziu a força de atrito na distribuição de informação. O imenso sucesso de sua copiadora demonstra que coisas fantásticas acontecem quando se reduz a força de atrito na distribuição.

Evidentemente, é mais fácil fazer cópias de um documento do que fazê-lo digno de ser lido. Não existe um limite intrínseco para o número de livros que pode ser publicado num determinado ano. Uma livraria normal tem 10 mil títulos diferentes e algumas das lojas maiores podem chegar a ter 100 mil. Só uma pequena fração, menos de 10% de todos os livros publicados, dão dinheiro a seus editores, mas alguns vão muito além de qualquer expectativa.

Meu exemplo recente favorito é o *Uma breve história do tempo*, de Stephen W. Hawking, brilhante cientista que sofre de esclerose amiotrófica lateral (mal de Lou Gehrig), que o confina a uma cadeira de rodas e faz com que se comunique com extrema dificuldade. Quais eram as possibilidades de esse tratado sobre as origens do Universo ser publicado, se houvesse apenas um punhado de editores e cada um deles só pudesse produzir poucos livros por ano? Suponha que um editor tivesse um espaço vazio em sua lista e tivesse de escolher entre publicar o livro de Hawking ou o *Sexo*, de Madonna. A escolha óbvia seria o livro de Madonna, porque provavelmente venderia 1 milhão de cópias. Só que o livro de Hawking vendeu 5,5 milhões de cópias e continua vendendo.

De vez em quando, esse tipo de best-seller imprevisto surpreende todo mundo (menos o autor). Um livro de que gostei muito, *The bridges of Madison County*, era o romance de estréia de um professor de comunicações de uma escola de administração de empresas. O editor não o considerava como um possível best-seller, mas ninguém jamais sabe o que poderá atrair o gosto do público. Como na maioria dos exemplos de planejamento estratégico que tenta adivinhar a decisão do mercado, essa seria uma aposta perdedora. Na lista de best-sellers do *The New York Times* estão sempre alguns livros que surgiram do nada, porque custa relativamente pouco publicar um livro — comparando com outras mídias — e por isso os editores podem arriscar.

Os custos são muito mais altos na televisão ou no cinema, de forma que é mais difícil arriscar. Nos primeiros dias da televisão, havia apenas umas poucas estações em cada área geográfica, e a maior parte da programação era dirigida ao maior público possível.

A televisão a cabo aumentou o número de alternativas de programação, apesar de essa não ser a sua intenção inicial. A TV a cabo surgiu no final da década de 40, como meio de fornecer melhor recepção de televisão às áreas afastadas. Grupos de espectadores, cuja recepção era bloqueada por montanhas, levantavam antenas comunitárias ligadas a um sistema local de cabo. Ninguém imaginava, na época, que comunidades com uma recepção perfeita do sinal de televisão iriam pagar para ter cabos, para ter acesso a uma programação contínua de vídeos musicais ou a canais que só oferecem notícias ou boletins meteorológicos, 24 horas por dia.

Quando o número de estações subiu de três ou cinco para 21 ou 36, a dinâmica da programação mudou. Se você fosse o encarregado da programação do canal 30, não ia conseguir atrair muita audiência caso tentasse apenas imitar os outros 29 canais. Em vez disso, os programadores dos canais a cabo foram forçados a se especializar. Assim como as revistas e boletins especializados, esses novos canais atraíam espectadores apelando a interesses específicos de um número relativamente pequeno de entusiastas. Isso ocorreu em contraste com a programação generalista, que tenta oferecer algo que interesse a todo mundo. Mas os custos de produção e o pequeno número de canais ainda limitam a quantidade de programas de televisão que são produzidos.

Apesar de custar muito menos publicar um livro do que transmitir um programa de televisão, ainda sai muito mais caro, caso se compare com o custo da publicação eletrônica. Para publicar um livro, o editor tem de estar disposto a pagar as despesas iniciais de manufatura, distribuição e venda. A estrada da informação criará uma mídia com menos barreiras de acesso do que jamais se viu. A Internet é o maior veículo de edição independente que já existiu. Seus grupos de discussões em conferências eletrônicas demonstram algumas das mudanças que irão ocorrer quando todo mundo tiver acesso à distribuição com pouca força de atrito e as pessoas puderem enviar mensagens, imagens ou software de sua própria criação.

A conferência eletrônica contribuiu muito para a popularidade da Internet. Para aparecer nela, tudo o que você tem de fazer é digitar seus pensamentos e enviá-los para algum lugar. Isso significa que existe muito lixo na Internet, mas também algumas jóias. A mensagem típica é de apenas uma página ou duas. Uma única mensagem divulgada numa conferência eletrônica popular ou enviada por meio de uma lista de distribuição pode atingir e interessar milhões de pessoas. Ou simplesmente ficar lá, sem nenhum impacto. Todo mundo está disposto a correr o risco dessa última possibilidade por causa da pequena força de atrito de distribuição. A largura de banda da rede é tão grande e os outros fatores que contribuem para o custo são tão insignificantes que ninguém pensa no custo de enviar mensagens. Na pior das hipóteses, você pode passar pelo vexame de sua mensagem ficar lá e ninguém lhe dar atenção. Por outro lado, se sua mensagem tiver sucesso, muita gente a verá, enviará para os amigos via correio eletrônico e divulgará os próprios comentários sobre ela.

É incrivelmente rápido e barato comunicar-se com uma BBS ou conferência eletrônica. As comunicações via correio ou telefone são ótimas para uma discussão entre duas pessoas, mas são também bastante caras se você pretende se comunicar com um grupo. Custa quase um dólar imprimir e enviar uma carta e, em média, mais ou menos isso para dar um telefonema interurbano. E para fazer uma chamada você tem de saber o número do telefone e ter coordenado um horário para falar. De forma que é preciso muito tempo e esforço para entrar em contato com até mesmo um grupo de dimensão modesta. Na conferência eletrônica tudo o que você tem de fazer é digitar sua mensagem uma vez e ela estará disponível para todos.

As conferências eletrônicas da Internet cobrem uma ampla gama de assuntos. Algumas mensagens não são sérias. Alguém manda uma mensagem com alguma coisa engraçada para uma lista de distribuição ou algum outro endereço. Se for engraçada mesmo, começará a ser enviada como correio eletrônico. No final de 1994, aconteceu uma coisa dessas com um *press release* falso dizendo que a Microsoft ia comprar a Igreja católica. Milhares de cópias foram distribuídas, dentro da Microsoft, por nosso sistema de correio eletrônico. Recebi mais de vinte cópias, enviadas por amigos e colegas de dentro e de fora da empresa.

Há exemplos mais sérios da rede sendo usada para mobilizar aqueles que compartilham uma mesma preocupação ou interesse. Durante os recentes conflitos políticos na Rússia, ambos os lados podiam estar em contato com pessoas do mundo inteiro, enviando mensagens para as conferências eletrônicas. As redes permitem que você conheça pessoas que jamais conheceria e fique sabendo de coisas que são do seu interesse.

As informações publicadas eletronicamente são agrupadas por assuntos. Cada conferência eletrônica ou *newsgroup* tem um nome, e qualquer pessoa interessada pode figurar neles. Existem listas de *newsgroups* por área de interesse, e você pode buscar nomes que pareçam interessantes. Se você quer se comunicar sobre fenômenos paranormais, você irá para o *newsgroup alt.paranormal*. Se quer discutir esse tipo de coisa com outras pessoas que não acreditam, vai para *sci.skeptic*. Ou pode conectar com *copernicus.bbn.com* e procurar National School Network Testbed — você vai encontrar planos de aulas aplicados a alunos do jardim-de-infância até professores de segundo grau. Praticamente qualquer assunto que você imagine terá o seu grupo de comunicação na rede.

Vimos que a invenção de Gutenberg deu início à publicação em massa, mas a alfabetização que ela provocou acabou levando a uma correspondência muito maior de pessoa a pessoa. A comunicação eletrônica desenvolveu-se ao contrário. Começou como correio eletrônico, uma maneira de pequenos grupos se comunicarem. Agora, milhões de pessoas se valem da baixa força de atrito de distribuição da rede para comunicar-se em ampla escala, usando as mais diversas formas.

A Internet tem um enorme potencial, mas para que sua credibilidade continue alta é importante que as expectativas não sejam excessivas. O número total de usuários da Internet e de serviços comerciais on-line, como Prodigy, CompuServe e America Online, constitui uma porção muito pequena da população. Estimativas indicam que cerca de 50% de todos os usuários de micros, nos Estados Unidos, têm modem, mas menos de 10% desses usuários assinam algum serviço on-line.

Além disso, o nível de desistência é bastante alto — muitos assinantes desistem em menos de um ano.

Para que o conteúdo dos serviços on-line possa se desenvolver a ponto de interessar e estimular usuários de micros, aumentando assim o número de assinantes de 10 para 50%, ou mesmo para os 90% que acredito possam ser atingidos, será preciso haver um grande investimento. Em parte, esse investimento ainda não está sendo feito hoje porque os mecanismos para autores e editores poderem cobrar de seus usuários ou de anunciantes ainda estão sendo desenvolvidos.

Serviços comerciais on-line cobram por seus serviços, mas pagam aos fornecedores de informação apenas de 10 a 30% daquilo que recebem dos consumidores. Apesar de o fornecedor provavelmente conhecer melhor os clientes e o mercado, a tabela de preços — a maneira como o cliente é cobrado — e o marketing são ambos controlados pelo serviço. Os lucros resultantes simplesmente não são suficientes para estimular fornecedores de informação a criar novos canais de informação on-line interessantes.

Ao longo dos próximos anos, a evolução dos serviços on-line resolverá esses problemas, criando incentivos para fornecedores de material de alta qualidade. Haverá novas opções de cobrança — assinaturas mensais, taxas horárias, preços por item acessado e propaganda paga —, de forma a existir mais lucro para os fornecedores de informação. Quando isso acontecer, passará a existir um bem-sucedido novo meio de massa. Isso poderá levar vários anos para acontecer e exigir uma nova geração de tecnologia de rede, como ISDN ou modems de cabo, mas de uma forma ou de outra acabará acontecendo. Quando ocorrer, abrirá tremendas oportunidades para autores, editores, diretores — para cada criador e propriedade intelectual.

Sempre que uma nova mídia é criada, seu conteúdo original é importado de outras mídias. Mas para aproveitar ao máximo as capacidades do meio eletrônico o conteúdo terá de ser especialmente concebido tendo em mente esse veículo. Até agora a vasta maioria do conteúdo que circula on-line foi "chupado" de outra fonte. Editores de jornais e revistas pegam textos já criados para edições de papel e simplesmente os jogam on-line, muitas vezes sem as fotos, tabelas e ilustrações. Conferências eletrônicas e correio eletrônico compostos só de textos podem ser interessantes, mas realmente não têm condições de competir com formas mais ricas de informação. O conteúdo on-line deveria incluir uma porção de recursos visuais, fotos e *links* com informações correlatas. À medida que as comunicações ficam mais rápidas e a oportunidade comercial vai se tornando mais nítida, mais elementos de vídeo e áudio irão sendo acrescentados.

O desenvolvimento dos CD-ROMs — versões multimídia dos CDs áudio — fornece algumas lições que podem ser aplicadas à criação de conteúdo on-line. Os títulos disponíveis de multimídia em CD-ROM podem integrar tipos diferentes de informação — texto, gráficos, imagens fotográficas, animação, música e vídeo — num único documento. O valor real de muitos desses títulos está hoje no "multi" e não no "mídia". São a melhor aproximação de como serão os ricos documentos do futuro.

A música e o áudio do CD-ROM são claros, mas raramente tão bons quanto num CD de música. Você pode armazenar som com qualidade de CD num CD-ROM, mas seu formato ficaria muito volumoso: se você usar muito som com qualidade de CD, não terá espaço para dados, gráficos e outros materiais.

O vídeo em movimento do CD-ROM ainda precisa ser melhorado. Se você compara a qualidade de vídeo de um micro, hoje, com as telas do tamanho de um selo de correio de poucos anos atrás, o progresso é surpreendente. Pessoas que já usavam computadores havia muito tempo ficaram entusiasmadas quando receberam vídeo pela primeira vez em seus computadores. Por outro lado, a imagem granulada e o movimento quebrado não são muito melhores do que a imagem de televisão dos anos 50. O tamanho e a qualidade das imagens serão aperfeiçoados com processadores mais rápidos e uma melhor compressão, e a imagem acabará sendo muito mais rica que a da televisão hoje em dia.

A tecnologia do CD-ROM possibilitou uma nova categoria de aplicativos. Livros, catálogos de compras e visitas a museus estão sendo republicados nessa forma nova e atraente. Todo os assuntos estão sendo abordados. A concorrência e a tecnologia trarão rápidos progressos na qualidade dos títulos disponíveis. Os CD-ROMs serão substituídos por um novo disco de alta capacidade que será parecido com o CD de hoje, mas capaz de armazenar dez vezes mais dados. A capacidade adicional desses CDs expandidos permitirá que se tenha mais de duas horas de vídeo digital num único disco, o que significa que serão capazes de guardar um filme inteiro. A qualidade de imagem e som será muito maior do que as do melhor sinal de TV que você recebe em seu aparelho doméstico, e novas gerações de chips gráficos permitirão que os títulos de multimídia compreendam efeitos especiais, com qualidade hollywoodiana, para controle interativo do usuário.

Os CD-ROMs de multimídia fazem sucesso, hoje, porque oferecem aos usuários a interatividade e não por imitarem a televisão. O apelo comercial da interatividade já foi demonstrado pela popularidade de jogos como o *Myst*, da Brøderbund, e o *Seventh guest*, da Virgin Interactive Entertainment, que são jogos de mistério, uma mistura de narrativa de ficção e de uma série de charadas que permitem ao jogador investigar um mistério, recolhendo pistas em qualquer ordem.

O sucesso desses jogos estimulou autores a começarem a criar romances e filmes interativos, nos quais fornecem as personagens e as linhas gerais da trama, para que o leitor/jogador decida como desenvolver a história. Ninguém está sugerindo que todo livro ou filme deva permitir ao leitor ou espectador influenciar o desfecho. Uma boa história, que faz você simplesmente sentar e assistir por umas duas horas é excelente entretenimento. Não tenho nenhuma vontade de escolher um final para *O grande Gatsby* ou para *La dolce vita*. F. Scott Fitzgerald e Federico Fellini já fizeram isso por mim. A suspensão da incredulidade, essencial para se fruir a grande ficção, é frágil e poderá não resistir à mão pesada do uso da interatividade. Você não consegue ao mesmo tempo controlar a trama e entregar sua imaginação a ela. A ficção interativa é tão semelhante e tão diferente das formas mais antigas quanto a poesia é ao mesmo tempo semelhante e diferente da prosa.

Haverá também histórias interativas e jogos disponíveis na rede. Tais aplicações poderão partilhar o material com os CD-ROMs, mas pelo menos por enquanto o software teria de ser cuidadosamente preparado para evitar que os CD ROMs sejam lentos quando usados na rede. Isso porque, como discutimos, a largura de banda ou a velocidade com que os bits são transferidos do CD-ROM para o computador é muito maior do que a largura de banda da rede telefônica existente. Ao longo do tempo, as redes atingirão — e excederão — a velocidade do CD-ROM. E, quando isso acontecer, o material criado para as duas formas será o mesmo. Mas isso ainda vai levar anos, porque a tecnologia de CD-ROM também está sendo melhorada. Por enquanto, a quantidade de bits diferenciará as duas formas a ponto de continuarem sendo tecnologias separadas.

As tecnologias que existem por trás do CD-ROM e dos serviços on-line progrediram espetacularmente, mas ainda são poucos os usuários de computador que criam documentos em multimídia. Ainda é preciso um esforço muito grande para isso. Milhões de pessoas têm câmaras portáteis e fazem vídeos dos filhos em férias. No entanto, para editar o vídeo, você tem de ser profissional e dispor de equipamento muito caro. Isso vai mudar. Os avanços no software de processadores de texto e editoração eletrônica para micro já oferecem ferramentas de qualidade profissional para a criação de documentos simples, em papel, a custo relativamente baixo, para milhões de pessoas. O software de editoração eletrônica para microcomputadores progrediu tanto, que muitas revistas e jornais são produzidos com o mesmo tipo de micro e software que você pode comprar em qualquer loja de computação para desenhar o convite da festa de aniversário de sua filha. O software para editar filmes e criar efeitos especiais em micros será tão comum quanto o software de editoração para desktop. Então, a diferença entre profissionais e amadores será de talento e não de acesso a ferramentas.

Georges Méliès criou um dos primeiros efeitos especiais do cinema quando, em 1899, transformou uma mulher em plumas no filme *The conjurer*. Desde então os cineastas vêm fazendo truques cinematográficos. Recentemente, a tecnologia de efeitos especiais desenvolve-se espetacularmente com a manipulação digital de imagens. Primeiro, uma fotografia é convertida em informação binária, a qual, como vimos, os programas aplicativos podem manipular com facilidade. Aí, a informação digital é alterada e, finalmente, convertida de volta para a forma fotográfica, como fotograma de um filme. As alterações são quase impossíveis de detectar quando bem-feitas, e o resultado pode ser sensacional. Programas de computação deram vida aos dinossauros de *Parque dos dinossauros*, ao galope dos animais selvagens em *O rei leão* e aos efeitos malucos de desenho animado de *O máscara*. À medida que a Lei de Moore aumenta a velocidade do hardware e o software se torna cada vez mais sofisticado, praticamente passa a não existir limite para o que se pode conseguir. Hollywood continuará a desenvolver a tecnologia e a criar novos efeitos incríveis.

Logo será possível um programa forjar cenas que parecerão tão reais quanto qualquer coisa criada com uma câmara. As platéias que assistem a *Forrest Gump* percebem que as cenas com os presidentes Kennedy, Johnson e Nixon foram forjadas. Todo mundo sabe que Tom Hanks não esteve ali de verdade. Mas é muito mais difícil perceber o processo digital que removeu as duas pernas muito saudáveis de Gary Sinise para seu papel de amputado. Já se utilizam figuras sintetizadas e montagem digital para evitar que os dublês tenham de se arriscar tanto. Você, em breve, poderá usar um micro-padrão para escrever um programa para criar efeitos. A facilidade com que já os micros e os programas para editoração de fotos manipulam imagens complexas fará com que seja fácil falsificar documentos fotográficos ou alterar fotografias imperceptivelmente. À medida que a sintetização ficar mais barata, será mais e mais utilizada. Se podemos ressuscitar um *Tyrannosaurus rex*, quanto tempo levará para ressuscitar Elvis?

Mesmo aqueles que não pretendem ser os novos Cecil B. de Mille ou Lina Wertmuller irão incluir rotineiramente a multimídia nos documentos que constroem diariamente. Alguns poderão começar digitando, escrevendo a mão ou ditando uma mensagem utilizando o correio eletrônico: "Almoçar no parque talvez não seja uma boa idéia. Olhe a previsão do tempo". Para tornar a mensagem mais informativa, ele poderia apontar o cursor para um ícone representando a previsão do tempo apresentada no jornal de televisão local e arrastá-lo pela tela para incluí-lo no documento. Quando os amigos receberem a mensagem, poderão ver a previsão do tempo diretamente em suas telas — uma comunicação com aspecto profissional.

As crianças na escola poderão produzir seus próprios discos ou filmes e distribuí-los para amigos e parentes pela estrada da informação. Quando tenho tempo, adoro fazer cartões-postais especiais e convites. Quando estou fazendo um cartão de aniversário para minha irmã, por exemplo, às vezes acrescento fotos, relembrando os momentos divertidos do ano anterior. No futuro, poderei acrescentar clipes com movimento, que terei produzido com apenas alguns minutos de trabalho. Será muito simples criar um "álbum" interativo de fotografias, vídeos ou conversas. Empresas de todos os tipos e tamanhos se comunicarão usando multimídia. Os namorados usarão efeitos especiais para combinar texto, um videoclipe de algum filme antigo e sua música predileta, para criar um cartão do dia dos namorados personalizado.

À medida que melhora a fidelidade dos elementos visuais e de áudio, a realidade em todos os seus aspectos será simulada mais de perto. Essa "realidade virtual", ou RV, nos permitirá simular "ir" a lugares e "fazer" coisas que jamais faríamos de outra forma.

Simuladores de veículos para aviões, carros de corrida e naves espaciais já oferecem um gostinho da realidade virtual. Na Disneylândia, as viagens simuladas são muito populares. Programas de simulação de veículos como o Flight simulator, da Microsoft, estão entre os jogos de maior sucesso criados para microcomputadores, mas eles forçam você a usar a imaginação. Simuladores de vôos de milhões de dólares, em companhias como a Boeing, permitem uma viagem muito melhor. Vistos de fora, são criaturas mecânicas quadradas, com pernas de aço, que se sentiriam em casa num filme da série *Star wars*. Por dentro, o vídeo da cabine de comando exibe dados sofisticados. Os instrumentos de vôo e manutenção estão ligados a um computador que simula as características de vôo — inclusive emergências —, com uma precisão que os pilotos dizem ser notável.

Há alguns anos, eu e alguns amigos "voamos" num simulador do 747. Você se senta na cabine, diante de um painel de controle idêntico ao do avião de verdade. Pelas janelas, vê imagens coloridas de vídeo, geradas por computador. Quando você "decola" no simulador, vê um aeroporto e seus arredores. A simulação do Campo de Pouso Boeing, por exemplo, pode mostrar um caminhão de combustível na pista e o monte Rainier ao longe. Dá para escutar o ar passando por asas que não existem, o ruído dos trens de pouso inexistentes se retraindo. Seis sistemas hidráulicos debaixo do simulador inclinam e sacodem a cabine. É muito convincente.

O objetivo principal desses simuladores é dar aos pilotos a oportunidade de ganhar experiência em emergências. Quando estava usando o simulador, meus amigos resolveram me dar um susto, fazendo um avião menor aparecer. Lá estava eu sentado no lugar do piloto, quando a imagem absolutamente real de um Cessna surgiu na minha frente. Como não estava preparado para a "emergência", bati de frente com ele.

Diversas companhias, desde gigantes do mundo do entretenimento até pequenos principiantes, planejam colocar simuladores em escala menor em shopping centers e pontos urbanos. À medida que baixa o preço da tecnologia, os simuladores para lazer podem se tornar tão comuns quanto os cinemas são hoje. E não vai demorar muito para você ter uma simulação de alta qualidade na sala de sua própria casa.

Quer explorar a superfície de Marte? É bem mais seguro fazê-lo por meio da realidade virtual. Que tal visitar algum lugar onde seres humanos jamais poderão ir? Um cardiologista poderá nadar por dentro do coração de um paciente para examiná-lo de uma maneira que jamais seria possível com aparelhos convencionais. Um cirurgião pode realizar uma operação delicada muitas vezes, inclusive simulando catástrofes, antes de tocar com o bisturi num paciente de verdade. Ou então você poderá usar a RV para passear por uma fantasia inventada por sua própria imaginação.

Para funcionar, a RV precisa de dois tipos de tecnologia — software que cria o cenário e faz com que ele responda a novas informações e dispositivos que permitem ao computador transmitir a informação para os nossos sentidos. O software terá de saber como descrever a aparência, os ruídos e a sensação do mundo artificial nos mínimos detalhes. Isso pode parecer extremamente difícil, mas na verdade essa é a parte fácil. Podemos escrever o software para RV hoje, mas precisamos de muito mais poder de computação para torná-lo realmente convincente. Na velocidade com que a tecnologia está avançando, no entanto, esse poder logo estará disponível. A parte realmente difícil da realidade virtual é conseguir que a informação seja convincente para os sentidos do usuário.

A audição é o sentido mais fácil de iludir; tudo o que você precisa é usar fones de ouvido. Na vida real, suas duas orelhas captam coisas ligeiramente diferentes, devido à localização delas em sua cabeça e à direção em que apontam. Inconscientemente você usa essas diferenças para saber de onde vem vindo um som. O software pode recriar isso, calculando o que cada ouvido escutará de um determinado som. Funciona incrivelmente bem. Pode-se colocar um par de fones de ouvido ligado a um computador e ouvir um sussurro em sua orelha esquerda ou passos vindo por trás de você.

Seus olhos são mais difíceis de enganar do que os ouvidos, mas a visão pode ser simulada de forma bastante simples. O equipamento de RV quase sempre tem óculos especiais com lentes que apresentam a cada olho um monitor de computador diferente. Um sensor para movimentos de cabeça permite que o computador saiba em que direção sua cabeça está voltada, de forma que o computador pode sintetizar o que você estaria enxergando. Você vira a cabeça para a direita e a cena mostrada pelos óculos acompanha o movimento. Você levanta o rosto e os óculos mostram o teto ou o céu. Os óculos de RV são hoje muito pesados, muito caros e não têm resolução suficiente. Os sistemas de computação que os controlam ainda são um pouco lentos demais. Se você vira a cabeça depressa, a cena demora para acompanhar. Isso é muito desorientador e depois de um breve período a maior parte das pessoas fica com dor de cabeça. A boa notícia é que o tamanho, a velocidade, o peso e o custo são precisamente o tipo de coisa que a tecnologia, segundo a Lei de Moore, estará corrigindo brevemente.

É muito mais difícil enganar os outros sentidos, porque não existe nenhuma maneira eficiente de conectar um computador ao seu nariz ou à sua língua, ou à superfície da sua pele. No caso do tato, a idéia de que mais se fala é um traje completo, dotado de minúsculos sensores e dispositivos de feedback que estariam em contato com toda a superfície da sua pele. Não acredito que os trajes completos venham a ter sucesso, mas são realizáveis.

Existem entre 72 e 120 minúsculos pontos de cor (chamados *pixels*) por polegada num monitor de computador comum, totalizando algo entre 300 mil e 1 milhão. Um traje de corpo inteiro seria, então, forrado com minúsculos sensores de toque — cada um deles pressionando um pequeno ponto específico. Chamemos esses pequenos elementos tácteis de *tactels*.

Se o traje tiver um número suficiente desses *tactels*, e se eles tiverem um controle suficientemente preciso, qualquer sensação de toque poderá ser reproduzida. Se um grande número de *tactels* pressionar ao mesmo tempo e exatamente com a mesma intensidade, a "superfície" resultante daria a sensação de ser uniforme, como um pedaço de metal polido em contato com sua pele. Se pressionarem com uma variedade de intensidades determinadas ao acaso, a sensação seria de uma superfície áspera.

Entre 1 milhão e 10 milhões de *tactels* — dependendo de quantos níveis diferentes de intensidade um *tactel* teria de transmitir — seriam necessários para um traje de RV. Estudos da pele humana mostram que um traje de corpo inteiro teria de ter cerca de cem *tactels* por polegada quadrada — um pouco mais nas pontas dos dedos, nos lábios e em alguns outros pontos sensíveis. A maior parte da pele tem, na verdade, baixa resolução táctil. Acredito que 256 *tactels* seriam suficientes para uma simulação de grande qualidade. É o mesmo número de cores que a maior parte dos monitores de vídeo de computador usa para cada *pixel*.

A quantidade total de informação que um computador teria de calcular para estimular os sentidos no traje de *tactels* ficaria entre uma e dez vezes a quantidade necessária para a tela de vídeo de um micro atual. Isso não é, na verdade, uma grande potência de computação. Acredito que, assim que alguém fabricar o primeiro traje de *tactels*, os micros que existirem naquele momento já não terão problema para fazê-lo funcionar.

Parece ficção científica? As melhores descrições da RV estão no gênero de ficção científica chamado *cyberpunk*, como as obras que William Gibson escreve. Em vez de vestir um traje, algumas de suas personagens simplesmente plugam um cabo de computador diretamente em seus sistemas nervosos centrais. Vai levar ainda algum tempo para os cientistas descobrirem como isso pode ser feito e, quando o fizerem, será bem depois de a estrada estar consolidada. Algumas pessoas ficam horrorizadas com a idéia, enquanto outras ficam intrigadas. Isso será provavelmente usado em primeiro lugar para ajudar pessoas com limitações físicas.

Como não poderia deixar de ser, tem havido mais especulação (e sonhos esperançosos) sobre o sexo virtual do que sobre qualquer outro uso da RV. O conteúdo sexual explícito é tão velho quanto a própria informação. Nunca demora muito para se descobrir como aplicar qualquer tecnologia nova ao mais velho dos desejos. Os babilônios deixaram poemas eróticos em escrita cuneiforme sobre pranchas de barro e a pornografia foi uma das primeiras coisas a que a imprensa se aplicou. Quando os aparelhos de videocassete se popularizaram como utilidade doméstica, provocaram um aumento das vendas e locação de vídeos proibidos para menores, e hoje os CD-ROMs pornográficos são muito populares. Conferências eletrônicas on-line como a Internet e a Minitel francesa têm uma porção de assinantes para serviços relacionados a sexo. Se os padrões históricos podem funcionar como guia, o sexo virtual será um grande mercado inicial para documentos de realidade virtual avançada. Porém, historicamente, à medida que os mercados crescem o material explícito vai se tornando cada vez menos numeroso.

A imaginação será o elemento-chave para todos os novos aplicativos. Não basta apenas recriar o mundo real. Os grandes filmes são muito mais do que a simples reprodução gráfica de eventos reais em filme. Levou uma década e tanto para inovadores como D. W. Griffith e Sergei Eisenstein pegarem o Vitascope e o Cinématographe dos Lumière e perceberem que o cinema podia fazer mais do que registrar a vida real ou mesmo uma peça de teatro. O cinema era uma arte nova e dinâmica e a maneira como podia interessar o público era muito diferente do teatro. Os pioneiros perceberam isso e inventaram o cinema como hoje o conhecemos.

Será que a próxima década nos trará Griffiths e Eisensteins da multimídia? Existem todas as razões para fazer crer que eles já estão brincando com a tecnologia existente para descobrir do que ela é capaz e o que podem fazer com ela.

Espero que a experimentação com multimídia continue na próxima década, e na seguinte, e assim indefinidamente. De início, os componentes de multimídia que aparecerem em documentos na estrada da informação serão a síntese da mídia atual — uma maneira inteligente de enriquecer a comunicação. Mas ao longo do tempo começaremos a criar novas formas e formatos que avançarão significativamente além do que conhecemos agora. A expansão exponencial do poder de computação continuará mudando as ferramentas e abrindo novas possibilidades, que parecerão tão fora da realidade quanto algumas das coisas sobre as quais especulei aqui podem parecer remotas hoje em dia. O talento e a criatividade sempre moldaram os avanços de maneiras imprevisíveis.

Quantos têm talento para chegar a ser um Steven Spielberg, uma Jane Austen ou um Albert Einstein? Sabemos que existiu pelo menos um de cada, e talvez um seja tudo aquilo a que temos direito. Não posso deixar de acreditar, no entanto, que existem muitas pessoas talentosas cujas aspirações e potencial foram massacrados por questões econômicas ou pela falta de ferramentas. A nova tecnologia oferecerá às pessoas novos meios de se expressarem. A estrada da informação abrirá possibilidades artísticas e científicas impensadas a toda uma nova geração de gênios.

7

IMPLICAÇÕES
PARA AS EMPRESAS

À medida que os documentos ficarem mais flexíveis, mais ricos em conteúdo de multimídia e menos presos ao papel, as formas de colaboração e comunicação entre as pessoas se tornarão mais ricas e menos amarradas ao local onde estão instaladas. Quase todas as esferas de atividade — trabalho, educação e lazer — serão afetadas. A estrada da informação revolucionará as comunicações mais ainda do que vai revolucionar a computação. Isso já está começando a acontecer nos locais de trabalho.

As empresas mais eficientes levam vantagem sobre suas concorrentes. Isso as incentiva a adotar tecnologias que as tornem mais produtivas. Redes eletrônicas e documentos lhes oferecem oportunidades para melhorar o gerenciamento de informações, os serviços e a colaboração interna e externa. O microcomputador já causa grande repercussão nas empresas. Mas seu impacto maior só será sentido quando os micros de dentro e de fora da companhia estiverem intimamente interconectados.

Ao longo da próxima década, as empresas do mundo inteiro se transformarão. Os programas se tornarão mais amigáveis e as empresas basearão os sistemas nervosos de suas organizações em redes que alcançarão não apenas todos os funcionários, mas fornecedores, consultores e clientes. O resultado será empresas mais eficazes e, com freqüência, menores. A longo prazo, à medida que a estrada da informação torne menos importante a proximidade dos serviços urbanos, muitos empreendimentos descentralizarão e dispersarão suas atividades, e as cidades, bem como as empresas, poderão ter suas dimensões reduzidas.

Nos próximos cinco anos, a largura de banda de comunicação disponível nas áreas empresariais urbanas crescerá à razão de cem vezes, à medida que os fornecedores de redes competirem para conectar concentrações de clientes de alto uso. As empresas serão as primeiras usuárias dessas redes de alta velocidade. Cada nova tecnologia de computação tem sido adotada inicialmente pelas empresas, porque os benefícios financeiros dos sistemas avançados de comunicação podem ser facilmente demonstrados.

Diretores de empresas pequenas e grandes ficarão deslumbrados com as facilidades que a tecnologia da informação pode oferecer. Antes de investir, eles devem ter em mente que o computador é apenas um instrumento para ajudar a resolver problemas identificados. Ele não é, como às vezes as pessoas parecem esperar, uma mágica panacéia universal. Se ouço um dono de empresa dizer: "Estou perdendo dinheiro, é melhor comprar um computador", digo-lhe para repensar sua estratégia antes de investir. A tecnologia, na melhor das hipóteses, irá adiar a necessidade de mudanças mais fundamentais. A primeira regra de qualquer tecnologia utilizada nos negócios é que a automação aplicada a uma operação eficiente aumenta a eficiência. A segunda é que a automação aplicada a uma operação ineficiente aumenta a ineficiência.

Em vez de correr para comprar para cada funcionário o mais novo e o mais fantástico equipamento, os diretores de uma empresa de qualquer tamanho deveriam primeiro parar e pensar sobre como gostariam que sua empresa funcionasse. Quais são seus processos essenciais e seus bancos de dados fundamentais? Idealmente, como a informação deveria circular?

Por exemplo: quando um cliente telefona, será que todas as informações sobre seus negócios — a situação da conta, quaisquer reclamações, quem em sua organização tratou com o cliente — aparecem imediatamente na tela? A tecnologia para isso é bastante simples e, cada vez mais, os clientes contam com o nível de serviços que ela pode proporcionar. Se seu sistema não pode fornecer informações sobre disponibilidade de produtos ou cotar um preço de imediato, então você corre o risco de perder o cliente para um concorrente que esteja aproveitando melhor as vantagens que a tecnologia oferece. Algumas empresas de automóveis, por exemplo, estão centralizando os serviços de informação, de tal forma que qualquer revendedor pode verificar facilmente todo o histórico dos serviços realizados no veículo e ficar atento a problemas recorrentes.

Uma empresa deveria também examinar todos os seus processos internos, tais como avaliação de empregados, planejamento de negócios, análises de vendas e desenvolvimento de produtos, e determinar de que forma as redes e outras informações eletrônicas podem tornar essas operações mais eficazes.

Houve uma bela mudança na maneira de pensar e usar os computadores como ferramentas empresariais. Quando eu era criança, imaginava os computadores como grandes e poderosos. Os bancos tinham vários deles. Os computadores ajudavam as companhias aéreas a controlar as reservas. Eram ferramentas de grandes organizações e faziam parte da vantagem que as grandes empresas tinham sobre os sujeitos que usavam lápis e máquina de escrever.

Mas hoje o PC, computador pessoal, como o nome sugere, é uma ferramenta individual, mesmo numa grande companhia. Encaramos o computador e o utilizamos de uma forma muito pessoal para nos ajudar a realizar nosso trabalho.

Os que trabalham sozinhos podem escrever, criar boletins e explorar novas idéias muito melhor com um microcomputador. Um ludita* poderia perguntar: "E se Churchill tivesse usado um processador

(*) Ned Ludd foi um trabalhador inglês que teria destruído maquinário em 1779. Os luditas, que devem seu nome a ele, foram bandos de trabalhadores ingleses que destruíram equipamentos têxteis nas zonas industriais da Inglaterra entre 1811 e 1816, por acreditar que eles seriam responsáveis por uma diminuição da oferta de emprego, e foram violentamente reprimidos. Por extensão, um ludita é qualquer um que se oponha a avanços técnicos ou tecnológicos. (N. S.)

de texto, seu estilo teria sido melhor? Cícero teria pronunciado discursos melhores no Senado romano?". Esses críticos acham que, porque grandes coisas foram realizadas sem instrumentos modernos, é presunção sugerir que ferramentas melhores poderiam elevar o potencial humano. Podemos apenas especular sobre como se poderia ajudar um artista em sua produção, mas está bem claro que os micros melhoram os processos, a eficiência e a precisão das atividades econômicas. Tome-se em consideração um repórter médio. Houve grandes jornalistas ao longo da história, mas hoje é muito mais fácil verificar os fatos, transmitir uma matéria do local do acontecimento e ficar em contato eletrônico com novas fontes, editores e até leitores. Mais ainda, a inclusão de fotografias e imagens de alta qualidade tornou-se mais fácil. Veja-se a apresentação de assuntos científicos. Vinte ou trinta anos atrás, era raro encontrar ilustrações científicas de qualidade, exceto em livros de ciência ou sofisticadas revistas especializadas como a *Scientific American*. Hoje, alguns jornais publicam boas matérias científicas, em parte porque usam programas de microcomputador para produzir rapidamente desenhos e ilustrações detalhadas.

Empresas de todos os portes auferiram diferentes benefícios dos micros. As pequenas empresas foram as grandes beneficiadas, porque hardware e software baratos permitiram que competissem com grandes corporações multinacionais. As grandes organizações tendem a se especializar: um departamento escreve folhetos, outro trata da contabilidade, um terceiro das relações com os clientes, e assim por diante. Quando você telefona para uma grande empresa para falar de sua conta, espera que um especialista lhe dê uma resposta bem rápida.

As expectativas dos proprietários de pequenos negócios costumavam ser diferentes, pois não podiam contratar especialistas. Quando uma pessoa abre um restaurante ou uma loja, é ela que cria os folhetos, faz o trabalho financeiro e lida com os clientes. É impressionante a diversidade de áreas que o dono de um pequeno negócio tem de dominar. Com um micro e alguns pacotes aplicativos, ela terá apoio eletrônico para todas as diversas funções que tem de desempenhar. O resultado é que uma pequena empresa pode competir com maior eficácia com as grandes.

Para uma grande empresa, o maior benefício dos microcomputadores vem da melhoria no compartilhamento das informações. Os micros acabam com as enormes despesas em que incorrem as grandes empresas para se manterem coordenadas por meio de reuniões, políticas e processos internos. O correio eletrônico fez mais pelas grandes companhias do que pelas pequenas.

Na Microsoft, o uso interno de ferramentas de informação teve como um de seus primeiros resultados o fim dos relatórios impressos por computador. Em muitas empresas você vê, no escritório de altos executivos, relatórios de computador encadernados com os números financeiros do mês, devidamente guardados numa prateleira. Na Microsoft, esses números só estão disponíveis numa tela de computador. Quando alguém quer mais detalhes, pode examiná-los classificados por períodos de tempo, locais ou quase que de qualquer outro modo. Quando colocamos o sistema de relatório financeiro pela primeira vez on-line, as pessoas começaram a olhar os números de maneiras novas. Por exemplo: começaram a analisar por que nossa fatia de mercado numa determinada área geográfica era diferente de nossa participação em outro lugar. Quando começamos todos a trabalhar com a informação, descobrimos erros. Nossa equipe de processamento de dados pediu desculpas. "Sentimos muito por esses erros", disseram eles, "mas compilamos e distribuímos esses números uma vez por mês há cinco anos, esses problemas sempre estiveram presentes e ninguém os mencionou." As pessoas não vinham usando suficientemente as informações impressas para descobrir os erros.

É difícil transmitir a quem não é usuário a flexibilidade proporcionada pelo acesso eletrônico às informações. Raramente olho nossos relatórios financeiros no papel, pois prefiro vê-los eletronicamente.

Quando apareceram as primeiras planilhas eletrônicas em 1978, elas significaram um grande avanço em relação ao papel e lápis. O que elas tornaram possível foi colocar fórmulas por trás de cada elemento de uma tabela de dados. Essas fórmulas podiam se referir a outros elementos da tabela. Qualquer mudança em um dos valores afetava imediatamente as outras células, de forma que, para examinar possíveis cenários futuros, podiam ser simuladas projeções de vendas, crescimento ou mudanças nas taxas de juros, e o impacto de cada mudança aparecia instantaneamente.

	A	B	C	D	E	F
1	Year	1995 ±				
2	Salesperson	(All) ±				
3						
4	Sum of Sales	Region				
5	Product	East	North	South	West	Grand Total
6	Gasoline	1,722	8,019	53,160	71,935	134,836
7	Heating Oil	27,498	11,098	4,891	36,670	80,157
8	Lubricants	2,294	1,531	993	3,527	8,345
9	Grand Total	31,514	20,648	59,044	112,132	223,338

Pivot table *mostrando dados de venda para 1995 organizados por tipo de produto e região*

	A	B	C	D	E	F
1	Year	1995 ±				
2	Salesperson	Adams ±				
3						
4	Sum of Sales	Region				
5	Product	East	North	South	West	Grand Total
6	Gasoline	1,722	8,019	2,420	15,154	27,315
7	Heating Oil	6,955	11,098	2,516	9,886	30,455
8	Lubricants	-	1,531	436	1,512	3,479
9	Grand Total	8,677	20,648	5,372	26,552	61,249

A mesma pivot table *depois de um clique sobre o campo do vendedor mostrando dados de vendas para 1995, por vendedor, por tipo de produto e região*

	A	B	C	E	F	H	I	K
1								
2								
3	Region	(All) ±						
4								
5	Sum of Sales	Product	Year					
6		Gasoline		Heating Oil		Lubricants		Grand Total
7	Salesperson	1994	1995	1994	1995	1994	1995	
8	Adams	40,251	27,315	28,804	30,455	3,435	3,479	133,739
9	Barnes	31,135	56,781	45,045	26,784	622	2,015	162,382
10	Cooper	40,936	50,740	28,770	22,918	1,475	2,851	147,690

A mesma pivot table *depois que os campos "produto" e "ano" foram arrastados para o cabeçalho da fileira e o campo "vendedor" foi arrastado para o cabeçalho da coluna mostrando dados de vendas de 1994 e 1995 organizados por vendedor e tipo de produto*

Algumas planilhas atuais permitem que você veja tabelas de dados de diferentes maneiras. Comandos simples permitem a filtragem e classificação de dados. A aplicação de planilha que conheço melhor, o Microsoft Excel, inclui uma característica chamada *pivot table* [na versão em português, "tabela dinâmica"] que lhe permite ver as informações de incontáveis maneiras. Não é mais necessário fazer longos e tediosos cálculos matemáticos complexos. O critério de visualização pode ser mudado com o clique de um mouse sobre um seletor ou usando o mouse para arrastar o cabeçalho de uma coluna de um lado da tabela para outro. É simples deslocar a informação de um relatório de alto nível para uma análise de qualquer das categorias de dados, ou para um exame individual de cada detalhe.

Uma vez por mês distribuímos eletronicamente para todos os gerentes da Microsoft uma *pivot table* contendo dados de vendas por filial, produto e canais de venda, para os anos fiscais atual e anteriores. Cada gerente pode construir rapidamente um quadro individualizado dos dados, de acordo com suas necessidades. Os gerentes de vendas podem comparar as vendas na sua região com a previsão ou com o ano anterior. Os gerentes de produtos podem examinar as vendas de seus produtos por país e canais de vendas. Há milhares de possibilidades à distância de um clique ou movimento do mouse.

Computadores cada vez mais rápidos permitirão em breve que os micros exibam gráficos tridimensionais de altíssima qualidade. Eles nos permitirão mostrar dados de forma mais eficaz do que as apresentações bidimensionais de hoje. Outros avanços tornarão fácil explorar bancos de dados fazendo perguntas oralmente. Um exemplo poderia ser: "Quais os produtos que estão vendendo mais?".

Essas inovações aparecerão primeiro nos pacotes de automação de escritórios de alto volume: processadores de texto, planilhas eletrônicas, sistemas de apresentação, bancos de dados e correio eletrônico. Alguns teóricos afirmam que esses instrumentos já têm tantos atributos que não haverá mais necessidade de novas versões. Mas havia quem pensasse assim há cinco ou dez anos. Nos próximos anos, à medida que forem incorporados aos aplicativos básicos o reconhecimento da voz, interfaces sociais e conexões com a estrada, acredito que os indivíduos e as companhias acharão extremamente atraentes as melhorias de produtividade que esses aplicativos trarão.

Os maiores avanços em produtividade e a maior mudança nos hábitos de trabalho serão causados pelas redes. Os microcomputadores foram usados originalmente para facilitar a criação de documentos que eram impressos em papel e circulavam dessa forma entre os interessados. As primeiras redes de micros permitiram que as pessoas compartilhassem impressoras e guardassem arquivos nos servidores centrais. A maioria dessas redes antigas interligava menos de vinte computadores. À medida que as redes se tornam maiores, elas estão se ligando umas às outras e à Internet, de forma que cada usuário pode se comunicar com todos os outros. Hoje, as comunicações são geralmente de pequenos arquivos de texto, mas elas acabarão incluindo toda a riqueza de documentos discutida no capítulo 6. Para proporcionar a todos os funcionários os benefícios do acesso a documentos as empresas estão instalando redes amplas, muitas vezes a um custo substancial. A subsidiária da Microsoft na Grécia, por exemplo, gasta mais com sua conexão com nossa rede mundial do que com salários.

O correio eletrônico está se tornando atualmente o principal instrumento de troca de mensagens. Os códigos de digitação também se desenvolveram. Se quer que uma frase termine com um risinho para mostrar que ela pretende ser jocosa, você pode acrescentar dois pontos, traço e parêntese. Este símbolo composto, :-), se olhado de lado, forma um rosto sorridente. Você pode, por exemplo, escrever: "Não estou certo de que isso seja uma boa idéia :-)" — o rosto sorridente mostrando que suas palavras são afáveis. O uso do parêntese oposto transforma o sorriso numa careta, :-(, uma expressão de desapontamento. Essas "emoções", que são parentes do ponto de exclamação, provavelmente não sobreviverão à transição do e-mail para um meio que permita áudio e vídeo.

Tradicionalmente, as empresas circulam informação interna por meio de papéis, telefonemas e/ou reuniões em torno de uma mesa ou de uma lousa. É preciso muito tempo e muitas reuniões e apresentações para conseguir uma boa decisão dessa maneira. O potencial para a ineficiência é enorme. As companhias que continuam usando exclusivamente esses métodos correm o risco de perder espaço para competidores que tomam decisões com mais rapidez, ao mesmo tempo que dedicam menos recursos, e provavelmente menos níveis hierárquicos, ao processo.

Na Microsoft, porque estamos no ramo da tecnologia, começamos cedo a usar comunicação eletrônica. Instalamos nosso primeiro sistema de correio eletrônico no início da década de 1980. Mesmo quando tínhamos apenas uma dezena de empregados, já fazia diferença. Ele tornou-se rapidamente o principal meio de comunicação interna. O correio eletrônico era usado em lugar de memorandos em papel, debates tecnológicos, relatórios de viagem e mensagens telefônicas. Isso contribuiu em muito para a eficiência de nossa pequena companhia. Hoje, com milhares de empregados, esse sistema é essencial.

O correio eletrônico é fácil de usar. Para escrever e mandar uma mensagem eletrônica, clico sobre um grande botão onde está escrito "Compor". Isso traz para a tela um formulário simples. Primeiro, digito o nome da pessoa ou pessoas para quem estou mandando a mensagem, ou escolho o nome numa agenda eletrônica. Posso até indicar se quero que a mensagem seja enviada para um grupo de destinatários. Por exemplo: como eu mando mensagens freqüentes para funcionários que estão trabalhando no projeto Microsoft Office, em minha lista de endereços tenho um destinatário chamado "Office". Se escolho esse item, minha mensagem vai para todos os envolvidos. Quando a mensagem for transmitida, meu nome aparecerá automaticamente no espaço "De:". Então digito um cabeçalho curto para a mensagem, para que os destinatários tenham uma idéia do que se trata. Por fim, digito a mensagem.

Uma mensagem eletrônica é amiúde apenas uma frase ou duas, sem gracejos. Posso mandar uma mensagem para três ou quatro pessoas, dizendo nada mais do que: "Vamos cancelar a reunião das onze horas de segunda-feira e usar o tempo individualmente para preparar a apresentação de terça. Alguma objeção?". A resposta à minha mensagem pode ser tão sucinta quanto "Ótimo".

Se essa troca de mensagens parece concisa demais, é porque o funcionário médio da Microsoft recebe dezenas de mensagens eletrônicas por dia. Uma mensagem de e-mail é como uma declaração ou um ponto de vista numa reunião — uma idéia ou uma indagação numa comunicação em andamento. A Microsoft oferece correio eletrônico comercialmente mas, como o telefone do escritório, ele serve a muitos outros propósitos, sociais e pessoais. Por exemplo: os que gostam de fazer trilhas podem se comunicar com todos os membros do Microsoft Hiking Club para conseguir uma carona até as montanhas. E, com certeza, alguns namoros na Microsoft se valeram do correio eletrônico. Quando eu e minha esposa Melinda começamos a sair juntos, utilizamos muito o e-mail. Por algum motivo, as pessoas ficam menos tímidas mandando mensagens através do correio eletrônico do que se comunicando por telefone ou pessoalmente. Isso pode ser uma vantagem ou um problema, dependendo da situação.

Passo várias horas por dia lendo e respondendo correio eletrônico que recebo de funcionários, clientes e parceiros do mundo todo. Qualquer pessoa da companhia pode me mandar correspondência, e como sou o único a ler a minha, ninguém precisa se preocupar com protocolo numa mensagem para mim.

É provável que eu não tivesse de gastar tanto tempo se meu endereço de e-mail não fosse semipúblico. Há até um livro chamado *Endereços de correio eletrônico dos ricos e famosos*, que inclui meu endereço, bem como os de Rush Limbaugh e do senador Ted Kennedy. Quando estava escrevendo um artigo sobre a minha pessoa para a revista *The New Yorker*, John Seabrock fez sua entrevista principalmente por e-mail. Foi uma maneira muito eficaz de manter um diálogo e gostei da matéria quando foi publicada, mas ela mencionava meu endereço eletrônico. O resultado foi uma avalanche de correspondência, de estudantes pedindo que eu fizesse o trabalho escolar deles, pessoas pedindo dinheiro, até um grupo interessado em baleias que por algum motivo colocou meu endereço em sua lista. Meu endereço é também alvo de mensagens de estranhos, tanto grosseiras quanto amigáveis, e de recados provocadores da imprensa ("Se você não responder até amanhã, vou publicar uma matéria sobre você e aquela garçonete de topless!").

Temos na Microsoft endereços especiais para pedidos de emprego, feedback sobre produtos e outras comunicações importantes. Mas muitos desses pedidos vêm para mim e tenho de encaminhar para o lugar certo. Há também três equivalentes eletrônicos dessas correntes de cartas que vão e voltam. Uma delas ameaça com má sorte generalizada se não for passada adiante. Outra diz especificamente que a punição envolverá sua vida sexual. Uma terceira, que circula há seis anos, contém a receita de um biscoito e a história de uma empresa que cobrou um preço excessivo de uma mulher pela receita, por isso ela quer que você a distribua de graça. O nome da empresa varia em cada versão. Ao que parece, o que fez essa corrente tão popular é a idéia de se vingar de uma empresa, qualquer empresa. Isso tudo vem misturado com a correspondência que realmente deveria chegar para mim, com freqüência sobre assuntos importantes. Felizmente, o software do correio eletrônico está sempre melhorando e agora inclui um dispositivo que me permite dar prioridade à correspondência de remetentes que escolhi.

Quando viajo, todas as noites ligo meu computador portátil no sistema de correio eletrônico da Microsoft para ver as novas mensagens e mandar as que escrevi durante o dia para as pessoas da companhia. A maioria dos destinatários nem vai saber que não me encontro no escritório. Quando estou ligado à nossa rede de um lugar remoto, posso também clicar sobre um único ícone para ver como vão as vendas, verificar a situação dos projetos, ou ter acesso a qualquer outro banco de dados gerencial. É reconfortante verificar minha caixa de correio eletrônico quando estou distante milhares de quilômetros e uma dúzia de fusos horários, porque as más notícias quase sempre chegam por e-mail. Assim, se nada de ruim está me esperando lá, não preciso me preocupar.

Atualmente, usamos correio eletrônico de muitas maneiras que não prevíamos. Por exemplo: no começo da Campanha de Doações da Microsoft, que ocorre todos os anos e levanta fundos para caridade, os funcionários recebem uma mensagem por e-mail estimulando-os a participarem. A mensagem eletrônica contém um cartão de apelo eletrônico. Quando o ícone da mensagem é selecionado, o cartão de apelo aparece na tela do funcionário e ele pode fazer uma doação em dinheiro ou pedir que lhe descontem na folha de pagamento. Se essa última opção for a escolhida, a informação entra imediatamente no banco de dados da folha de pagamentos da Microsoft. Do formulário eletrônico os funcionários podem direcionar sua doação para a United Way local, ou alguma outra organização sem fins lucrativos. Se quiserem, podem optar por mandar a doação para uma ou mais dentre as entidades de caridade que a United Way sustenta e podem até ter acesso a um servidor para obter informações sobre essas organizações ou sobre como fazer trabalho voluntário em suas comunidades. Do início ao fim, o processo é completamente eletrônico. Como líder da companhia, posso analisar informações consolidadas dia a dia para saber se estamos tendo uma boa participação ou se precisamos fazer mais algumas chamadas para enfatizar a importância da campanha de doações.

Hoje, além dos sistemas de correio eletrônico baseados em caracteres operados pelas empresas, como o de uso da própria Microsoft, há serviços comerciais como o MCI Mail e o B. T. Gold (operado pela British Telecom). Também há ofertas de todos os sistemas comerciais on-line, tais como CompuServe, Prodigy e Microsoft Network. Esses serviços cumprem as mesmas funções que o telegrama e, mais tarde, o telex desempenharam. Os usuários interligados a esses sistemas eletrônicos podem mandar mensagens para praticamente qualquer pessoa que tenha um endereço eletrônico na Internet. Os sistemas de correio eletrônico, tanto privados como comerciais, incluem *"gateways"* [equipamentos que traduzem protocolos de uma rede para outra] que transferem mensagens enviadas pelo usuário de um sistema para o destinatário em um outro. Você pode mandar mensagens para quase todos que tenham um micro e um modem, embora para certas comunicações a privacidade seja um problema, pois as transmissões através da Internet não são muito seguras. Alguns serviços comerciais, como o MCI, também entregam mensagens por fax, telex, ou correio tradicional, se o destinatário não tem endereço eletrônico.

Os futuros avanços do correio eletrônico vão enxugar muitas atividades de cuja ineficiência nem nos damos conta. Pense, por exemplo, sobre como você paga contas. Em geral, uma companhia imprime uma conta num pedaço de papel e o coloca em um envelope que é fisicamente levado até sua casa. Você abre a conta, confere com suas anotações para ver se a quantia e os detalhes estão corretos, preenche um cheque e vai pessoalmente ou manda alguém ao banco para pagar. Estamos tão acostumados a esse processo que não percebemos o desperdício que representa. Imagine se você não concorda com a conta. É preciso telefonar para a empresa, esperar na linha e tentar encontrar a pessoa certa — que talvez não seja realmente a pessoa certa. Nesse caso, você terá de esperar que alguém retorne sua ligação.

Muito em breve, você vai procurar sua correspondência eletrônica, inclusive contas, em seu microcomputador, na televisão ou no seu micro de bolso — o meio que você escolher. Quando a conta chegar, o aparelho vai mostrar um resumo de seus pagamentos. Se quiser contestar a conta, poderá fazê-lo assincronicamente — conforme sua conveniência —, mandando uma mensagem eletrônica: "Como é que essa conta está tão alta?".

Milhares de empresas norte-americanas já trocam informações via um sistema eletrônico chamado Electronic Document Interchange [intercâmbio eletrônico de documentos], ou EDI. Ele permite que as companhias que têm relações contratuais executem automaticamente tipos específicos de transações. Os negócios são altamente estruturados — novas encomendas de produtos ou conferência da situação de uma remessa —, o que torna o EDI inadequado para comunicações que não tenham sido preparadas de antemão, embora muitas companhias estejam trabalhando para combinar os benefícios do EDI e do correio eletrônico em um sistema único.

O fato de o correio eletrônico e o EDI serem assíncronos é uma de suas vantagens, mas ainda há lugar para comunicações síncronas. Às vezes você quer telefonar para alguém, falar diretamente e ter uma resposta imediata, em vez de deixar uma mensagem.

Dentro de poucos anos, haverá sistemas de comunicação híbridos que combinem elementos das comunicações síncronas e assíncronas. Esses sistemas usarão conexões telefônicas DSVD (e, mais adiante, ISDN) para permitir a transferência simultânea de voz e dados, mesmo antes de a estrada estar completamente instalada.

O funcionamento se dará da seguinte maneira: quando as companhias colocarem informações sobre seus produtos na Internet, parte delas incluirá instruções de como o cliente poderá fazer conexão síncrona com um representante de vendas que estará em condições de responder perguntas por meio de uma conexão voz-dados. Se, por exemplo, quiser comprar botas pela home page da Eddie Bauer (um catálogo eletrônico) e quiser saber se as botas que escolheu são apropriadas para usar nos pântanos da Flórida ou numa geleira, você poderá selecionar um botão para chamar um representante à linha para falar com você. O representante verá imediatamente que você está procurando botas e terá qualquer outra informação que você tenha decidido divulgar sobre si mesmo, não apenas o tamanho de roupa e sapatos que usa e suas preferências de estilo e cor, mas também seus interesses esportivos, suas compras anteriores em outras lojas e até a faixa de preço que lhe é mais conveniente. Algumas pessoas escolherão não divulgar nenhuma informação pessoal. O computador da Eddie Bauer talvez encaminhe sua consulta à mesma pessoa que o atendeu da última vez, ou talvez a alguém especializado no produto exibido em sua tela, nesse caso, botas. Sem preâmbulos, você poderá perguntar: "Estas botas funcionam bem em pântanos como os Everglades?", ou qualquer outra pergunta que queira fazer. O vendedor não precisa estar no escritório. Pode estar em qualquer lugar, desde que tenha acesso a um micro e tenha indicado que está disponível. Se falar a linguagem certa e conhecer bem seu produto, ele poderá ajudá-lo.

Se decidisse mudar seu testamento, você telefonaria para sua advogada e ela poderia dizer: "Vamos dar uma olhada rápida nisso". Ela então chamaria seu testamento no micro e o texto apareceria tanto na tela dela como na sua — cortesia da DSVD, ISDN ou tecnologia similar. À medida que ela rolasse o documento pela tela, vocês dois poderiam discutir suas necessidades. Então, se ela fosse particularmente competente, você poderia até observá-la fazendo a edição. Porém, se quisesse ajudar na edição do documento, em vez de apenas observá-lo na tela do computador de sua advogada, você poderia participar e trabalhar junto. Os dois poderiam não somente conversar como também ver a mesma imagem nas telas de seus computadores.

Vocês não precisariam ter o mesmo software. O aplicativo tem apenas de rodar em um dos pólos da conexão, nesse caso, o da advogada. Na sua ponta, você precisaria apenas de um modem apropriado e software de DSVD.

Outro uso importante das conexões voz-dados será a melhoria do suporte aos produtos. A Microsoft tem milhares de funcionários cuja função é responder a questões a respeito dos programas da empresa. Na verdade, temos tanta gente respondendo questões sobre nossos programas quanto engenheiros construindo-os. Isso é maravilhoso, porque registramos todo esse feedback e o utilizamos para melhorar nossos produtos. Recebemos muitas dessas perguntas por correio eletrônico, mas a maioria de nossos clientes ainda nos telefona. Essas conversações telefônicas são ineficientes. Um cliente telefona para dizer que seu computador está configurado de uma determinada maneira e está dando uma certa mensagem de erro. O especialista ouve a descrição e sugere uma solução, que o cliente demora alguns minutos para executar. Então a conversa é retomada. Os telefonemas duram em média quinze minutos e alguns duram uma hora. Quando todo mundo estiver usando a DSVD, o especialista em suporte de produto poderá ver o que está na tela do consulente (com permissão explícita sua, evidentemente) e examinar o computador do cliente diretamente, em vez de depender da descrição por telefone. Isso terá de ser feito de modo cuidadoso, para garantir que não seja invadida a privacidade de ninguém. Esse processo reduzirá a duração média do telefonema em 30 ou 40%, o que deixará os clientes muito mais contentes e cortará os custos e os preços dos produtos.

A imagem transmitida durante uma conexão telefônica por DSVD (ou ISDN) não será necessariamente a de um documento. As pessoas participantes poderão também transmitir suas fotografias. Se você está chamando para comprar um produto, talvez espere que o representante da companhia esteja lá sorrindo. Mas você, como cliente, talvez escolha transmitir apenas sua voz. Você pode selecionar fotos em que esteja vestido adequadamente para a ocasião, não importando como esteja vestido no momento da ligação. Ou você talvez decida ter à disposição várias imagens, uma sorrindo, uma rindo, outra contemplativa, ou, quem sabe, uma em que esteja de cara amarrada. Durante a conversa, você poderá mudar a imagem para ficar adequada ao seu humor ou ao que está querendo dizer.

O correio eletrônico e as telas compartilhadas eliminarão a necessidade de muitas reuniões. As reuniões de apresentação, convocadas principalmente para que os participantes possam ouvir e se informar, podem ser substituídas por mensagens eletrônicas com tabelas e outros documentos. Quando de fato ocorrerem, as reuniões face a face serão mais eficientes, porque os participantes já terão trocado informações básicas por via eletrônica.

Também será mais fácil marcar reuniões, porque o software se encarregará disso. Se, por exemplo, você quiser se reunir pessoalmente com sua advogada, seu programa de agenda e o dela poderão se comunicar pela rede — até mesmo pela rede telefônica — e escolher o dia e a hora em que ambos estão disponíveis. Então, a reunião simplesmente aparecerá em suas respectivas agendas eletrônicas.

Essa será também uma maneira eficiente de fazer reservas para restaurantes e teatros, mas surge uma questão interessante. Digamos que um restaurante ande meio às moscas, ou que certo espetáculo vá mal de bilheteria, ou que sua advogada não queira que você saiba que é o único cliente dela. Eles poderão instruir seus programas de agenda a não responder a pedidos de reservas de horário ou entradas. Seu programa não conseguiria pedir ao de sua advogada que fizesse uma lista de todos os horários vagos. Porém, se pedisse um horário específico, a resposta poderia ser: "Sim, podemos agendar você para terça-feira às onze horas".

Os clientes esperarão que seus advogados, dentistas, contadores e outros profissionais possam marcar consultas e trocar documentos eletronicamente. Você pode ter uma pergunta rápida a fazer ao seu médico — por exemplo, se a versão genérica de um medicamento é aceitável. É difícil interromper um médico, mas você terá a expectativa de trocar correspondência eletrônica com todos os profissionais com quem trabalha. Teremos uma concorrência baseada na eficácia com que um determinado grupo profissional adota essas ferramentas de comunicação e quanto isso os torna mais acessíveis e eficientes. Tenho certeza de que então começaremos a ver anúncios nos quais as firmas alardearão o quanto se tornaram mais avançadas no uso das comunicações via microcomputadores.

Quando a estrada da informação estiver disponível, as pessoas não se limitarão ao áudio e às imagens estáticas, porque a estrada transmitirá também vídeo de alta qualidade. As reuniões que marcarão vão ser cada vez mais conduzidas eletronicamente, usando videoconferências em telas compartilhadas. Cada participante eletrônico, onde quer que esteja, verá uma tela fisicamente diferente: uma videolousa, um aparelho de televisão ou um micro, mas cada tela mostrará quase a mesma imagem. Parte da tela poderá mostrar o rosto de alguém, enquanto outra poderá exibir um documento. Se alguém modificar o documento, a mudança aparecerá quase imediatamente em todas as telas. Colaboradores geograficamente distantes poderão trabalhar juntos de várias maneiras enriquecedoras. Trata-se de uma participação síncrona ou em tempo real, o que significa que as telas dos computadores vão acompanhar o ritmo das pessoas que as estarão utilizando.

Se um grupo se encontrar eletronicamente para colaborar em um *press release*, cada membro poderá usar seu micro ou notebook para deslocar parágrafos e inserir uma fotografia ou um vídeo. O resto do grupo terá a oportunidade de ver o resultado em suas telas individuais e ver o trabalho de cada colaborador no momento em que ele o está executando.

Já estamos acostumados a observar reuniões em vídeo. Quem ligar a televisão e assistir noticiários como o *Nightline*, que apresenta debates a longa distância, estará vendo uma videoconferência. O entrevistador e seus convidados podem estar separados por continentes, mas discutem como se estivessem na mesma sala; para os espectadores, parece realmente que estão.

Hoje, para fazer uma videoconferência, é preciso ir a um local especialmente equipado, com linhas telefônicas especiais. A Microsoft tem pelo menos uma sala de videoconferência em cada um de seus escritórios de venda no mundo todo. Elas são bastante utilizadas, mas o cenário é bem formal. Essas instalações nos pouparam uma boa quantidade de viagens. Funcionários de outros escritórios "comparecem" às reuniões da direção, e clientes e vendedores nos "visitam" sem pôr os pés em nossa sede, em Seattle. Essas reuniões se tornarão muito populares porque poupam tempo e dinheiro e são amiúde mais produtivas do que conferências apenas telefônicas ou mesmo encontros face a face, porque as pessoas parecem ficar mais atentas se sabem que estão aparecendo na tela.

Observei, contudo, que é preciso que as pessoas se acostumem. Se alguém está na tela de uma videoconferência, tende a receber muito mais atenção do que as outras pessoas da reunião. Notei isso pela primeira vez quando um grupo de nós, em Seattle, estava em videoconferência com Steve Ballmer, que se encontrava na Europa. Foi como se todos estivéssemos grudados no *The Steve Ballmer Show*. Se Steve tirava os sapatos, olhávamos a reação uns dos outros. Quando a reunião terminou, eu poderia contar tudo sobre o novo corte de cabelo de Steve, mas talvez fosse incapaz de dizer quem estivera comigo na mesma sala. Acho que essa distorção acabará à medida que as video-conferências se tornem comuns.

Atualmente, é bastante caro montar uma sala de videoconferên-cias — no mínimo 40 mil dólares. Porém, sistemas "desktop" que se li-gam diretamente aos micros estão chegando e reduzirão em muito os custos — e a formalidade. Nossas instalações estão geralmente ligadas a linhas de ISDN operando a 384 mil bits por segundo, o que propor-ciona uma qualidade razoável de som e imagem por cerca de vinte a 35 dólares por hora para conexões dentro dos Estados Unidos, e cerca de 250 a trezentos dólares por hora para uma conexão internacional.

O custo da videoconferência, tal como o de quase todos os outros serviços via computador, irá cair à medida que diminuam os custos da tecnologia e das comunicações. Pequenos dispositivos de vídeo utili-zando câmaras ligadas a microcomputadores ou aparelhos de televisão permitirão que nos encontremos prontamente através da estrada com muito mais qualidade de imagem e som por preços mais baixos. À me-dida que a ISDN conectada a micros se torne comum, as videoconferên-cias serão um procedimento empresarial tão normal quanto é hoje usar uma copiadora para duplicar um documento para distribuição.

Algumas pessoas acham que, ao eliminar a sutileza da dinâmica humana numa reunião, as videoconferências e telas compartilhadas darão às reuniões empresariais toda a espontaneidade de uma sessão de fotos para documento. Como as pessoas irão cochichar, revirar os olhos diante de um discurso entediante, ou passar bilhetinhos? Na verdade, a comunicação clandestina será mais simples numa reunião por vídeo, pois a rede facilitará as comunicações individuais laterais. As reuniões sempre tiveram regras não escritas, mas, quando a rede estiver me-diando videoconferências, algumas regras terão de ser explicitadas. As pessoas poderão dar sinais, pública ou privadamente, individual ou co-letivamente, de que estão entediadas? Até que ponto um participante poderá bloquear o seu vídeo ou áudio aos outros? As conversas laterais privadas, de um micro para outro, serão permitidas? À medida que utilizarmos esses mecanismos, surgirão novas regras de etiqueta para as reuniões.

As videoconferências caseiras serão naturalmente um pouco diferentes. Se a conferência tiver apenas dois participantes, ela equivalerá a uma chamada de videofone. Isso será ótimo para falar com seus filhos quando estiver viajando ou para mostrar a seu veterinário como seu cachorro ou gato está mancando. Mas quando você estiver em casa o mais provável é que mantenha as câmaras desligadas durante a maior parte das conversas, especialmente com estranhos. Você talvez opte por transmitir uma foto gravada, sua, de sua família ou outra coisa que julgue expressar sua individualidade, mas que proteja sua privacidade visual. Será mais ou menos como escolher uma mensagem para a secretária eletrônica. O vídeo ao vivo poderia ser ligado para um amigo ou quando os negócios o exigissem.

Todas as imagens síncronas e assíncronas que discuti até agora — fotografias, vídeos ou documentos — são imagens de coisas reais. Quando os computadores se tornarem mais poderosos, será possível para um micro comum sintetizar imagens realistas. Seu telefone ou computador será capaz de gerar uma imagem digital realista de seu rosto, e mostrá-lo ouvindo ou mesmo falando. Você estará realmente falando — mas o fato é que você recebeu a chamada em casa e acaba de sair do chuveiro. Enquanto estiver falando, seu telefone sintetizará uma imagem sua em seu terno mais formal. Suas expressões faciais corresponderão às suas palavras (lembre-se, os pequenos computadores ficarão muito poderosos). Da mesma forma, seu telefone será capaz de transmitir uma imagem de suas palavras saindo da boca de outra pessoa, ou de uma versão idealizada de você. Se estiver falando com alguém que nunca encontrou e não quiser revelar uma mancha de pele ou suas bochechas flácidas, a pessoa do outro lado da linha não terá como saber se você é de fato tão parecido com Cary Grant (ou Meg Ryan), ou se está contando com uma pequena ajuda de seu computador.

Todas essas inovações eletrônicas — e-mail, telas compartilhadas, videoconferências e videofones — são maneiras de superar a separação física. Quando se tornarem comuns, terão mudado não apenas o modo de trabalharmos juntos, mas também as distinções feitas atualmente entre o local de trabalho e o resto.

Em 1994, havia nos Estados Unidos mais de 7 milhões de "tele-comutadores" que não iam diariamente para o escritório, mas se "tele-comutavam" via fax, telefone e correio eletrônico. Alguns escritores, advogados e outros profissionais que são relativamente autônomos já ficam em casa durante uma parte de sua jornada de trabalho. Os ven-dedores são julgados pelos resultados; assim, desde que sejam produti-vos, não importa se estão trabalhando no escritório, em casa ou na rua. Muitas pessoas que se telecomutam consideram isso libertador e con-veniente, mas outras acham claustrofóbico ficar em casa o tempo todo. Outras ainda descobrem que não têm a autodisciplina necessária para que essa forma de atuar seja eficaz. Nos próximos anos, milhões de ou-tras pessoas se telecomutarão, pelo menos em tempo parcial, usando a estrada.

Os funcionários que executam a maior parte de seu trabalho ao telefone são fortes candidatos a se telecomutar, porque as chamadas podem ser transferidas para eles. Os operadores de telemarketing, membros de centros de atendimento a clientes, agentes de viagem e especialistas em suporte a produtos terão acesso a tanta informação numa tela em casa quanto teriam numa tela no escritório. Dentro de uma década, os anúncios de emprego dirão quantas horas de trabalho por semana serão pedidas e quantas dessas horas, se as houver, serão horas "dentro" de um local designado, como um escritório. Alguns em-pregos exigirão que o funcionário já tenha um micro para que possa trabalhar em casa. As organizações de serviços a clientes poderão uti-lizar mão-de-obra de tempo parcial com muita facilidade.

Quando funcionários e supervisores estiverem fisicamente separa-dos, a gerência terá de se adaptar, e cada indivíduo terá de aprender a ser um empregado produtivo sozinho. Novos mecanismos de feedback também terão de surgir, para que patrão e empregado possam determinar a qualidade do trabalho que está sendo feito.

Supõe-se que um funcionário num escritório esteja trabalhando o tempo inteiro, mas o mesmo empregado em casa poderá ser pago (talvez com preço diferente) apenas pelo tempo em que estiver efetivamente trabalhando. Se o bebê começar a chorar, o pai ou a mãe clicarão "Não disponível" e cuidarão da criança em minutos não pagos, longe do trabalho. Quando o empregado estiver novamente pronto para se concentrar no trabalho, assinalará que está disponível e a rede começará a entregar as tarefas que exigem atenção. O trabalho em tempo parcial e o emprego compartilhado assumirão novos significados.

O número de escritórios necessários a uma companhia poderá se reduzir. Uma única sala ou cubículo poderá servir a várias pessoas cujo horário interno foi escalonado ou é irregular. Grandes firmas de auditoria, como a Arthur Andersen e a Ernst & Young, já substituíram um grande número de escritórios pessoais caros por uma quantidade menor de escritórios genéricos, que podem ser reservados por auditores que chegam do trabalho externo. No futuro, computadores, telefones e lousas digitais de um escritório comum poderão ser configurados para o ocupante de um determinado dia. Durante parte do tempo, a lousa eletrônica exibiria a agenda de um funcionário, fotos de sua família e seus cartuns favoritos; mais tarde, a mesma lousa mostraria as fotos pessoais ou desenhos de outro funcionário. Sempre que um empregado se conectasse, o ambiente familiar de seu escritório poderia acompanhá-lo, por uma cortesia de lousas digitais e da estrada da informação.

A tecnologia da informação afetará muito mais do que a localização física e a supervisão de empregados. A própria natureza de quase toda a organização empresarial terá de ser reexaminada. Isso incluirá sua estrutura e o equilíbrio entre a equipe interna, de tempo integral, e os consultores ou firmas externas.

O movimento de reengenharia das empresas começa com a premissa de que há melhores maneiras de planejá-las. Até agora, a maior parte da reengenharia concentrou-se em descobrir novas maneiras de circular as informações dentro das empresas. O próximo movimento será redefinir os limites entre a empresa e seus clientes e fornecedores. Entre as questões essenciais a serem discutidas estão: como os clientes terão informações sobre os produtos? Como os clientes farão seus pedidos? Que novos concorrentes surgirão à medida que a localização geográfica deixar de ser uma barreira? Como a empresa pode melhorar a satisfação dos clientes após a venda?

As estruturas empresariais evoluirão. O correio eletrônico é uma força poderosa para achatar as hierarquias comuns em grandes companhias. Se os sistemas de comunicação forem suficientemente bons, as empresas não precisarão de tantos níveis de gerenciamento. Os ocupantes de postos intermediários, que antes passavam informações para cima e para baixo na cadeia de comando, já não têm tanta importância hoje. A Microsoft nasceu como uma companhia da Era da Informática e sua hierarquia sempre foi relativamente mais nivelada. Nosso objetivo é não ter mais do que seis níveis de gerenciamento entre mim e qualquer pessoa da companhia. Até certo ponto, graças ao correio eletrônico, não existem níveis entre mim e qualquer um dentro da empresa.

À medida que a tecnologia tornar mais fácil para uma empresa encontrar especialistas externos e obter sua colaboração, surgirá um enorme e competitivo mercado para consultores. Se quiser alguém para ajudar a criar um anúncio de mala direta, você pedirá a um aplicativo ligado à estrada que faça uma lista de consultores com determinadas qualificações que estejam dispostos a trabalhar por não mais que certo preço e tenham um período de trabalho livre adequado. O software verificará preliminarmente as referências e o ajudará a deixar de fora quem não estiver qualificado. Você poderá perguntar: "Algum desses candidatos trabalhou para nós antes e ganhou nota acima de oito?". Esse sistema se tornará tão barato que você acabará por usá-lo para achar baby-sitters ou jardineiros. Se estiver procurando trabalho como empregado ou autônomo, o sistema encontrará empregadores em potencial e poderá mandar seu currículo eletronicamente com o apertar de um botão.

As empresas irão reavaliar essas questões de emprego e o tamanho de um departamento jurídico ou financeiro, baseando-se nos benefícios relativos de manter especialistas dentro ou fora da organização. Para períodos relativamente movimentados, as empresas poderão obter mais ajuda facilmente, sem aumentar o número de funcionários, nem ampliar o espaço físico. Quem se utilizar com êxito dos recursos disponíveis através da rede será mais eficiente, levando os outros a fazer o mesmo.

Muitas empresas acabarão sendo bem menores do que hoje, porque o uso da estrada tornará mais fácil encontrar recursos externos e trabalhar com eles. O que é grande não é necessariamente bom quando se trata de negócios. Os estúdios de Hollywood são surpreendentemente pequenos em termos de empregados permanentes porque contratam serviços — inclusive atores e instalações — para cada filme. Algumas empresas de software seguem um modelo similar, contratando programadores quando necessário. Evidentemente, as empresas terão de reservar muitas funções para empregados de tempo integral. Seria bastante ineficiente ter de disputar o tempo de um profissional autônomo toda vez que a empresa precisasse de algo, em especial se os consultores tivessem de vir correndo. Mas muitas funções serão dispersadas, tanto estrutural quanto geograficamente.

A dispersão geográfica afetará muito mais do que a estrutura empresarial. Muitos dos principais problemas sociais de hoje surgiram porque a população se aglomerou em áreas urbanas. Os inconvenientes da vida nas cidades são óbvios e substanciais: trânsito, custo de vida, crime e acesso limitado ao ar livre, entre outros. As vantagens da vida urbana incluem acesso a trabalho, serviços, educação, lazer e amigos. Nos últimos cem anos, a maior parte da população do mundo industrializado escolheu viver em zonas urbanas, depois de consciente ou inconscientemente ter avaliado os prós e contras.

A estrada muda essa avaliação. Para aqueles conectados a ela, a estrada reduzirá substancialmente os inconvenientes de viver fora das grandes cidades. Como consultor ou trabalhador da área de serviços, você poderá oferecer sua colaboração facilmente de quase qualquer lugar. Enquanto consumidor, você poderá obter assessoria — financeira, jurídica, até mesmo algum cuidado médico — sem sair de casa. A flexibilidade será cada vez mais importante à medida que todos procurararem equilibrar a vida familiar com o trabalho. Nem sempre você precisará viajar para ver amigos e familiares ou participar de jogos. As atrações culturais estarão disponíveis através da estrada, embora eu não esteja sugerindo que seja a mesma experiência assistir a um musical em sua sala ou num teatro da Broadway. Porém, os avanços no tamanho e na resolução das telas tornarão melhores todos os vídeos, inclusive filmes, passados em casa. A programação educacional será ampla. Tudo isso liberará aqueles que gostariam de abandonar a vida nas cidades.

A abertura do sistema rodoviário interestadual teve um efeito substancial sobre o lugar que os norte-americanos escolhem para morar. Tornou acessíveis novos bairros e contribuiu para a cultura do automóvel. Haverá implicações significativas para os planejadores urbanos, empresários do ramo imobiliário e distritos escolares se a abertura da estrada também estimular as pessoas a sair dos centros urbanos. Caso grandes reuniões de talentos se pulverizem, as empresas sentirão mais pressão ainda para serem criativas em relação a como trabalhar com consultores e funcionários que não permaneçam perto de suas bases de operações. Isso poderá deflagrar um ciclo de retorno positivo, estimulando a vida rural.

Se a população de uma cidade se reduzisse em até mesmo 10%, o resultado seria uma grande diferença no valor das propriedades e no desgaste dos sistemas urbanos. Se, em média, os empregados de qualquer cidade grande ficassem em casa um ou dois dias por semana, a diminuição do consumo de gasolina, da poluição do ar e dos congestionamentos de trânsito seria significativa. O efeito total, no entanto, é difícil de prever. Se aqueles que saírem da cidade forem, em sua maioria, os mais qualificados e de maior salário, a base de tributação urbana se reduzirá. Isso agravaria os problemas das cidades e levaria mais pessoas ricas a partir. Mas, ao mesmo tempo, a infra-estrutura urbana poderia ficar menos sobrecarregada. Os aluguéis cairiam, criando oportunidades para um padrão de vida melhor para alguns daqueles que permanecessem nas cidades.

Demorará décadas para implementar todas as principais mudanças, porque a maioria das pessoas se acomoda com o que aprende inicialmente e reluta em alterar padrões conhecidos. Porém, as novas gerações trarão novas perspectivas. Nossos filhos crescerão acostumados à idéia de trabalhar com ferramentas de informação a longa distância. Essas ferramentas serão tão naturais para eles quanto o telefone ou a caneta esferográfica para nós. Mas a tecnologia não vai esperar até que as pessoas estejam prontas para ela. Nos próximos dez anos, começaremos a ver mudanças substanciais em como e onde trabalharemos, nas empresas para as quais o faremos e nos lugares que escolheremos para viver. Meu conselho é tentar saber o mais possível sobre a tecnologia que vai mexer com você. Quanto mais você souber sobre ela, menos desconcertante ela parecerá. O papel da tecnologia é proporcionar mais flexibilidade e eficácia. Os empresários de visão terão muitas oportunidades para ter um desempenho melhor nos anos pela frente.

8

CAPITALISMO SEM FORÇA DE ATRITO

Quando descreveu o conceito de mercado em A *riqueza das nações*, em 1776, Adam Smith teorizou que se cada comprador soubesse o preço de cada vendedor, e cada vendedor soubesse quanto cada comprador estaria disposto a pagar, todos no "mercado" poderiam tomar decisões totalmente informadas e os recursos da sociedade seriam distribuídos com eficiência. Até agora, não atingimos o ideal de Smith, pois compradores e vendedores em potencial raramente têm informações completas um sobre o outro.

São poucos os consumidores que, ao comprar um som para o carro, têm tempo ou paciência para pesquisar todas as lojas e, por isso, agem com base em informações imperfeitas ou limitadas. Se compra um produto por quinhentos dólares e uma ou duas semanas depois vê o mesmo produto anunciado por trezentos no jornal, você se sente um trouxa por ter pago demais. Mas se sente muito pior se acaba no emprego errado porque não fez uma pesquisa suficientemente completa.

Uns poucos mercados já estão funcionando bastante perto do ideal de Smith. Os investidores que compram e vendem moeda e algumas outras *commodities* participam de eficientes mercados eletrônicos que fornecem informação quase instantânea e completa sobre oferta, demanda e preços mundiais. Todos fazem negócios semelhantes porque as notícias sobre ofertas, apostas e transações circulam pelos fios das mesas de operação do mundo todo. Porém, a maioria dos mercados é muito ineficiente. Por exemplo, se você estiver tentando achar um médico, advogado, consultor ou profissional semelhante, ou quiser comprar uma casa, as informações são incompletas e é difícil fazer comparações.

A estrada ampliará o mercado eletrônico e fará dele o intermediário universal e definitivo. Com freqüência, as únicas pessoas envolvidas numa transação serão o comprador e o vendedor. Todas as mercadorias à venda no mundo estarão à disposição para que você as examine, compare e, muitas vezes, encomende sob medida. Quando quiser comprar alguma coisa, você poderá solicitar a seu computador que a encontre pelo melhor preço oferecido por qualquer fonte aceitável, ou pedir que ele "pechinche" com os computadores de vários comerciantes. Informações sobre vendedores e seus produtos e serviços estarão disponíveis para qualquer computador conectado à estrada. Servidores distribuídos pelo mundo aceitarão ofertas, as transformarão em transações, controlarão autenticação e garantia e se encarregarão de todos os outros aspectos do mercado, inclusive a transferência de fundos. Isso nos conduzirá a um novo mundo, de um capitalismo com pouca força de atrito e baixo custo administrativo, no qual a informação de mercado será abundante e os custos de transação, baixos. Será o paraíso dos fregueses.

Todos os mercados, desde um bazar até a estrada, facilitam o estabelecimento de preços competitivos e permitem que os bens passem do vendedor ao comprador eficientemente, com pouca força de atrito. Isso acontece graças aos *market makers* — aqueles cuja função é juntar compradores e vendedores. À medida que a estrada for assumindo o papel de *market maker* em todos os domínios, os intermediários tradicionais terão de agregar valor real a uma transação para justificar sua comissão. Por exemplo, lojas e serviços que até agora lucraram simplesmente porque estão "ali" — em determinada localização geográfica — talvez descubram que perderam essa vantagem. Mas aqueles que proporcionam valor agregado não somente sobreviverão, como prosperarão, porque a estrada permitirá que coloquem seus serviços à disposição de clientes em qualquer lugar.

Essa idéia vai assustar muita gente. A maioria das mudanças parece um pouco ameaçadora e prevejo mudanças enormes no varejo quando o comércio começar a fluir através da estrada. Mas, tal como acontece com tantas outras mudanças, depois que nos acostumarmos a ela acho que vamos nos perguntar como vivíamos sem ela. O consumidor ganhará não apenas preços competitivos, mas também uma variedade mais ampla de produtos e serviços para escolher. Embora possa haver menos lojas, se as pessoas continuarem gostando de ir às compras nos atuais pontos de venda, o número de lojas correspondente a sua demanda continuará disponível. E, uma vez que a estrada irá simplificar e padronizar as compras, ela também economizará tempo. Se você quiser comprar um presente para um ente querido, poderá considerar mais opções e com freqüência encontrará algo mais imaginativo. Você poderá usar o tempo economizado ao não sair às compras para pensar numa frase engraçada para colocar no pacote, ou criar um cartão personalizado. Ou poderá passar o tempo que economizou com a pessoa presenteada

Todos reconhecemos o valor de um vendedor competente quando estamos atrás de seguros, roupas, investimentos, jóias, uma câmera, um eletrodoméstico ou uma casa. Sabemos também que o conselho do vendedor é às vezes tendencioso, pois ele deseja basicamente vender alguma coisa para você.

Na estrada, muita informação sobre produtos virá diretamente dos fabricantes. Como fazem hoje, os vendedores usarão uma variedade de técnicas interessantes e provocadoras para nos atrair. A propaganda evoluirá para algo híbrido, combinando os comerciais de televisão e anúncios de revista de hoje com folhetos detalhados de venda. Se um anúncio captar sua atenção, você poderá pedir informações adicionais diretamente e com muita facilidade. Conexões permitirão que você navegue através de quaisquer informações que o anunciante tenha colocado à disposição, por exemplo manuais explicativos consistindo de vídeo, áudio e texto. Os vendedores tornarão a obtenção de informações sobre seus produtos tão simples quanto possível.

Na Microsoft, estamos na expectativa de usar a estrada para divulgar informações sobre nossos produtos. Hoje, imprimimos milhões de páginas de catálogos e folhetos com especificações de produtos e os mandamos pelo correio para as pessoas que os requisitam. Mas nunca sabemos quanta informação devemos pôr num folheto de especificações; não queremos intimidar os que não se preocupam com isso, mas ao mesmo tempo sabemos que há pessoas que querem conhecer todas as especificações detalhadas do produto. Da mesma forma, uma vez que a informática muda com bastante rapidez, nos encontramos freqüentemente na posição de ter acabado de imprimir milhões de exemplares de um folheto e ter de jogá-los fora porque descrevem a versão já superada de um produto. Esperamos que uma alta porcentagem de nossa divulgação de informação mude para a consulta eletrônica, em particular porque atendemos usuários de computadores. Já eliminamos a impressão de milhares de páginas por meio do envio de CD-ROMs trimestrais e usando serviços on-line para atingir os desenvolvedores profissionais de software, alguns dos clientes mais sofisticados da Microsoft.

Mas você não terá de depender somente do que for dito por nós ou qualquer outro fabricante. Poderá examinar análises de produtos em busca de informações menos tendenciosas. Depois de ver o anúncio, as revistas e os manuais multimídia, você poderá pedir informações sobre exigências governamentais relacionadas ao produto. Verificará se o vendedor fez pesquisas com compradores anteriores. Depois poderá se aprofundar numa área de seu interesse particular — durabilidade, por exemplo. Ou poderá pedir o conselho de consultores de vendas, humanos ou eletrônicos, que irão criar e publicar análises especializadas para todos os tipos de produtos, de brocas a sapatilhas de balé. Evidentemente, você continuará pedindo o conselho de amigos, mas de forma eficiente, pelo correio eletrônico.

Se estiver pensando em fazer negócio com uma empresa ou em comprar um produto, você poderá verificar o que outros dizem sobre isso. Se quiser comprar uma geladeira, procurará conferências eletrônicas contendo informações críticas formais ou informais sobre refrigeradores e seus fabricantes e revendedores. Você adquirirá o hábito de olhar essas conferências eletrônicas antes de fazer qualquer compra significativa. Quando tiver um elogio ou queixa de um clube de discos, um médico, ou mesmo um chip de computador, será fácil achar o lugar da rede onde aquele produto ou empresa é discutido e acrescentar sua opinião. Em última análise, as empresas que não servem bem aos seus clientes verão suas vendas e reputações declinarem, enquanto aquelas que os atendem bem atrairão uma boa quantidade de clientes por meio dessa nova forma de "propaganda boca a boca".

Mas todos os comentários, e, em especial, os negativos, terão de ser examinados cuidadosamente. Eles podem ser motivados mais por fanatismo do que por um desejo genuíno de compartilhar informações pertinentes.

Digamos que uma empresa está vendendo um aparelho de ar-condicionado com o qual 99,9% dos compradores estão satisfeitos e um único cliente raivoso do 0,1% remanescente pode postar insultos horríveis sobre uma marca de condicionador de ar, seu fabricante e pessoas da empresa, e enviar as mensagens repetidamente. O efeito poderia ser comparado à participação em uma reunião na qual todos têm um controle de volume que pode ser estabelecido de zero a mil e o nível normal de conversação é, digamos, três. Então algumas poucas pessoas decidem aumentar o volume para mil e começam a gritar. Isso significa que se eu estiver comprando um condicionador de ar e der uma olhada no BBS, minha consulta pode ser uma perda de tempo, porque tudo que vou encontrar será a gritaria. É injusto para mim e para a empresa que vende aparelhos de ar-condicionado.

Já está em elaboração uma etiqueta da rede, ou "netiqueta". À medida que a estrada se torne a praça central da sociedade, surgirá a expectativa de que se comporte de acordo com os costumes de nossa cultura. Há vastas diferenças culturais no mundo, e a estrada será dividida em diferentes partes, algumas dedicadas a diferentes culturas, outras destinadas a uso global. Até agora, tem prevalecido uma mentalidade de fronteira, e sabe-se que participantes em fóruns eletrônicos por vezes têm comportamentos anti-sociais e até ilegais. Cópias piratas de propriedade intelectual registrada, inclusive artigos, livros e programas de computador, são distribuídas livremente. Negócios fraudulentos pipocam aqui e ali. A pornografia floresce ao alcance fácil das crianças. Vozes obsessivas arengam quase sem parar sobre produtos, empresas e pessoas de que não gostam. Participantes de fóruns recebem insultos horríveis por causa de algum comentário que fizeram. A facilidade com que alguém pode compartilhar suas opiniões com os membros de uma imensa comunidade eletrônica não tem precedentes. E quem berra tem condições, graças à eficácia do correio eletrônico, de destilar seu ódio em vinte conferências eletrônicas. Assisti a conferências eletrônicas que caíram na insensatez depois que as pessoas começaram a ficar estridentes. Os outros participantes da discussão não sabem o que fazer. Alguns respondem gritando; uns poucos tentam dizer coisas racionais. Mas os comentários estridentes continuam e isso destrói o sentido de comunidade.

A Internet, fiel às suas raízes de cooperativa acadêmica, confiou na pressão dos pares para se regular. Por exemplo, se alguém em um grupo de discussão divulga um comentário fora de propósito ou, pior, tenta vender algo num fórum eletrônico considerado pelos outros como um ambiente não comercial, o suposto discordante ou comerciante poderá receber uma chuva de insultos. A imposição de regras tem sido feita até agora geralmente por censores autonomeados que "queimam" quem eles julgam que ultrapassou os limites e teve comportamento anti-social.

Os serviços comerciais on-line utilizam moderadores voluntários e profissionais para monitorar a conduta em suas conferências. Os fóruns que têm moderadores podem filtrar alguns comportamentos anti-sociais, evitando que insultos ou informações protegidas por direitos autorais permaneçam no servidor do sistema. Porém, a maioria dos fóruns da Internet continua sem moderadores. Vale tudo e, uma vez que as pessoas podem colocar mensagens e informações anonimamente, existe pouca responsabilidade. Precisamos de um processo mais sofisticado para reunir opiniões consensuais sem depender do serviço de proteção ao consumidor para atuar como filtro. Teremos de encontrar alguma maneira de forçar as pessoas a diminuir o volume, para que a estrada não se torne um amplificador de calúnias e difamações, ou um veículo para dar curso à irritação.

Muitos fornecedores de acesso à Internet estão começando a restringir a entrada a fóruns que contenham material sexual explícito, e tem havido repressão ao tráfico ilegal de materiais protegidos por direitos autorais. Algumas universidades estão fazendo seus alunos e professores retirarem mensagens de conteúdo polêmico. Isso aborrece alguns que consideram o ciberespaço como um lugar onde vale tudo. Os serviços comerciais tiveram problemas semelhantes. Houve queixas sobre a restrição da liberdade de expressão. E pais ficaram ultrajados quando a conta da família foi fechada depois que seu filho de onze anos fez um comentário discutível a um moderador. As empresas vão criar comunidades especiais na Internet e "competir", tendo regras sobre como lidar com essas questões.

Os políticos já estão discutindo em quais circunstâncias um serviço on-line deveria ser tratado como uma empresa de transportes e quando deveria ser tratado como uma editora. As companhias telefônicas são consideradas legalmente empresas de transportes; elas transportam mensagens sem assumir nenhuma responsabilidade por elas. Se um telefonema obsceno o perturba, a companhia telefônica cooperará com a polícia, mas ninguém acha que é da telefônica a culpa de algum maluco estar ligando para você para falar obscenidades. As revistas e jornais, por outro lado, são editoras. Elas são legalmente responsáveis pelo que publicam e podem ser processadas por calúnia. Elas também têm um grande interesse em manter sua reputação e integridade editorial, pois isso é uma parte importante de seu negócio. Qualquer jornal responsável confere com muito cuidado antes de publicar uma acusação a alguém ainda não divulgada — em parte porque não quer sofrer um processo por difamação, mas também porque a incorreção prejudicaria sua reputação.

Os serviços on-line funcionam simultaneamente como empresas de transporte e editoras, e aí está o problema. Quando agem como editoras e oferecem um conteúdo que adquiriram, produziram ou editaram, faz sentido que se apliquem as regras de proteção contra a calúnia e o estímulo auto-regulador que é a reputação editorial. Mas esperamos também que eles entreguem nossa correspondência eletrônica da mesma forma que uma empresa de transporte, sem examinar seu conteúdo nem se responsabilizar por ele. Da mesma forma, linhas de conversação, conferências e fóruns que estimulam os usuários a interagir sem supervisão editorial são novos meios de comunicação e não deveriam ser tratados da mesma maneira que os materiais publicados no serviço. No entanto, um juiz de Nova York abriu o caminho para um processo de calúnia decidindo que o serviço on-line envolvido era uma editora de informações e não um simples distribuidor. É possível que quando você ler essas linhas as coisas já estejam resolvidas. Há muito em jogo na resolução dessa questão. Se os fornecedores de rede forem tratados completamente como editoras, eles terão de monitorar e aprovar previamente o conteúdo de todas as informações que transmitem. Isso poderia criar uma atmosfera indesejável de censura e restringir os intercâmbios espontâneos, tão importantes no mundo eletrônico.

Idealmente, a indústria criará alguns padrões, de forma que quando você entrar numa conferência ou artigo obterá uma indicação de que alguma "editora" terá ou não examinado, editado e se responsabiliza pelo seu conteúdo. A questão será: quais serão os padrões e quem os fiscalizará? Uma conferência para lésbicas não deveria ser forçada a aceitar comentários antilésbicos, nem uma conferência sobre algum produto deveria ser atacado por mensagens de um concorrente. Seria vergonhoso ter de manter as crianças longe de todas as conferências, mas seria também irrealista e possivelmente um cerceamento da liber dade de expressão obrigar que todas as conferências se submetam ao exame de alguém disposto a se responsabilizar por tudo que elas contenham. O que provavelmente vai acontecer é que teremos uma série de categorias, tal como a classificação dada aos filmes, que indicarão se as vozes estridentes terão sido controladas e se um "editor" apagou as mensagens que julgou estarem fora das diretrizes do grupo envolvido.

As conferências que venho discutindo são as gratuitas, públicas, mas também haverá lugares em que informações e assessorias profissionais serão oferecidas mediante uma taxa. Você pode se perguntar por que iria precisar de um especialista com tanta informação disponível. Pelos mesmos motivos de agora. Atualmente podem-se obter todos os tipos de informações para consumidores. O *Consumer Reports* oferece avaliações objetivas de muitos produtos, mas as revistas destinam-se a um público amplo; elas não discutem necessariamente suas exigências específicas. Se não puder encontrar exatamente o que precisa na estrada, você poderá contratar um consultor de vendas competente por cinco minutos ou uma tarde, via videoconferência. Ele o ajudará a escolher produtos que seu computador comprará então do fornecedor confiável mais barato.

Minha expectativa é de que a tradicional reunião de consultoria e vendas será muito menos comum, pois, embora a consultoria pareça gratuita para o cliente, ela é paga pelas lojas e serviços que a oferecem. Esse custo é embutido no preço das mercadorias. As lojas que cobram mais porque oferecem consultoria terão dificuldades cada vez maiores para competir com quem oferecerá desconto através da estrada. Continuará a haver modestas variações de preços entre os produtos de um fornecedor e outro, reflexos de diferenças em políticas de devolução, prazos de entrega e algum tipo de assistência limitada ao consumidor.

Alguns comerciantes oferecerão "consultores" embutidos no preço de venda, mas para compras importantes você provavelmente preferirá um guia realmente independente. O custo da consultoria será compensado até certo ponto pelo preço mais baixo que você acabará pagando no distribuidor recomendado pelo consultor. Os preços desses profissionais também serão altamente competitivos. Suponha que você use um serviço da estrada para obter informações sobre onde comprar um carro de luxo pelo melhor preço, e depois o compre. O preço para usar o serviço — que atuou como intermediário na transação — poderia ser cobrado a uma taxa horária baixa, ou poderia ser uma pequena porcentagem do preço da compra. Isso vai depender da singularidade do serviço. A competição eletrônica vai determinar a taxa.

Ao longo do tempo, mais orientações serão oferecidas por software aplicativo que tenha sido programado para analisar suas exigências e fazer as sugestões apropriadas. Vários grandes bancos já desenvolveram com grande sucesso sistemas de computação "especialistas" em analisar pedidos rotineiros de crédito e empréstimos. À medida que os agentes eletrônicos se tornarem comuns e o software de simulação e reconhecimento de voz se aperfeiçoar, você terá a sensação de estar falando com uma pessoa real quando consultar um documento de multimídia com personalidade. Você poderá interromper, pedir mais detalhes, ou pedir para repetir uma explicação. A experiência será semelhante à de conversar com um especialista em pessoa. No fim das contas, não terá mais importância se você está falando com um ser humano ou com uma simulação muito boa, desde que obtenha as respostas de que precisa para fazer uma compra adequada.

Um passo na direção do comércio eletrônico com descontos da estrada são as atuais redes televisivas de compras a domicílio. Em 1994, elas venderam quase 3 bilhões de dólares em mercadorias, apesar de serem síncronas, o que significa que você talvez tenha de esperar horas até que elas ofereçam o artigo em que está interessado. Na estrada, você poderá circular por bens e serviços em seu ritmo próprio. Se estiver procurando suéter, você escolherá um estilo básico e verá quantas variações quiser, em todas as faixas de preço. Talvez assista a um desfile de modas ou demonstração de produto. A interatividade aliará a conveniência ao lazer.

Atualmente, produtos com marca aparecem amiúde em filmes e programas de televisão. Uma personagem que antigamente pediria uma cerveja hoje pede uma Budweiser. No filme *O demolidor*, de 1993, os restaurantes Taco Bell parecem ser os únicos fast-food sobreviventes. A PepsiCo, associada da Taco Bell, pagou pelo privilégio. A Microsoft também pagou para que Arnold Schwarzenegger mostrasse a versão em árabe do Windows numa tela de computador durante *True lies*. No futuro, as empresas talvez paguem não só para ter seus produtos na tela, como também para colocá-los à sua disposição para comprar. Você terá a opção de indagar sobre qualquer imagem que veja. Essa será outra escolha que a estrada colocará à disposição reservadamente. Se estiver vendo o filme *Top gun* e achar que os óculos de aviador de Tom Cruise são demais, você poderá dar uma pausa no filme e se informar sobre os óculos, ou mesmo comprá-los no ato — se o filme for provido de informação comercial. Ou então marcar a cena e voltar a ela depois. Se o filme tiver uma cena em um hotel de veraneio, você poderá saber onde fica, informar-se sobre diárias e fazer reservas. Se a estrela do filme tem uma bela bolsa de couro, a estrada permitirá que você percorra toda a linha de produtos de couro do fabricante e encomende a que preferir, ou seja encaminhado para a loja mais conveniente para você.

Tendo em vista que a estrada terá vídeo, você poderá amiúde ver exatamente o que encomendou. Isso ajudará a evitar o tipo de erro que minha avó cometeu certa vez. Eu estava num acampamento de verão e ela mandou que me enviassem drops de limão. Ela encomendou cem, pensando que eu receberia cem unidades. Em vez disso, recebi cem saquinhos. Eu distribuí para todo mundo e me tornei particularmente popular até que começamos todos a ficar com feridas na boca. Na estrada, você poderá fazer uma videovisita a um hotel antes de fazer reservas. Não terá de se preocupar se as flores que encomendou para sua mãe por telefone são realmente tão maravilhosas quanto você queria. Você poderá ver o florista montar o buquê, mudar de idéia se quiser e substituir as rosas murchas por anêmonas frescas. Quando estiver comprando roupa, ela será exibida no seu tamanho. Na verdade, você poderá vê-la combinada com outros artigos que comprou ou está pensando em comprar.

Depois que souber exatamente o que quer, você poderá obtê-lo na medida certa. Os computadores permitirão que bens hoje produzidos em massa sejam também feitos sob medida para clientes específicos. A fabricação sob medida se tornará uma importante forma de os fabricantes agregarem valor. Um número cada vez maior de produtos — de sapatos a cadeiras, de jornais e revistas a discos — será criado imediatamente para satisfazer rigorosamente os desejos de uma determinada pessoa. E com freqüência o artigo não custará mais do que um produzido em massa. Em muitas categorias de produtos, a fabricação sob medida em massa substituirá a produção em massa, tal como há algumas gerações a produção em massa substituiu o feito por encomenda.

Antes da produção em massa, tudo era feito unitariamente, graças a métodos que faziam uso maciço de mão-de-obra, prejudicando a produtividade e o padrão de vida. Até que se criasse o primeiro tear mecânico, cada camisa era feita à mão, com agulha e linha. As pessoas comuns não tinham muitas camisas, pois eram caras. Na década de 1860, quando as técnicas de produção em massa começaram a ser utilizadas na fabricação de roupas, as máquinas passaram a produzir grandes quantidades de camisas idênticas, os preços caíram e até os trabalhadores puderam comprar várias delas.

Em breve, haverá máquinas computadorizadas para fabricar camisas que obedecerão a um conjunto diferente de instruções para cada camisa. Quando encomendar, você indicará suas medidas, bem como suas escolhas de tecido, corte, colarinho e todas as outras variáveis. As informações serão transmitidas através da estrada a uma fábrica que produzirá a peça para pronta entrega. A entrega de bens encomendados pela estrada se tornará um grande negócio. Haverá uma incrível competição e, à medida que o volume crescer, as entregas se tornarão muito baratas e rápidas.

A Levi Strauss & Co. já está ensaiando a produção de jeans sob medida para mulheres. Em um número crescente de seus distribuidores, os clientes pagam cerca de dez dólares a mais para ter um jeans feito com suas especificações exatas — qualquer das 8448 diferentes combinações de medidas e estilos de quadril, cintura, costura interna e cavalo. A informação é transmitida de um micro na loja para uma fábrica no Tennessee, onde o tecido é cortado por máquinas computadorizadas, etiquetado com código de barras e depois lavado e costurado. Os jeans prontos são enviados para a loja onde foi feita a encomenda, ou despachadas diretamente para o cliente.

Pode-se conceber que dentro de poucos anos todos terão suas medidas registradas eletronicamente; então será fácil descobrir se um artigo já pronto serve, ou fazer um pedido sob medida. Se você der aos seus amigos e parentes acesso a essa informação, eles vão achar muito mais fácil comprar um presente para você.

A informação individualizada é uma extensão natural das capacidades de consulta sob medida da estrada. As pessoas que alcançaram notoriedade em algum campo poderiam publicar suas opiniões, recomendações ou mesmo visão de mundo de maneira muito parecida com a que os investidores bem-sucedidos publicam boletins. Arnold Palmer ou Nancy Lopez poderiam oferecer aos amantes do golfe a chance de ler ou olhar para qualquer material de golfe que tenham julgado útil. Um editor que trabalha hoje no *The Economist* poderia fundar seu próprio serviço de informações oferecendo um resumo das notícias com *links* para matérias em texto e vídeo de várias fontes. Alguém que usasse esse serviço de comentários, em vez de pagar sessenta centavos por um jornal, poderia pagar ao especialista alguns centavos por dia para desempenhar a função de intermediário, compilando as notícias do dia, e pagar um pouco também ao editor de cada matéria selecionada. O cliente decidiria quantos artigos quereria ler e quanto estaria disposto a gastar. Para sua própria dose diária de notícias, você poderia fazer uma assinatura de vários serviços e deixar que um agente eletrônico ou humano compilasse entre eles seu "jornal" completamente sob medida.

Esses serviços de assinatura, sejam humanos ou eletrônicos, reunirão informações que se adequam a uma filosofia e um conjunto de interesses específicos. Eles competirão com base em seus talentos e reputações. As revistas preenchem um papel semelhante atualmente. Muitas têm um foco estreito e fornecem uma espécie de realidade sob medida. Um leitor politicamente engajado sabe que aquilo que lê na *National Review* não são "as notícias". Trata-se de um boletim do mundo da política conservadora onde pouco daquilo em que o leitor acredita é contestado. No outro extremo da escala política, *The Nation* é uma revista que conhece as concepções e preferências liberais de seus leitores e se dispõe a confirmá-las e massagear seus egos.

Da mesma maneira que os estúdios de Hollywood tentam vender sua última produção mostrando trailers nos cinemas, publicando anúncios e fazendo vários tipos de promoção, os fornecedores de informação utilizarão todos os tipos de técnicas para convencê-lo a experimentar seus produtos. Uma grande parte da informação será local — de escolas do bairro, hospitais, comerciantes e pizzarias. Conectar uma empresa com a estrada não será caro. Uma vez estabelecida a infra-estrutura, e que um número suficiente de usuários a adote, todas as empresas vão querer atingir seus clientes pela estrada.

O potencial da eficiência eletrônica está fazendo com que algumas pessoas pensem que, se usarem a estrada para fazer compras ou receber notícias, perderão a chance de fazer descobertas inesperadas, como um artigo surpreendentemente interessante no jornal, ou uma oferta incomum no shopping center. Evidentemente, essas "surpresas" dificilmente são casuais. Os jornais são feitos por editores que sabem por experiência muito a respeito do interesse de seus leitores. De vez em quando, o *New York Times* publica um artigo de primeira página sobre um progresso na matemática. A informação especializada é apresentada de um ângulo que a torna interessante para um bom número de leitores, inclusive alguns que não achavam que se interessassem por matemática. Da mesma forma, os donos das lojas se preocupam com o que é novo e poderia atrair o interesse de seu tipo de cliente. As lojas

enchem suas vitrines de produtos destinados a captar o olhar dos consumidores e atraí-los para seu interior.

Haverá muitas oportunidades para as surpresas calculadas na estrada. De tempos em tempos, seu agente eletrônico tentará induzi-lo a
preencher um questionário indicando seus gostos. O questionário in-
corporará todo tipo de imagens, num esforço para provocar reações
sutis em você. Seu agente poderá tornar o processo divertido dando-
lhe retorno sobre como você se compara com a média das pessoas. Essa
informação será usada para criar um perfil de seus gostos que orientará
o agente. À medida que você usar o sistema para ler notícias ou fazer
compras, o agente também poderá acrescentar informações ao seu perfil. Ele não perderá de vista o que você indicou como sendo de seu interesse, bem como aquelas coisas nas quais você "tropeçou" e depois
procurou conhecer melhor. O agente usará essa informação para ajudar a preparar várias surpresas destinadas a atrair e prender sua atenção. Sempre que você quiser uma coisa fora do comum e atraente, ela
estará esperando por você. Desnecessário dizer que haverá muita con-
trovérsia e negociação sobre quem poderá ter acesso ao seu perfil. Será
essencial que você tenha esse acesso.

Por que você desejaria criar um tal perfil? Eu certamente não
quero revelar tudo sobre mim mesmo, mas seria útil se um agente soubesse que estou interessado em qualquer novo item de segurança que
ao novo modelo Lexus tivesse sido incorporado. Ou ele poderia me
alertar sobre a publicação de um novo livro de Philip Roth, John
Irving, Ernest J. Gaines, Donald Knuth, David Halberstam ou qualquer outro de meus autores favoritos. Também gostaria que ele me avi-
sasse quando surge algum livro sobre assuntos que me interessam: economia e tecnologia, teorias da aprendizagem, Franklin Delano
Roosevelt e biotecnologia, para mencionar alguns. Fui bastante esti-
mulado por um livro chamado *The language instinct*, escrito por Steven
Pinker, um professor do MIT, e gostaria de conhecer novos livros ou artigos sobre suas idéias.

Você também poderá encontrar surpresas ao seguir conexões que outras pessoas estabeleceram. Atualmente, os usuários gostam de percorrer a World Wide Web da Internet, verificando *home pages* e demais páginas que incluam *links* com outras páginas que contenham informações sobre uma empresa, ou *links* com páginas de outras empresas. Tais *links* são indicados por *hot spots*, imagens ou interruptores que, quando clicados com o mouse, chamam a página pedida para a tela.

Algumas pessoas estão criando suas próprias *home pages*. É interessante refletir sobre *home pages* pessoais. Que dados ou pensamentos você gostaria de divulgar para o mundo inteiro? A sua página terá *links* e, se tiver, com quê? Quem vai querer olhar sua *home page*?

O mundo eletrônico vai permitir que as empresas vendam diretamente aos clientes. Com certeza, cada empresa providenciará uma *home page* para facilitar o acesso às informações sobre seus produtos. Qualquer empresa que tenha uma estratégia de distribuição bem-sucedida — em nosso caso, software no varejo — tem de fazer uma escolha sobre tirar ou não vantagem disso. Oferecer as últimas informações, inclusive o nome de seus distribuidores, será bem fácil, mas é importante também proteger as revendas. Até mesmo a Rolls-Royce, que tem um sistema de distribuição extremamente restrito, terá provavelmente uma *home page* onde você poderá ver seus últimos modelos e descobrir onde comprá-los.

As revendas fizeram um excelente trabalho para a Microsoft e gostamos do fato de que os clientes possam ir às lojas, vejam a maioria de nossos produtos e recebam ajuda dos vendedores. O plano da Microsoft é continuar a vender por intermédio das revendas, mas algumas delas terão de ser eletrônicas.

Considere-se, por exemplo, uma companhia de seguros que vem funcionando com eficácia por meio de corretores. Irá ela decidir que quer que os clientes comprem diretamente do escritório central? Deixará que os corretores, que costumavam atuar apenas em suas cidades, vendam eletronicamente em todo o país? Será duro definir as condições de venda. Cada empresa terá de determinar os fatores que considera mais importantes. A concorrência mostrará qual o método que funciona melhor.

As *home pages* são uma forma eletrônica de propaganda. A plataforma de software da estrada permitirá às empresas o controle total sobre como as informações são apresentadas. Os anunciantes da estrada terão de ser criativos para capturar espectadores que estarão acostumados a ver o que querem, quando querem, e capazes de saltar qualquer programa.

Hoje, a propaganda subsidia quase todos os programas que vemos na televisão e artigos que apreciamos nas revistas. Os anunciantes colocam suas mensagens nos programas e publicações que atraem a maior audiência-alvo. Os anunciantes gastam muito dinheiro tentando se assegurar de que sua estratégia de propaganda está funcionando. Na estrada, os anunciantes também vão querer algum tipo de garantia de que suas mensagens estão atingindo seus públicos-alvos. A propaganda não vale a pena se todos decidirem pular os anúncios. A estrada oferecerá alternativas. Uma poderia ser um software que deixasse o cliente passar rapidamente por tudo, exceto os anúncios, que passariam em velocidade normal. A estrada possivelmente oferecerá ao espectador a opção de pedir para ver um conjunto de comerciais. Na França, quando os comerciais foram agrupados e transmitidos em conjunto, aquele segmento de cinco minutos tornou-se um dos mais populares.

Atualmente, os espectadores da televisão, considerados enquanto público-alvos, são agrupados em segmentos. Os anunciantes sabem que os programas de notícias tendem a atrair um tipo de espectador e que os de luta livre têm outra audiência. Os comerciais de televisão são comprados tendo em mente o tamanho e a demografia da audiência. Os anúncios dirigidos às crianças subsidiam os programas infantis; os voltados às donas de casa subsidiam as novelas; anúncios de automóvel e cerveja subsidiam a cobertura esportiva. Quem anuncia pela TV está lidando com informação agregada sobre os espectadores de um programa, baseada em amostras estatísticas. A mídia eletrônica atinge muitas pessoas que não estão interessadas nos produtos.

As revistas, porque podem ser, e o são com freqüência, mais especializadas, conseguem dirigir seus anúncios para alvos um pouco mais específicos: fanáticos por carros, músicos, mulheres interessadas em forma física, até mesmo grupos tão pequenos quanto fãs de ursinhos de pelúcia. As pessoas que compram revista de ursinhos querem ver anúncios de ursinhos de brinquedo e seus acessórios. Na verdade, as pessoas compram amiúde revistas especializadas tanto pelos anúncios quanto pelas matérias. Caso as revistas de moda, por exemplo, estejam bem de vendas, mais da metade de suas páginas são de anúncios. Elas oferecem aos leitores a experiência de olhar vitrines sem precisar caminhar. O anunciante não conhece a identidade específica de cada leitor, mas sabe algo sobre os leitores em geral.

A estrada será capaz de classificar os consumidores de acordo com distinções individuais muito mais precisas e oferecer a cada um deles um fluxo diferente de anúncios. Isso beneficiará a todos: os espectadores, porque os anúncios serão produzidos pensando em seus interesses específicos e, portanto, serão mais interessantes; produtores e publicações on-line, porque poderão vender aos anunciantes blocos concentrados de espectadores e leitores. Os anunciantes poderão gastar suas verbas de publicidade com mais eficácia. As informações sobre preferências podem ser reunidas e disseminadas sem violar a privacidade de ninguém, porque a rede interativa será capaz de usar as informações sobre consumidores para encaminhar anúncios sem revelar quais as residências específicas que a receberam. Uma cadeia de restaurantes saberia apenas que certo número de famílias de renda média com crianças pequenas recebeu sua propaganda.

Uma executiva de meia-idade e seu marido talvez assistissem a um anúncio de um condomínio para aposentados no começo de um episódio de *Home improvement*, enquanto o casal jovem da casa ao lado talvez assistisse a um anúncio de férias para a família na abertura do mesmo programa, independentemente de que o assistam na mesma hora ou não. Esses anúncios com alvo muito preciso serão mais caros para os anunciantes, de tal forma que um espectador poderia subsidiar uma noite inteira de televisão assistindo a um pequeno número deles.

Alguns anunciantes — a Coca-Cola, por exemplo — querem atingir todo mundo. Mas até mesmo a Coca-Cola poderia tomar a decisão de dirigir anúncios de Coca diet para lares que manifestassem interesse em livros sobre dietas. A Ford poderia querer que gente rica visse um anúncio do Lincoln Continental, que os jovens vissem uma propaganda do Ford Escort, que os anúncios de pick-up chegassem a moradores da zona rural e que todos recebessem a propaganda do Taurus. Ou, então, uma empresa poderia anunciar o mesmo produto para todo mundo, mas variar os atores segundo sexo, raça ou idade. Elas certamente vão querer rever o texto para atingir seu público-alvo. Para maximizar o valor do anúncio, serão necessários algoritmos complexos para alocar espaço de publicidade para cada espectador dentro de cada programa. Isso exigirá muito esforço mas, tendo em vista que as mensagens serão mais eficazes, será um bom investimento.

Até mesmo a mercearia da esquina e a lavanderia do bairro poderão anunciar de uma maneira que jamais esteve ao seu alcance. Tendo em vista que correntes de anúncios de alvo individualizado estarão fluindo pela rede o tempo todo, a propaganda em vídeo provavelmente se tornará compensadora até mesmo para pequenos anunciantes. Um anúncio de loja poderá ter por alvo apenas alguns quarteirões e se dirigir a interesses muito específicos de um bairro ou comunidade.

Hoje, o meio mais eficaz de atingir uma audiência restrita é com o anúncio classificado. Cada classificação representa uma pequena comunidade de interesses: gente que quer comprar ou vender tapetes, por exemplo. Amanhã, o anúncio classificado não ficará preso ao papel ou limitado ao texto. Se estiver procurando um carro usado, você mandará um pedido especificando a faixa de preço, modelo e características que o interessam e receberá uma lista de carros disponíveis que se encaixam em suas preferências. Ou você pedirá a um agente eletrônico para notificá-lo quando um carro adequado surgir no mercado. Os anúncios de carros usados poderiam incluir *links* para uma imagem ou vídeo do carro, ou mesmo a ficha de manutenção, para que você tenha uma idéia do estado do veículo. Você poderá saber a quilometragem da mesma maneira, bem como se o motor foi trocado e se o carro tem *air bags*. Talvez você queira cruzar as informações com os registros policiais, que são públicos, para ver se o carro se envolveu em algum acidente.

Se colocar sua casa para vender, você poderá descrevê-la completamente e incluir fotografias, vídeos, planta baixa, recibos de impostos, contas de luz e água e de consertos, até mesmo música de fundo. As chances de que um comprador potencial de sua casa veja seu anúncio serão maiores, porque a estrada tornará o acesso a ele mais fácil para todos. Todo o sistema de vendas de imóveis poderá mudar com os interessados tendo acesso direto a tanta informação.

Inicialmente, os anúncios classificados on-line não serão muito atraentes, porque não haverá muita gente utilizando-os. Mas depois a propaganda boca a boca de alguns clientes satisfeitos atrairá mais e mais usuários para o serviço. Surgirá uma espiral de retorno positivo à medida que mais vendedores atraírem mais compradores e vice-versa. Quando se atingir uma massa crítica, o que pode acontecer um ou dois anos depois de criado o serviço, os classificados da estrada se transformarão de curiosidade na principal forma de juntar vendedores e compradores particulares.

Os anúncios de mala direta — a *junk mail* — sofrerão mudanças ainda maiores. Hoje, muitos deles são realmente refugo; derrubamos muitas árvores para mandar esses materiais até as casas das pessoas, e boa parte deles é jogada fora sem ser aberta. Esses anúncios na estrada virão na forma de um documento interativo de multimídia, e não em papel. Embora não gastem recursos naturais, deverá haver alguma maneira de evitar que se receba diariamente várias dessas comunicações quase gratuitas.

Você não se afogará no dilúvio de informações sem importância porque usará programas para filtrar os anúncios e outras mensagens irrelevantes, economizando seu valioso tempo para as mensagens que realmente lhe interessam. A maioria das pessoas bloqueará anúncios por correio eletrônico, exceto daquelas áreas que são de seu interesse pessoal. Uma maneira de o anunciante captar sua atenção será oferecendo uma pequena quantia em dinheiro — cinco centavos ou um dólar, quem sabe — para que você veja um anúncio. Depois de vê-lo, ou enquanto estiver interagindo com ele, o crédito cairá em sua conta eletrônica, enquanto o débito irá para a conta do anunciante. Na verdade, alguns dos bilhões de dólares hoje gastos anualmente em propaganda na mídia impressa, eletrônica e em campanhas de mala direta serão repartidos entre os consumidores que concordarem em assistir ou ler anúncios enviados diretamente a eles como mensagens.

Esse tipo de anúncio pago poderia ser extremamente eficaz, porque pode ter um alvo cuidadosamente escolhido. Os anunciantes serão espertos e enviarão mensagens que custam dinheiro apenas para gente que se enquadra em determinadas qualificações. Uma companhia como a Ferrari ou a Porsche poderia enviar mensagens de um dólar para fãs de automóveis, na expectativa de que a visão do carrão ou o som de seu motor acabem gerando interesse. Se levar pelo menos um em cada mil usuários a comprar um carro novo, o anúncio valerá a pena. As empresas poderiam ajustar a quantia que oferecem segundo o perfil do consumidor. Esses anúncios estariam à disposição daqueles que não estivessem no *target* principal do anunciante. Por exemplo, se um garoto de dezesseis anos, maluco por carros, quiser experimentar uma Ferrari e estiver disposto a fazê-lo de graça, ele também receberá a mensagem.

Isso pode parecer um pouco estranho, mas é apenas mais um uso do mecanismo de mercado para o capitalismo com pouca força de atrito. O anunciante decide quanto dinheiro está disposto a gastar pelo seu tempo e você decide quanto vale seu tempo.

As mensagens de propaganda, tal como o resto de sua correspondência, serão guardadas em pastas variadas. Você instruirá seu computador sobre como fazer a classificação. A correspondência não lida de amigos e familiares poderá ficar numa pasta, os documentos e mensagens de interesse pessoal ou comercial, em outras. E os anúncios e mensagens de gente desconhecida poderiam ser classificados de acordo com a quantidade de dinheiro ligada a eles. Haveria um grupo de mensagens de um centavo, um grupo de dez centavos, e assim por diante. Se não houvesse remuneração, elas poderiam ser recusadas. Você poderá examinar cada mensagem e descartá-la se não for de seu interesse. Em certos dias, você talvez não olhe as pastas de anúncios. Mas, se alguém mandar uma mensagem de dez dólares, você provavelmente dará uma olhada — se não pelo dinheiro, ao menos para ver quem achou que chegar até você valia isso.

Você não será obrigado a aceitar o dinheiro que alguém mandar, evidentemente. Ao receber a mensagem, você poderá cancelar o pagamento; o que importa é quanto a pessoa põe em risco para atrair sua atenção. O crédito do remetente será conferido com antecedência. Se alguém lhe manda uma mensagem de cem dólares sugerindo que é um irmão que você nunca viu, você talvez não pegue o dinheiro se ele for realmente seu irmão. Por outro lado, se for apenas alguém tentando conseguir sua atenção para vender algo, você, agradecido, provavelmente ficará com o dinheiro.

Nos Estados Unidos, atualmente, os anunciantes gastam mais de vinte dólares por mês por família para subsidiar a televisão comercial e a cabo. Os anúncios nos são tão familiares que realmente não nos incomodam quando assistimos à televisão ou ouvimos rádio. Compreendemos que os programas são gratuitos graças aos comerciais. Os clientes pagam por eles indiretamente, porque os custos da propaganda estão embutidos nos preços dos sucrilhos, xampus e diamantes. Pagamos também por lazer e informação quando compramos um livro, um ingresso de cinema ou alugamos uma fita de vídeo. Em média, os lares americanos gastam um total de cem dólares por mês em ingressos de cinema, as sinaturas de jornais e revistas, livros, CDs e fitas cassete, aluguel de vídeos, assinaturas de TV a cabo e coisas semelhantes.

Quando você paga por diversão comprando uma fita ou disco, seus direitos de reutilizá-los ou revendê-los são restritos. Ao comprar um exemplar de *Abbey Road* dos Beatles, você está na realidade comprando o objeto disco ou fita e uma licença para tocar, quantas vezes quiser, com finalidades não comerciais, a música gravada nele. Ao comprar um livro, o que você está realmente comprando é o papel e a tinta e o direito de ler, e deixar que outros leiam, as palavras impressas naquele determinado papel com determinada tinta. Você não é dono das palavras e não pode reimprimi-las, exceto em circunstâncias muito bem definidas. Quando assiste a um programa de televisão, você também não se torna dono dele. Na verdade, foi necessária uma decisão da Suprema Corte dos Estados Unidos para confirmar que neste país as pessoas podem legalmente gravar um programa de TV para seu uso pessoal.

A estrada da informação permitirá inovações na maneira de licenciar a propriedade intelectual, tal como a de músicas ou programas de computador. As gravadoras, ou mesmo cada artista que grava, poderão escolher vender sua música de uma nova forma. Você, o consumidor, não precisará de CDs, fitas cassete ou qualquer outro tipo de objeto físico. A música será armazenada como bits de informação em um servidor da estrada. "Comprar" uma música ou disco significará de fato comprar o direito de acesso a determinados bits. Você poderá ouvir em casa, no trabalho ou em viagem de férias, sem precisar carregar uma pilha de discos. Em qualquer lugar a que você vá onde existam caixas de som conectadas à estrada você poderá se identificar e usufruir de seus direitos. Você não terá permissão para alugar uma sala de concertos e tocar a gravação da música ou colocá-la em um anúncio. Mas, em qualquer situação não comercial, onde quer que vá você terá o direito de tocar a canção sem pagamento adicional ao detentor dos direitos de reprodução. Da mesma forma, a estrada poderia registrar se você comprou o direito de ler determinado livro ou ver um filme. Se assim for, você poderá chamá-lo a qualquer momento, de qualquer terminal, em qualquer lugar.

Essa compra pessoal de direitos para toda vida é semelhante ao que fazemos hoje quando compramos um disco ou livro, exceto que não há meio físico envolvido. Parece reconfortantemente familiar.

Porém, há muitas outras maneiras de vender o prazer da música ou outra informação.

Uma canção, por exemplo, poderia ser colocada à disposição na base do pagamento por audição. Cada vez que você a escutasse, sua conta debitaria uma pequena quantia, digamos cinco centavos. Com essa taxa, custaria sessenta centavos para ouvir um disco de doze faixas. Você teria de tocar todo o disco 25 vezes para gastar quinze dólares, o preço de um CD. Se você gostasse apenas de uma faixa do disco, poderia tocá-la trezentas vezes pelos seus quinze dólares. Uma vez que a informação digital é tão flexível, à medida que a qualidade de áudio progrida você não terá de pagar pela mesma música novamente, como aconteceu quando as pessoas tiveram de comprar CDs para substituir os LPs em suas discotecas.

Serão experimentados vários sistemas de pagamento. Poderemos ter entretenimento digital com uma data de vencimento ou que permita apenas um certo número de audições antes que tenha de ser comprado novamente. Uma companhia gravadora poderia oferecer um preço muito baixo por uma canção, mas permitir apenas dez ou vinte audições dela. Ou poderia deixar que você escutasse gratuitamente uma canção — ou jogasse um jogo que vicie — dez vezes antes de perguntar se você quer comprar. Esse tipo de uso "demo" [de demonstração] poderia substituir parte das funções exercidas pelas rádios atualmente. Um autor poderia permitir que você mandasse uma canção pelo correio para uma amiga, mas ela poderia ouvi-la somente umas poucas vezes antes de ser cobrada. Um grupo musical poderia ter um preço especial, muito mais baixo do que se cada um de seus álbuns fosse comprado separadamente, para um comprador que quisesse toda a sua obra.

Mesmo hoje, o pagamento por informações no setor de entretenimento não deixa de ter suas nuances. O limitado valor temporal dessa informação afeta a maneira como editores e estúdios cinematográficos colocam seus produtos no mercado. As editoras de livros americanas costumam fazer dois lançamentos, um em capa dura e outro em edição de bolso. Se o consumidor quer um livro imediatamente e pode pagar por isso, ele desembolsa vinte ou trinta dólares por seu exemplar. Ou então espera entre seis meses e dois anos para comprar o mesmo livro em formato mais barato e duradouro, por cinco ou dez dólares.

Os filmes de sucesso são apresentados, pela ordem, nos cinemas principais, em salas secundárias, em hotéis, no sistema *pay-per-view* [modalidade de TV por assinatura em que o assinante paga por programa assistido] e em aviões. Depois são lançados em vídeo, canais de TV por assinatura, como a HBO, e, finalmente, nas redes de televisão. Mais tarde ainda, aparecem nas TVs locais e canais comuns de TV a cabo. Cada nova forma leva o filme a uma platéia diferente, enquanto quem perdeu as exibições anteriores (por acaso ou de propósito) aproveita a nova oportunidade.

Na estrada, várias janelas de exibição serão certamente experimentadas. Quando um filme, título de multimídia ou livro eletrônico quente for lançado, poderá haver um período inicial durante o qual seu preço terá um ágio. Haverá gente disposta a pagar caro, talvez até trinta dólares, para ver um filme por ocasião de sua *première*. Depois de uma semana, um mês, ou uma temporada, o preço cairá para os três ou quatro dólares que nos cobram hoje pelo aluguel de um filme. Os profissionais de marketing talvez tentem algumas coisas extravagantes. Você só poderia ver um filme em seu primeiro mês de exibição, por exemplo, se estivesse entre os mil espectadores que oferecessem os lances mais altos em um leilão eletrônico na estrada. No extremo oposto, se o seu cadastro mostrasse que costuma comprar cartazes de filmes e mercadorias relacionadas com o que assiste, você poderia obter c ertos filmes quase de graça ou com poucas interrupções comerciais. Compras de vídeos de *A pequena sereia* ou *Aladim* e produtos associados poderiam fazer com que a Disney permitisse que todas as crianças do mundo pudessem ver seus filmes de graça ao menos uma vez.

A possibilidade de transferir informação será outra grande questão no estabelecimento de preços. A estrada permitirá a transferência de direitos de propriedade intelectual de uma pessoa para outra à velo-

cidade da luz. Quase todas as músicas, coisas escritas e outras propriedades intelectuais armazenadas em discos ou livros ficam sem uso a
maior parte do tempo. Quando você não está usando sua cópia de
Thriller ou de *A fogueira das vaidades*, é bem provável que ninguém mais
o esteja. As editoras contam com isso. Se o comprador médio empres-
tasse seus discos e livros freqüentemente, poucos exemplares seriam
vendidos e os preços seriam mais altos. Se supusermos que um disco é
usado, digamos, 0,1% do tempo, o empréstimo "à velocidade da luz"
poderia dividir por mil o número de cópias vendidas. O empréstimo
será possivelmente restringido de forma que os usuários só poderão em-
prestar um exemplar talvez até dez vezes por ano.

As bibliotecas públicas serão no futuro lugares onde qualquer pessoa poderá sentar e usar equipamento de alta qualidade para obter
acesso aos recursos da estrada. As administrações das bibliotecas poderão usar os recursos orçamentários que hoje servem para comprar livros,
discos, filmes e assinaturas para financiar os direitos autorais pagos para
usar materiais educacionais eletrônicos. Os autores talvez abram mão
de uma parte ou de todos os direitos se suas obras forem usadas numa
biblioteca.

Novas leis de direitos autorais serão necessárias para esclarecer os
direitos do comprador sobre o conteúdo, sob diferentes arranjos. A estrada vai nos forçar a pensar mais explicitamente sobre que direitos os
usuários têm à propriedade intelectual.

Os vídeos, que tendem a ser assistidos apenas uma vez, continuarão a ser alugados, mas não em lojas. Os consumidores provavelmente
irão à estrada para encontrar filmes e outros programas, que estarão
disponíveis sob encomenda. As videolocadoras e lojas de discos de
bairro enfrentarão um encolhimento de mercado. As livrarias continuarão a estocar livros impressos durante muito tempo, mas obras de
não-ficção e, em especial, materiais de referência serão provavelmente
muito mais usados em forma eletrônica do que impressa.

Mercados eletrônicos eficientes vão mudar muito mais do que a
simples proporção entre aluguel e compra de artigos de diversão.

Quase todas as pessoas e empresas que funcionam como intermediários sentirão a pressão da competição eletrônica.

Um advogado de cidade pequena enfrentará uma nova concorrência quando os serviços jurídicos estiverem disponíveis por videoconferência na rede. Uma pessoa que esteja comprando uma propriedade talvez decida consultar um advogado especialista em direito imobiliário do outro lado do país, em vez de usar os serviços de uma advogada local não especializada. Por outro lado, os recursos da estrada permitirão que essa advogada local faça um treinamento e se torne capacitada em qualquer especialidade de sua escolha. Ela poderá competir nessa especialidade graças ao seu menor custo administrativo. Os clientes também serão beneficiados. Os preços para executar tarefas legais de rotina, tais como a redação de testamentos, diminuirão graças à eficiência e especialização do mercado eletrônico. A estrada também será capaz de fornecer, por meio do vídeo, complicados serviços de consulta médica, financeira e outras. Esses serviços serão convenientes e populares, especialmente quando curtos. Será muito mais fácil marcar uma reunião e ligar sua televisão ou computador para um encontro de quinze minutos do que ir de carro até algum lugar, estacionar, sentar numa sala de espera e depois dirigir de volta até seu escritório ou casa.

Videoconferências de todo tipo tornar-se-ão (cada vez mais) alternativas melhores do que ter de voar ou dirigir até uma reunião. Quando você for a algum lugar, será devido à importância de ter um encontro pessoal, ou porque alguma coisa agradável exige que você esteja presente fisicamente. As viagens de negócios talvez diminuam, mas as de lazer crescerão, pois as pessoas poderão tirar férias trabalhando, sabendo que podem estar conectadas a seus escritórios e lares por meio da estrada.

A indústria do turismo irá mudar, ainda que a quantidade total de viagens possa permanecer igual. Os agentes de viagem, tal como todos os profissionais cuja função era oferecer acesso especializado a informações, terão de agregar valor de novas maneiras. Atualmente os agentes pesquisam a disponibilidade de esquemas de viagem usando bancos de dados e livros de referência aos quais os clientes não têm acesso. Uma vez familiarizados com o poder da estrada e com toda a informação que ela conterá, muitos viajantes vão preferir fazer suas próprias pesquisas.

Os agentes de viagem espertos, experientes e criativos prosperarão, mas irão se especializar e fazer mais do que reservas. Digamos que você quer visitar a África. Como você mesmo poderá encontrar as passagens mais baratas para o Quênia, a agência de turismo terá de proporcionar algo mais. Talvez ela cuide apenas de viagens para a África Oriental e, assim, será capaz de lhe informar aquilo de que outros clientes gostaram mais, ou que o Parque Nacional de Tsavo está lotado demais, ou que, se você está realmente interessado em ver manadas de zebras, será melhor visitar a Tanzânia. Alguns desses funcionários talvez decidam se especializar em viagens para suas próprias cidades. Um agente de Chicago poderia oferecer pela rede serviços para as pessoas do mundo todo que quisessem visitar sua cidade, em vez de vender passagens para seus conterrâneos que queiram visitar outros lugares. Os clientes não o conheceriam, mas ele certamente conheceria Chicago, o que talvez fosse mais importante.

Embora os jornais de hoje tenham um longo futuro pela frente, o jornalismo enquanto negócio se alterará fundamentalmente quando o consumidor tiver acesso à estrada. Nos Estados Unidos, os jornais diários dependem de anúncios locais para a maior parte de sua receita. Em 1950, quando os aparelhos de televisão ainda eram uma novidade, os anúncios de âmbito nacional representavam 25% da receita publicitária dos jornais. Em 1993, esses anúncios contribuíam com apenas 12%, em larga medida devido à concorrência da televisão. A quantidade de jornais diários nos EUA diminuiu drasticamente, e a responsabilidade de financiar os que restaram passou para o varejo local e para os anúncios classificados. Esse tipo de anúncio realmente não funciona no rádio ou na televisão. Em 1950, apenas 18% da receita publicitária dos jornais diários vinha dos classificados, mas em 1993 essa participação subiu para 35% e representava bilhões de dólares.

A estrada proporcionará maneiras alternativas e mais eficientes para que vendedores e compradores individuais se encontrem. Quando a maioria dos consumidores de um mercado usar o acesso eletrônico para fazer compras, os anúncios classificados estarão ameaçados. Isso significa que boa parte da receita dos jornais poderia estar em perigo. Porém isso não significa que os jornais irão desaparecer da noite para o dia, que as empresas jornalísticas não possam continuar a ser contendores importantes e lucrativos no fornecimento de notícias e anúncios. Mas, tal como todas as empresas que desempenham um papel de intermediário ou agente, elas terão de estar atentas às mudanças e aproveitar suas qualidades peculiares para ter sucesso no mundo eletrônico.

A atividade financeira é outra área destinada a mudar. Há cerca de 14 mil bancos nos Estados Unidos que atendem no varejo. A maioria das pessoas utiliza bancos que têm uma agência perto de suas casas ou no trajeto que fazem de casa para o trabalho. Embora pequenas diferenças de taxas de juros e tarifas de serviços possam fazer alguém mudar de um banco para outro, poucos clientes pensariam em mudar sua conta para uma agência que ficasse a vinte quilômetros de seu caminho. Hoje, mexer com seus negócios bancários consome muito tempo.

Mas quando a estrada tornar a localização geográfica menos importante, veremos bancos eletrônicos on-line que não terão agências — sem tijolos, sem argamassa e com tarifas baixas. Esses bancos eletrônicos, de baixo custo administrativo, serão extremamente competitivos, e as transações se farão por meio de computadores. Haverá menos necessidade de dinheiro vivo porque a maioria das compras será feita com micros de bolso ou com um "cartão inteligente" eletrônico que combinará as características de um cartão de crédito, cartão de caixa eletrônico e talão de cheques. Isso tudo está chegando no momento em que os bancos norte-americanos já estão se consolidando e se tornando mais eficientes.

A diferença entre as taxas de juros oferecidas para depósitos grandes e pequenos vai diminuir. Com as comunicações disponíveis na estrada, um novo tipo de intermediário poderá agregar pequenos clientes com eficiência e conseguir para eles uma taxa muito próxima da oferecida aos grandes depositantes. As instituições financeiras poderão especializar-se: um banco talvez decida fazer somente empréstimos para automóveis, enquanto outro se concentre para barcos. Haverá tarifas para tudo isso, mas a estrutura tarifária se baseará numa competição ampla e eficiente.

Não faz muito tempo, um pequeno investidor não conseguia colocar seu dinheiro em algo mais que uma caderneta de poupança. O mundo das ações — e dos fundos mútuos, *penny stocks*, papéis comerciais, debêntures e outros instrumentos misteriosos — estava simplesmente fora do alcance de quem não fosse íntimo de Wall Street.

Mas isso foi antes de os computadores mudarem as coisas. Hoje, listas de corretores "de desconto" enchem as Páginas Amarelas e um bom número de investidores faz suas compras de ações de um terminal no banco local ou por telefone. À medida que a estrada ganhar em eficiência, as opções de investimento proliferarão. Os corretores, tal como outros intermediários cujo trabalho era apenas o de acompanhar uma transação, terão provavelmente de fazer algo mais além de comprar títulos. Eles agregarão valor sendo inteligentes. As companhias de serviços financeiros ainda prosperarão. A economia básica da atividade mudará, mas o volume de transações vai disparar quando a estrada der ao consumidor médio acesso aos mercados financeiros. Investidores com quantias relativamente pequenas obterão uma melhor assessoria e terão oportunidades para lucrar com os tipos de investimento disponíveis hoje em dia apenas para instituições.

Quando faço prognósticos sobre as mudanças futuras em uma atividade econômica, as pessoas se perguntam muitas vezes se a Microsoft planeja entrar naquele ramo. A competência da Microsoft está em criar grandes produtos de software e os serviços de informação que os acompanham. Não vamos nos transformar em um banco ou loja.

Certa vez, quando me referi aos bancos de dados de uma instituição financeira como "dinossauros", um repórter escreveu um artigo dizendo que eu achava que os próprios bancos eram dinossauros e que queríamos competir com eles. Passei um ano viajando pelo mundo, dizendo aos bancos que fui mal interpretado. A Microsoft defronta-se com desafios e oportunidades suficientes no ramo de negócios que conhece — seja suporte empresarial, criação de programas, software para trabalho em grupo para os servidores da Internet ou qualquer outro setor de nossas atividades.

Nosso sucesso no mundo dos microcomputadores veio do trabalho em parceria com grandes companhias como Intel, Compaq, Hewlett Packard, DEC, NEC e dezenas de outras. Até mesmo a IBM e a Apple, nossas concorrentes ocasionais, contaram com grande cooperação e apoio de nossa parte. Criamos uma empresa que era dependente de parceiros. Apostamos que alguém diferente de nós faria excelentes chips, construiria ótimos micros, faria uma grande distribuição e integração. Pegamos uma fatia estreita e nos concentramos nela. Neste novo mundo, queremos trabalhar com empresas de todos os ramos para ajudá-las a aproveitar ao máximo as oportunidades que a revolução da informática trará.

A mudança atingirá uma atividade após outra, e as mudanças são perturbadoras. Alguns intermediários que tratam da informação ou distribuição de produtos descobrirão que eles não mais agregam valor e mudarão de ramo, enquanto outros estarão à altura do desafio da concorrência. Há um número quase infinito de tarefas não realizadas em serviços, educação e assuntos urbanos, para não falar da força de trabalho que a própria estrada exigirá. Assim, essa nova eficiência criará todo tipo de oportunidade de trabalho interessante. E a estrada, que colocará uma imensa quantidade de informação nas mãos de qualquer um, será uma valiosa ferramenta de treinamento. Quem decidir mudar de carreira e consultar o computador, terá acesso aos melhores textos, às melhores palestras e informações sobre exigências, exames e créditos de cursos. Haverá transtornos. Porém, o conjunto da sociedade se beneficiará com essas mudanças.

O capitalismo, demonstravelmente o maior dos sistemas econômicos construídos, provou na década passada suas vantagens sobre os sistemas alternativos. A estrada irá ampliar essas vantagens. Ela permitirá aos que produzem bens ver, com muito mais eficiência do que antes, o que os compradores querem, e permitirá que os consumidores em potencial comprem esses bens de modo mais eficiente. Adam Smith ficaria contente. Mais importante que isso, os consumidores do mundo todo gozarão os benefícios.

9

EDUCAÇÃO: O MELHOR INVESTIMENTO

O s grandes educadores sempre souberam que aprender não é algo que você faz apenas na sala de aula ou sob a supervisão de professores. Hoje, é por vezes difícil para quem quer satisfazer sua curiosidade ou resolver suas dúvidas encontrar a informação apropriada. A estrada dará a todos nós acesso a informações aparentemente ilimitadas, a qualquer momento e em qualquer lugar que queiramos. É uma perspectiva animadora porque colocar essa tecnologia a serviço da educação resultará em benefício para toda a sociedade.

Há quem receie que a tecnologia irá desumanizar a educação formal. Mas quem quer que tenha visto crianças trabalhando juntas em torno de um computador, do jeito que meus amigos e eu fazíamos em 1968, ou tenha observado intercâmbios entre estudantes separados por oceanos sabe que a tecnologia pode humanizar o ambiente educacional. As mesmas forças tecnológicas que tornarão a aprendizagem tão necessária também a farão funcional e agradável. As corporações estão se reinventando em torno das oportunidades flexíveis proporcionadas pela tecnologia da informação; as salas de aula terão de mudar também.

O professor Howard Gardner, da Harvard Graduate School of Education, afirma que crianças diferentes devem ser ensinadas diferentemente, porque os indivíduos compreendem o mundo de diferentes maneiras. A educação produzida em massa não pode dar conta das variadas maneiras de encarar o mundo das crianças. Gardner recomenda que as escolas "se encham de aprendizados, projetos e tecnologias" para que cada tipo de aprendiz tenha o seu lugar. Descobriremos abordagens diferentes do ensino porque as ferramentas da estrada viabilizarão tentar diversos métodos e medir a sua eficácia.

Da mesma forma que permite agora que a Levi Strauss & Co. ofereça jeans que são, ao mesmo tempo, produzidos em escala industrial e sob encomenda, a tecnologia da informação trará a aprendizagem sob medida e em massa. Os documentos em multimídia e as ferramentas de criação de uso fácil permitirão aos professores "uma adequação em massa" do currículo. Tal como no caso do blue jeans, isso será possível porque os computadores darão sintonia fina ao produto — neste caso, material educativo — para permitir que os estudantes sigam caminhos um pouco divergentes e aprendam de acordo com seu próprio ritmo. Isso não vai acontecer somente nas salas de aula. Qualquer estudante poderá gozar da conveniência de uma educação sob medida a preços de produção em série. Os trabalhadores poderão manter-se atualizados sobre as técnicas de seus campos de atividade.

Todos os membros da sociedade, inclusive as crianças, terão mais facilmente informações à mão do que qualquer pessoa tem hoje. Acredito que a simples disponibilidade da informação acenderá a curiosidade e a imaginação de muita gente. A educação tornar-se-á uma questão muito individual.

Há um temor freqüentemente expresso de que a tecnologia substitua os professores. Posso dizer enfática e inequivocamente que NÃO. A estrada não vai substituir ou desvalorizar nenhum dos talentos educacionais humanos necessários aos desafios do futuro: professores interessados, administradores criativos, pais envolvidos e, é claro, alunos diligentes. A tecnologia será essencial, porém, no futuro papel dos professores.

A estrada reunirá os melhores trabalhos de incontáveis professores e autores para que todos compartilhem deles. Os professores poderão tomar por base esse material e os estudantes poderão explorá-lo interativamente. Chegará um momento em que esse acesso ajudará a disseminar oportunidades educacionais e pessoais até mesmo entre estudantes que não tiverem a felicidade de freqüentar as melhores escolas. Ele estimulará a criança a extrair o máximo de seus talentos naturais.

Antes que os benefícios desses avanços se materializem, contudo, será preciso mudar a maneira de encarar os computadores nas salas de aula. Muita gente desdenha a tecnologia educacional porque ela teve publicidade demais e não cumpriu suas promessas. Muitos dos micros em uso hoje nas escolas não são suficientemente potentes para serem fáceis de usar e não têm a capacidade de armazenamento ou conexões de rede para que possam responder à curiosidade de uma criança bem informada. Até agora, a educação não foi alterada pelos computadores de forma abrangente.

A lentidão das escolas em adotar tecnologia reflete, em parte, o conservadorismo de boa parte do *establishment* educacional. Isso reflete o desconforto ou mesmo a apreensão por parte dos professores e administradores que, enquanto grupo, são mais velhos que o trabalhador médio. Reflete também as quantias minúsculas que os orçamentos escolares municipais das escolas destinaram para a tecnologia educacional.

A escola primária ou secundária média nos Estados Unidos está bastante atrás da empresa americana média no acesso à nova tecnologia da informação. Crianças em idade pré-escolar, familiarizadas com telefones celulares, bips e microcomputadores entram em jardins-de-infância onde o que há de mais avançado são quadros-negros e retro-projetores.

Reed Hundt, presidente da Comissão Federal de Comunicações [Federal Communications Comission, ou FCC] dos EUA teceu comentários sobre isso. "Há milhares de prédios neste país em que milhões de pessoas não têm telefones, televisão a cabo e nenhuma perspectiva razoável de serviços de banda larga", disse ele. "Eles chamam-se escolas."

Apesar dessas restrições, uma mudança genuína vai acontecer. Não será da noite para o dia. Diante dela, os padrões básicos de educação permanecerão os mesmos. Os alunos continuarão a freqüentar aulas, escutar os professores, fazer perguntas, participar em trabalhos individuais ou de grupo (inclusive em experiências práticas) e fazer lições em casa.

Parece haver um compromisso universal de ter mais computadores nas escolas, mas o ritmo em que eles estão sendo fornecidos varia de país para país. Apenas alguns deles, como a Holanda, já têm computadores em quase todas as escolas. Na França e em muitos outros lugares, embora poucas instalações tenham sido feitas, os governos prometeram que vão equipar todas as salas de aula com computadores. Grã-Bretanha, Japão e China começaram o processo de incorporar a tecnologia da informação aos seus currículos nacionais, com foco em treinamento vocacional. Acredito que a maioria dos países decidirá fazer maiores investimentos em educação, e o uso do computador nas escolas vai emparelhar-se ao uso em residências e empresas. Com o tempo — mais longo nos países menos desenvolvidos —, veremos provavelmente computadores instalados em todas as salas de aula do mundo.

O custo dos hardware fica mais barato quase que a cada mês e o software educativo se torna bastante acessível quando comprado em quantidade. Muitas companhias de cabo e telefone dos Estados Unidos já prometeram conexões de rede gratuitas ou com preço reduzido para escolas e bibliotecas de suas áreas. A Pacific Bell, por exemplo, anunciou planos para fornecer serviço de RDSI gratuitamente para todas as escolas da Califórnia durante um ano, e a TCI e a Viacom oferecem cabos gratuitos para escolas em todas as comunidades servidas por elas.

Embora uma sala de aula vá continuar a ser uma sala de aula, a tecnologia transformará uma porção de detalhes. O aprendizado na sala de aula incluirá apresentações de multimídia e as lições para casa compreenderão a exploração de documentos eletrônicos tanto quanto livros escolares, talvez mais ainda. Os estudantes serão estimulados a seguir áreas de interesse específico e lhes será fácil fazê-lo. Cada aluno poderá ter suas questões respondidas simultaneamente com as de outros alunos. A turma passará uma parte do dia no microcomputador explorando informações individualmente ou em grupos. Depois, os estudantes levarão suas idéias e questões sobre as informações que descobriram ao professor, que decidirá para quais questões deverá chamar a atenção de toda classe. Enquanto os alunos estiverem nos computadores, o professor estará livre para trabalhar com indivíduos ou grupos pequenos e concentrar-se menos em falar e mais na resolução de problemas.

Os educadores, como tantos profissionais na economia atual, são, entre outras coisas, facilitadores. Como muitos outros trabalhadores, terão de se adaptar e readaptar à mudança das condições. Porém, ao contrário de outras profissões, o futuro do magistério parece extremamente promissor. À medida que as inovações melhoraram o padrão de vida, houve um crescimento no segmento da força de trabalho dedicada à educação. Os educadores que trouxerem energia e criatividade para a sala de aula prosperarão. O mesmo acontecerá com os professores que estabelecerem relações fortes com as crianças, pois elas adoram aulas dadas por adultos que se preocupam genuinamente com elas.

Todos nós tivemos professores que se diferenciaram. Tive um grande professor de química no colégio que sabia tornar sua matéria muitíssimo interessante. A química parecia fascinante em comparação com a biologia, por exemplo, onde dissecávamos sapos — na verdade, retalhávamos os bichinhos — e nosso professor não explicava por quê. Meu professor de química tornava sua matéria um pouco sensacionalista e prometia que ela nos ajudaria a entender o mundo. Quando tinha vinte e poucos anos, li *Biologia molecular do gene*, de James D. Watson, e decidi que minha experiência de colégio me enganara. O entendimento da vida é uma grande matéria. A informação biológica é a mais importante que podemos descobrir porque nas próximas décadas ela vai revolucionar a medicina. O DNA humano é como um programa de computador, mas muito mais avançado do que qualquer software jamais inventado. Espanto-me agora que um grande professor tornasse a química infinitamente envolvente, enquanto me parecia a biologia desinteressante.

Quando um professor faz um trabalho excelente e prepara materiais maravilhosos, apenas suas poucas dezenas de alunos anualmente se beneficiam. É difícil para professores em diferentes localidades conhecerem o trabalho uns dos outros. A rede permitirá que os mestres compartilhem lições e materiais, de forma que as melhores experiências educacionais se disseminem. Na maioria dos casos, assistir a uma palestra em vídeo é muito menos interessante do que estar de fato na sala com o professor. Mas, às vezes, o valor de poder ouvir um determinado professor supera a perda da interatividade. Há alguns anos, eu e um amigo descobrimos no catálogo da University of Washington videoteipes de uma série de palestras do famoso físico Richard Feynman. Tivemos a chance de assistir às palestras em nossas férias, dez anos depois que Feynman as pronunciou em Cornell. Talvez tivéssemos obtido mais das palestras se estivéssemos na sala de conferências ou pudéssemos fazer-lhe perguntas via uma videoconferência. Mas a clareza de seu pensamento explicava muitos conceitos da física melhor que qualquer livro ou instrutor que eu já tivera. Ele dava vida ao tema. Acho que qualquer pessoa interessada em estudar física deveria ter essas palestras facilmente ao alcance. Com a estrada, haverá muitos desses recursos valiosos à disposição de professores e estudantes.

Se uma professora de Providence, em Rhode Island, tivesse uma maneira particularmente feliz de explicar a fotossíntese, suas anotações de aula e apresentações de multimídia poderiam ser obtidas por educadores de todo o mundo. Alguns professores usarão o material exatamente como ele sai da estrada, enquanto outros se aproveitarão de programas de criação fáceis de usar para adaptar e combinar bits e pedaços do que descobriram. Será fácil obter feedback de outros instrutores interessados, ajudando a refinar a lição. Em pouco tempo, o material aprimorado poderia estar em milhares de salas de aula do mundo todo. Será fácil dizer que materiais têm sucesso, porque a rede será capaz de contar o número de vezes que são acessados, ou consultar os professores eletronicamente. As empresas que quisessem ajudar a educação poderiam proporcionar prêmios de reconhecimento e em dinheiro para os professores cujos trabalhos se destacassem.

É desgastante para um professor preparar materiais interessantes e aprofundados para 25 alunos, seis horas por dia, 180 dias por ano. Isso é particularmente verdadeiro se o fato de os alunos assistirem muito à televisão tiver tornado altas suas expectativas de entretenimento. Posso imaginar um professor de ciências daqui a uma década, trabalhando numa aula sobre o Sol, explicando não só a ciência, mas também a história das descobertas que a tornaram possível. Quando o professor quiser selecionar uma imagem, em foto ou em vídeo, seja um desenho ou um retrato de um grande cientista solar, a estrada lhe permitirá recorrer a abrangentes catálogos de imagens. Trechos de vídeo e animações narradas de fontes incontáveis estarão disponíveis. Levará apenas alguns minutos para montar um show visual que hoje levaria dias para ser organizado. Enquanto ele fala sobre o Sol, imagens e gráficos aparecerão nos momentos apropriados. Se um aluno perguntar sobre a fonte da energia solar, ele poderá responder usando desenhos animados de átomos de hidrogênio e hélio, mostrar erupções e manchas solares ou outros fenômenos, ou chamar à lousa digital um vídeo curto sobre a energia de fusão. Ele terá organizado *links* aos servidores na estrada previamente. Fará uma lista de *links* disponíveis para seus alunos, para que durante o tempo de estudo na biblioteca ou em casa eles possam rever o material de tantas perspectivas quantas forem pertinentes.

Imagine uma professora de artes de colégio usando uma lousa digital para exibir uma reprodução de alta qualidade do quadro *Banhistas em Asnières*, de Seurat, que mostra rapazes descansando às margens do rio Sena na década de 1880, tendo ao fundo barcos a vela e chaminés. A lousa pronunciará o nome da pintura no original francês — *Une baignarde à Asnières* — e mostrará um mapa dos arredores de Paris, com destaque para a cidade de Asnières. A professora poderia usar a pintura, que prenuncia o pontilhismo, para ilustrar o fim do impressionismo. Ou se servirá dela para entrar em temas mais amplos, tais como a vida na França no final do século XIX, a Revolução Industrial ou, até mesmo, o modo como os olhos vêem as cores complementares.

Ela poderia apontar para o chapéu vermelho-alaranjado de uma figura que está na extrema direita da composição e dizer: "Vejam a vibração do chapéu. Seurat enganou o olho. O chapéu é vermelho, mas ele juntou pequenos pingos de laranja e azul. Não dá para ver o azul, a não ser que se olhe bem de perto". Enquanto ela fala, a imagem dá um zoom no chapéu, até que aparece a textura da tela. Com a ampliação, os pontos azuis ficam óbvios e a professora explicará que o azul é o complemento do laranja. Um disco de cores aparecerá na lousa e a professora ou o próprio documento de multimídia explicará: "Cada cor deste disco está na posição oposta à cor complementar. O vermelho está em oposição ao verde, o amarelo ao púrpura e o azul ao laranja. É uma peculiaridade do olho que ao ver uma cor cria uma pós-imagem de sua cor complementar. Seurat usou esse truque para tornar os matizes vermelhos e laranjas do chapéu mais vívidos, salpicando pontos de azul".

Os computadores conectados à estrada ajudarão os professores a monitorar, avaliar e orientar o desempenho dos alunos. Eles continuarão a passar lição para casa, mas em breve esses deveres incluirão referências em hipertexto a material de referência eletrônico. Os estudantes criarão seus próprios *links* e usarão elementos de multimídia em seus trabalhos de casa, que serão então submetidos eletronicamente em um disquete ou através da estrada. Os professores poderão manter um registro cumulativo do trabalho de um aluno que poderá ser examinado a qualquer momento ou compartilhado com outros instrutores.

Programas de computador especiais ajudarão a resumir informações sobre habilidades, progressos, interesses e expectativas dos estudantes. Uma vez supridos com informações suficientes sobre os alunos e liberados do trabalho tedioso de escrita e revisão, os professores terão mais energia e tempo para atender às necessidades individuais dos alunos. Essa informação será usada para criar materiais de aula e lições de casa sob medida. Professores e pais também poderão facilmente examinar e discutir as peculiaridades do progresso de uma criança. Em conseqüência disso — e da disponibilidade comum de videoconferências —, o potencial para uma forte colaboração entre pais e mestres aumentará. Os pais estarão em melhor condição para ajudar seus filhos, seja criando grupos de estudo informais com outros pais, ou buscando ajuda adicional para as crianças.

Os pais também podem ajudar seus filhos na escola ensinando-os a usar o software que utilizam em seus trabalhos. Alguns professores e dirigentes de escolas já estão usando programas comerciais para administrar suas atividades e dar aos estudantes experiência com as ferramentas dos modernos locais de trabalho. A maioria dos estudantes universitários e um número cada vez maior de colegiais preparam seus trabalhos em microcomputadores, com processadores de texto, em vez de usar máquinas de escrever ou escrever a mão. Planilhas eletrônicas e aplicativos de gráficos e tabelas são usados rotineiramente para explicar teorias matemáticas e econômicas e se tornaram padrão na maioria dos cursos de contabilidade. Estudantes e professores descobriram também novos usos para aplicativos comerciais populares. Quem estuda línguas estrangeiras, por exemplo, pode tirar proveito da capacidade dos principais processadores de texto de trabalhar em diferentes idiomas. Esses programas incluem ferramentas suplementares para verificar ortografia e encontrar sinônimos em documentos de múltiplas línguas.

Em algumas famílias, é possível que as crianças estejam apresentando seus pais à computação. Crianças e computadores dão-se muito bem, em parte porque elas não estão condicionadas à maneira instituída de fazer as coisas. Elas gostam de provocar reações, e os computadores são reativos. Os pais se surpreendem, às vezes, pela maneira como seus filhos, até em idade pré-escolar, são atraídos pelos computadores, mas o fascínio faz sentido se você pensar em como uma criança pequena gosta da interação, seja brincando de esconde-esconde com um dos pais, ou mexendo em um controle remoto e observando os canais mudarem.

Gosto de ver minha sobrinha de três anos de idade brincar com *Just grandma and me*, um CD-ROM da Brøderbund baseado em um livro infantil. Ela decorou o diálogo dessa historinha e fala junto com as personagens, imitando a mãe quando lhe lê um livro. Quando minha sobrinha usa o mouse para clicar sobre uma caixa de correio, a caixa se abre e dela salta um sapo; às vezes, aparece uma mão e fecha a porta da caixa. Sua capacidade de influenciar o que vê na tela — para responder à pergunta "o que acontece se eu clicar aqui?" — mantém sua curiosidade acesa. A interatividade, aliada à qualidade subjacente da história, a mantém envolvida.

Sempre acreditei que a maioria das pessoas tem mais inteligência e curiosidade do que as atuais ferramentas de informação as estimulam a usar. A maioria já teve a experiência de se interessar por um assunto e experimentar a gratificação de achar um bom material sobre ele e o prazer de dominar o tema. Mas se a procura de informação não dá em nada, você desanima. Você começa a pensar que jamais irá entender do assunto. E se isso acontecer freqüentemente, especialmente quando criança, seu impulso de tentar vê-se novamente reduzido.

Tive a felicidade de crescer numa família que estimulava as crianças a perguntar. E tive sorte na adolescência ao me tornar amigo de Paul Allen. Logo depois de conhecê-lo, perguntei-lhe de onde vinha a gasolina. Eu queria saber o que significava "refinar" gasolina. Queria saber exatamente como a gasolina movia os carros. Tinha achado um livro sobre o assunto, mas era confuso. Acontece que gasolina era um dos muitos temas de que Paul entendia e ele me explicou de uma maneira que tornou o assunto interessante e compreensível para mim. Pode-se dizer que a gasolina foi o combustível de nossa amizade.

Paul tinha muitas respostas para as coisas sobre as quais eu estava curioso (e também uma grande coleção de livros de ficção científica). Eu estava mais ligado em matemática do que Paul e entendia de software melhor do que ninguém que conhecesse. Éramos recursos interativos um para o outro. Fazíamos ou respondíamos perguntas, desenhávamos gráficos ou chamávamos a atenção um do outro para informações relevantes. Gostávamos de nos desafiar e testar mutuamente. Essa é exatamente a maneira como a estrada irá interagir com os usuários. Digamos que outro adolescente quer saber sobre gasolina, não em 1970, mas daqui a três ou quatro anos. Ele pode não ter a sorte de contar com um Paul Allen por perto, mas se sua escola ou biblioteca tiver um computador conectado a uma substanciosa informação de multimídia, ele poderá se aprofundar o quanto quiser no assunto.

Verá fotos, vídeos e animações explicando como o petróleo é extraído, transportado e refinado. Aprenderá a diferença entre combustível automotivo e de aviação — e, se quiser saber a diferença entre um motor de combustão interna de um carro e a turbina de um jato, tudo que terá de fazer será perguntar.

Poderá explorar a complexa estrutura molecular da gasolina, que é uma combinação de centenas de hidrocarbonetos, e também aprender sobre hidrocarbonetos. Com todos os *links* para conhecimentos adicionais, quem sabe a que temas fascinantes essa exploração o levará?

De início, a nova tecnologia da informação apenas incrementará as ferramentas de hoje. Lousas eletrônicas de parede substituirão a escrita a giz da professora por fontes legíveis e imagens coloridas tiradas de milhares de ilustrações educativas, animações, fotografias e vídeos. Documentos de multimídia assumirão alguns dos papéis hoje desempenhados por livros de texto, testes e outros materiais pedagógicos. E, tendo em vista que os documentos de multimídia estarão conectados a servidores da estrada, eles estarão sempre atualizados.

Os CD-ROMs disponíveis hoje em dia oferecem uma amostra da experiência interativa. O software responde às instruções apresentando informações em forma de texto, áudio e vídeo. Os CD-ROMs já estão sendo utilizados nas escolas e por crianças fazendo suas lições de casa, mas têm limitações que a estrada não terá. Eles podem oferecer pouca informação sobre uma ampla gama de assuntos, tal como uma enciclopédia, ou muita informação sobre um único tema, tal como dinossauros, mas a quantidade total de informação disponível de cada vez está limitada pela capacidade do disco. E, evidentemente, você só pode usar os discos que estejam a sua disposição. De qualquer forma, eles significam um grande avanço em relação aos textos apenas impressos. As enciclopédias de multimídia proporcionam não apenas um instrumento de pesquisa, mas também todo tipo de material que possa ser incorporado aos deveres escolares. Essas enciclopédias estão disponíveis com guias para professores que incluem sugestões sobre como usá-las em classe ou como parte dos deveres. Tenho me entusiasmado ao ouvir professores e estudantes falarem sobre as formas como têm usado nossos produtos; poucas tinham sido previstas por nós.

Os CD-ROMs são um dos precursores da estrada. A World Wide Web da Internet é outra. A Web oferece acesso a informações educacionais interessantes, embora a maior parte ainda seja de puro texto. Professores criativos já estão usando serviços on-line para projetar novos tipos de lições.

Alunos de quarta série da Califórnia fizeram pesquisas on-line em jornais para ler sobre as mudanças que os imigrantes asiáticos têm de enfrentar. A Boston University criou um software interativo para estudantes de grau médio que mostra simulações visuais detalhadas de fenômenos químicos, tais como moléculas de sal dissolvendo-se na água.

A Christopher Columbus Middle School de Union City, Nova Jersey, foi uma escola nascida da crise. No final da década de 80, as notas no exame estadual eram tão baixas e as taxas de ausência e evasão tão altas entre as crianças do distrito escolar que o estado estava pensando em encampá-la. O sistema escolar, os professores e os pais (dos quais mais de 90% eram de origem hispânica e não tinham o inglês como primeira língua) sugeriram um plano inovador de cinco anos para salvar suas escolas.

A Bell Atlantic (a companhia telefônica local) concordou em ajudar a encontrar um sistema multimídia especial em rede de microcomputadores conectando as casas dos alunos com as salas de aula, professores e administradores escolares. A empresa forneceu inicialmente 140 micros multimídia, suficientes para as casas dos alunos de sétima série, para as casas de todos os professores de sétima série e pelo menos quatro por sala de aula. Os computadores entraram em rede e foram conectados à Internet e treinaram-se os professores no uso dos micros. Depois eles montaram cursos de treinamento nos fins de semana para os pais, aos quais a metade deles compareceu, e estimularam os alunos a usar o correio eletrônico e a Internet.

Dois anos depois, os pais estão ativamente envolvidos com o uso que seus filhos fazem dos micros em casa e eles mesmos utilizam o computador para manter contato com os professores e administradores; as taxas de evasão e de ausência estão quase nulas e os estudantes estão tirando notas quase três vezes maiores que a média de todas as escolas urbanas de Nova Jersey em exames padronizados. E o programa foi ampliado para atender todas as escolas médias.

Raymond W. Smith, presidente do conselho e diretor-presidente da Bell Atlantic, comenta: "Acredito que a combinação de um sistema escolar pronto para mudanças fundamentais nos métodos de ensino, pais que apoiavam e queriam participar e a integração cuidadosa mas intensa da tecnologia às salas de aula e aos lares [...] criou uma verda-deira comunidade de aprendizagem na qual o lar e a escola reforçam e apóiam um ao outro".

Na Lester B. Pearson School, um escola secundária canadense que serve um bairro de etnia diversificada em Calgary, British Colum-bia, os computadores são parte integrante de todos os cursos curricu-lares. Para os 1200 alunos, há mais de trezentos computadores e mais de cem diferentes títulos de software em uso. A escola diz que a taxa de evasão, 4%, é a menor do Canadá, onde a média nacional é de 30%. Todo ano, 3500 pessoas a visitam para ver como uma escola secundária pode "incorporar a tecnologia em todos os aspectos da vida escolar".

Quando a estrada estiver em operação, os textos de milhões de li-vros estará disponível. O leitor poderá fazer perguntas, imprimir o texto, lê-lo na tela, ou mesmo ouvi-lo nas vozes que escolher. Ele po-derá fazer perguntas. O texto será seu professor particular.

Os computadores com interfaces sociais calcularão como apresentar informação para que ela seja sob medida para um determinado usuário. Muitos programas de software educacional terão personalidades distintas, e o estudante e o computador virão a se conhecer mutuamente. O estudante perguntará, talvez oralmente: "Quais as causas da Guerra Civil americana?". Seu computador responderá, descrevendo as versões conflitantes: que foi causada principalmente por questões econômicas ou em defesa dos direitos humanos. O tamanho e a abordagem da resposta irá variar, dependendo do estudante e das circunstâncias. O aluno poderá interromper a qualquer momento para pedir ao computador mais ou menos detalhes, ou para pedir uma abordagem completamente diferente. O computador saberá quais informações o estudante leu ou olhou e indicará as ligações ou correlações e oferecerá os *links* apropriados. Se o computador souber que o estudante gosta de ficção histórica, histórias de guerra, música folclórica ou esportes, talvez tente usar esse conhecimento para apresentar as informações. Mas isso será apenas uma maneira de prender a atenção. A máquina, tal como um bom professor humano, não cederá a uma criança que tem interesses desequilibrados. Em vez disso, usará as predileções dela para desenvolver um currículo mais amplo.

Diferentes ritmos de aprendizagem serão contemplados, pois os computadores serão capazes de dar atenção individual a cada um de seus alunos. As crianças com deficiências de aprendizado estarão particularmente bem servidas. Independentemente de sua capacidade ou deficiência, cada aluno poderá trabalhar em seu ritmo próprio.

Outro benefício da aprendizagem com computadores será a maneira como muitos estudantes irão encarar os exames. Hoje, eles são causa de depressão para muitas crianças. São associados a não alcançar o objetivo: "Tirei uma nota ruim", ou "Acabou o tempo antes de eu terminar", ou "Eu não estava preparado". Depois de algum tempo, muitas crianças que não se saíram bem nos testes podem pensar com elas mesmas: "É melhor eu fingir que os exames não têm importância para mim, porque nunca vou me sair bem neles". Os testes podem fazer os estudantes desenvolverem uma atitude negativa em relação a toda a educação.

A rede interativa permitirá que os estudantes se testem a qualquer momento, num ambiente sem riscos. O teste auto-administrado é uma forma de auto-exploração, tal como os testes que Paul Allen e eu costumávamos passar um para o outro. Examinar se tornará uma parte positiva do processo de aprendizagem. Um erro não provocará uma repri- menda; ele acionará o sistema para ajudar o aluno a superar seus erros de compreensão. Se alguém realmente não conseguir progredir, o sis- tema explicará as circunstâncias a um professor. Deverá haver menos apreensão em relação aos testes formais e menos surpresas, porque o autoquestionamento constante dará a cada estudante uma melhor per- cepção de onde ele se encontra.

Muitas empresas de software educacional e de livros escolares já estão fornecendo produtos computadorizados interativos em matemá- tica, línguas, economia e biologia, usados para dar uma formação bá- sica. A Academic Systems, de Palo Alto, Califórnia, por exemplo, está trabalhando num sistema de instrução multimídia interativo para colégios, para ajudar a dar cursos básicos de matemática e inglês. O conceito chama-se "aprendizado mediado" e mistura os métodos tra- dicionais com aprendizagem baseada em computador. Cada aluno co- meça fazendo um teste de nível de conhecimento para determinar quais os tópicos que ele compreende e onde é necessária a instrução. O sistema cria então um plano de aulas personalizado para o estu- dante. Testes periódicos monitoram o progresso do aluno e o plano de aulas pode ser modificado à medida que os conceitos são dominados. O programa pode também informar ao instrutor quais são os proble- mas, e ele pode então dar atenção individual ao aluno. Até agora, a companhia descobriu que os estudantes dos programas-pilotos gostam dos novos materiais de aprendizagem, mas que as turmas mais bem-su- cedidas são aquelas em que o instrutor está mais presente. Esses resul- tados sublinham o fato de que a nova tecnologia, por si mesma, não é suficiente para melhorar a educação.

Alguns pais resistem ao uso de computadores porque acham que não podem acompanhar o que seus filhos estão fazendo e não têm condições de exercer nenhum controle. A maioria deles fica feliz quando uma criança se enrosca num livro absorvente, mas sente menos entusiasmo quando ela passa horas na frente do computador. Eles estão provavelmente pensando nos vídeo games. Um menino pode passar muito tempo jogando vídeo game sem aprender muita coisa. Até agora, investiu-se muito mais em programas voltados para a diversão do que para o ensino. É mais fácil criar um jogo que vicie do que expor a criança, de forma atraente, a um mundo de informações.

Porém, à medida que os gastos dos pais e os estoques de livros escolares passarem a ser material interativo, haverá milhares de novas companhias de software trabalhando com professores para criar materiais de aprendizagem interativos com características de entretenimento. A Lightspan Partnership, por exemplo, está usando talentos de Hollywood para criar programas de animação e ação ao vivo para televisão interativa. A Lightspan espera que suas técnicas de produção sofisticadas capturem e prendam o interesse de jovens espectadores, do jardim-de-infância à sexta série, e os estimulem a passar mais horas por dia aprendendo. Personagens de desenho animado conduzem os estudantes por lições que explicam os conceitos básicos e depois até jogos que os colocam em ação. As lições da Lightspan estão agrupadas por períodos de dois anos e organizadas em séries destinadas a complementar os currículos da escola elementar em matemática, leitura e línguas. Esses programas estarão disponíveis em televisões de casas e centros comunitários, bem como de salas de aula. Até que a televisão interativa esteja amplamente difundida, esse tipo de programa será oferecido para usuários de microcomputadores em CD-ROMs ou através da Internet.

Toda essa informação, no entanto, não irá resolver os graves problemas que muitas escolas públicas enfrentam atualmente, como violência, drogas, altas taxas de evasão, professores mais preocupados com a sobrevivência do que com educação e estudantes esquivando-se de bandidos no caminho para a escola. Antes de nos preocuparmos em oferecer uma nova tecnologia, temos de resolver os problemas fundamentais.

Mas, ao mesmo tempo em que algumas escolas públicas se defrontam com grandes desafios, elas são também nossa maior esperança. Imagine uma situação em que a maioria das crianças das escolas públicas urbanas depende da previdência social, mal consegue falar a língua do país, tem poucas habilidades e pouca esperança. Isso era o que ocoria nos Estados Unidos na virada do século XX, quando milhões de imigrantes tomaram conta das escolas e serviços sociais de nossas grandes cidades.

Contudo, aquela geração e a seguinte alcançaram um padrão de vida sem igual em todo o mundo. Os problemas das escolas americanas não são insuperáveis, apenas muito difíceis. Mesmo hoje, para cada escola pública calamitosa há dezenas de outras bem-sucedidas sobre as quais não se fica sabendo. Mencionei vários exemplos aqui. Está fora do escopo deste livro, mas as comunidades podem, e conseguiram, reconquistar suas ruas e escolas. É preciso sempre um intenso esforço local. Uma rua de cada vez, uma escola de cada vez. Além disso, os pais devem insistir para que seus filhos cheguem à escola prontos para aprender. Se a atitude for "deixe que a escola (ou o governo) cuide disso", então as crianças vão fracassar.

Uma vez estabelecida uma atmosfera positiva para a educação, por mais modesta que seja, então a estrada elevará os padrões educacionais de todos nas gerações futuras. A estrada possibilitará novos métodos de ensino e muito mais opções. Um currículo de qualidade pode ser criado com financiamento governamental e posto à disposição gratuitamente. Fornecedores privados irão competir para melhorar o material gratuito. Os novos fornecedores poderiam ser outras escolas públicas, professores de escola pública ou aposentados abrindo seus próprios negócios, ou algum programa privado de serviços relacionados à estrada e dirigidos às escolas querendo provar suas capacidades. A es-

trada seria uma maneira de as escolas experimentarem novos professores ou utilizarem seus serviços à distância.

A estrada também tornará mais fácil a instrução em casa. Ela permitirá aos pais selecionar algumas aulas de uma gama de possibilidades
de qualidade e ainda manter o controle sobre o conteúdo.

Aprender com o computador será um trampolim para aprender
longe do computador. As crianças pequenas ainda precisarão tocar em
brinquedos e instrumentos com suas mãos. Ver reações químicas na tela
pode ser um bom suplemento para o trabalho manual em um laboratório de química, mas não pode substituí-lo. As crianças precisam de interação pessoal umas com as outras, e com adultos, para aprender habilidades sociais e interpessoais, tais como trabalhar de forma cooperativa.

Os bons professores do futuro farão muito mais do que mostrar às
crianças onde encontrar informações na estrada. Elas ainda precisarão
entender quando investigar, observar, estimular ou agitar. Ainda terão
de desenvolver as habilidades infantis em comunicações orais e escritas, e utilizarão a tecnologia como ponto de partida ou auxílio. Os professores bem-sucedidos atuarão como treinadores, parceiros, escoadou-
ros criativos e pontes de comunicação com o mundo.

Os computadores na estrada serão capazes de simular o mundo,
bem como explicá-lo. Criar ou utilizar um modelo de computador pode
ser uma grande ferramenta educacional. Há vários anos, um professor
da Sunnyside High School, em Tucson, Arizona, organizou um clube de
alunos para criar simulações computadorizadas de comportamentos do
mundo real. Os estudantes descobriram as sinistras conseqüências do
comportamento das gangues fazendo um modelo matemático dele. O
sucesso do clube acabou por levar a uma completa reorganização do
currículo de matemática em torno da idéia de que educar não é fazer as
crianças darem a resposta "certa", mas proporcionar a elas métodos pelos
quais possam decidir se uma resposta é "certa".

O ensino das ciências presta-se particularmente bem ao uso de
modelos. As crianças agora aprendem trigonometria medindo a altura
de montanhas reais. Eles triangulam a partir de dois pontos, em vez de

fazer apenas exercícios abstratos. Já existem vários modelos em computador que ensinam biologia. SimLife, um programa muito conhecido, simula a evolução: as crianças vivenciam o processo, em vez de simplesmente ficarem sabendo dos fatos. Não é preciso ser criança para apreciar esse programa, que permite que você desenhe plantas e animais e depois observe como eles interagem e evoluem para um ecossistema que você também projetou. Maxis Software, a criadora do SimLife, também produz o programa SimCity, que permite que se projete uma cidade com todos os seus sistemas inter-relacionados, como estradas e transporte público. Ao jogar, você se torna o prefeito ou planejador urbano de uma comunidade virtual e se desafia a alcançar seus próprios objetivos em relação à comunidade, em vez de metas impostas artificialmente pelo projeto do software. Você constrói fazendas, fábricas, residências, escolas, universidades, bibliotecas, museus, zoológicos, hospitais, prisões, marinas, auto-estradas, pontes e metrôs. Você tem de enfrentar o crescimento urbano ou catástrofes naturais, tais como incêndios. Você também muda o terreno. Quando você modifica sua cidade simulada com a construção de um aeroporto, ou com aumento de impostos, as modificações podem ter efeitos previsíveis ou imprevisíveis. É uma maneira excelente e rápida de descobrir como o mundo real funciona.

Ou usar uma simulação para descobrir o que está acontecendo fora deste mundo. As crianças podem navegar pelo sistema solar ou galáxia numa espaçonave simulada, brincando com um simulador espacial. Quem achava que não se interessava por biologia, planejamento urbano ou espaço sideral pode descobrir um novo interesse explorando e experimentando com simulações no computador. Quando ficar assim mais interessante, a ciência cativará uma faixa mais ampla de estudantes.

No futuro, estudantes de todas as idades e capacidades poderão visualizar e interagir com informações. Uma classe estudando meteorologia, por exemplo, poderá ver imagens de satélite simuladas com base em um modelo de condições meteorológicas hipotéticas. Os alunos proporão questões hipotéticas, tais como: "O que aconteceria com o tempo do dia seguinte se a velocidade do vento aumentasse para 25 quilômetros por hora?". O computador fará um modelo dos resultados previstos, exibindo as condições meteorológicas simuladas do modo como elas seriam vistas do espaço. Os jogos de simulação se tornarão muito melhores, mas já agora os melhores entre eles são fascinantes e bastante educativos.

Quando as simulações se tornarem completamente realistas, entraremos no campo da realidade virtual. Tenho certeza de que, em algum momento, as escolas terão equipamentos de realidade virtual — ou talvez salas de RV, tal como hoje algumas têm salas de música e teatros —, para que os alunos explorem um lugar, um objeto ou um tema dessa maneira imersa e interativa.

Mas a tecnologia não vai isolar os estudantes. Uma das experiências educacionais mais importantes é a colaboração. Em algumas das salas de aulas mais criativas do mundo, os computadores e as redes de comunicação já estão começando a mudar a relação convencional dos estudantes entre si e entre alunos e professores, ao facilitar o aprendizado colaborativo.

Os professores da Ralph Bunche (Public School 125), no Harlem, criaram uma unidade de ensino assistida por computador para mostrar aos estudantes de Nova York como usar a Internet para pesquisas, como se comunicar com correspondentes eletrônicos de todo o mundo e como colaborar com tutores voluntários na Columbia University. A Ralph Bunche foi uma das primeiras escolas primárias do país a colocar sua *home page* na World Wide Web da Internet. Sua *home page*, obra de um aluno, inclui *links* com o jornal da escola, obras de arte dos estudantes e uma aula sobre o alfabeto russo, por exemplo.

Especialmente no nível universitário, a pesquisa acadêmica tem recebido enorme ajuda da Internet, que tornou mais fácil a colaboração entre instituições e indivíduos distantes. A inovação na informática sempre aconteceu em universidades. Várias delas são centros de pesquisa avançada sobre novas tecnologias de computador e muitas outras mantêm grandes laboratórios de informática que os estudantes usam para trabalho em equipe e trabalhos escolares. Hoje, algumas das

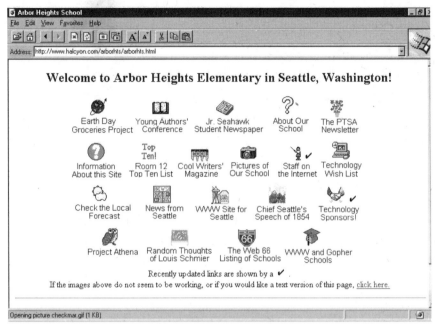

1995: Tela de home page *da World Wide Web, Escola Elementar de Arbor Heights*

home pages mais interessantes da World Wide Web são postadas em nome de universidades do mundo todo.

Algumas universidades aproveitam a rede para usos menos globais. Na Washington University, planos de aula e deveres para algumas classes são colocados na World Wide Web. Anotações de palestras também são publicadas com freqüência na Web, um serviço gratuito que eu teria adorado em meus tempos de faculdade. Em outro lugar, um professor de inglês exige que todos os seus alunos tenham endereços de e-mail e usem o correio eletrônico para participar de discussões fora do horário de aulas. Os estudantes recebem notas por suas contribuições pelo correio eletrônico, tal como acontece com suas contribuições em sala de aula e deveres para casa.

Os estudantes universitários de qualquer lugar já entendem os prazeres do correio eletrônico, tanto para propósitos educativos quanto para se comunicarem de forma barata com familiares e amigos, inclusive colegas de colégio que foram para outras universidades. Cada vez mais os pais de estudantes universitários tornam-se usuários assíduos do e-mail porque parece a melhor maneira de entrar em contato com seus filhos. Até mesmo algumas escolas primárias permitem que seus alunos mais velhos tenham contas na Internet. Em Lakeside, minha antiga escola, a rede escolar está agora conectada à Internet, o que permite que as crianças circulem em busca de informações on-line e mantenham correspondência eletrônica nacional e internacional. Quase todos os alunos de Lakeside pediram contas de e-mail e, num período típico de doze semanas, receberam um total de 259 587 mensagens — uma média de cerca de trinta mensagens por aluno, por semana. Cerca de 49 mil mensagens foram da Internet e os estudantes mandaram 7200 mensagens.

Lakeside não sabe quantas nem o conteúdo das mensagens que cada aluno envia. Algumas relacionam-se com estudos e atividades da escola mas, sem dúvida, muitas delas, inclusive boa parte do trânsito da Lakeside na Internet, têm a ver com outros interesses dos estudantes. A escola não considera isso um abuso do sistema de correio eletrônico, mas sim uma nova maneira de aprender.

Vários alunos de escolas secundárias, tais como os da Public School 125 de Nova York, estão descobrindo como o acesso de longa distância permitido pelas redes de informática podem ajudá-los a aprender com outras culturas, inclusive de outros estudantes, e a participar de discussões mundiais. Muitas salas de aula, em diferentes estados e países, já estão se conectando aos chamados "círculos de aprendizagem". O objetivo da maioria desses círculos é permitir que os alunos estudem um assunto específico, em colaboração com estudantes de outras partes do mundo. Em 1989, quando o Muro de Berlim estava caindo, estudantes da Alemanha Ocidental puderam discutir o acontecimento com seus contemporâneos de outros países. Um círculo de aprendizagem que estava estudando a indústria da pesca da baleia incluiu estudantes Inuit do Alasca, cujas aldeias esquimós ainda dependem da baleia como alimento. Os estudantes de fora da aldeia ficaram tão interessados que convidaram um ancião Inuit para ir à escola e participar de uma discussão do círculo.

Um plano ambicioso para uso por estudantes de redes é o GLOBE

Project, uma iniciativa promovida pelo vice-presidente Al Gore. GLOBE são as iniciais de Global Learning and Observation to Benefit the Environment. A esperança é que ele seja financiado tanto pelos governos quanto pela iniciativa privada. Ele pedirá a alunos de escola primária para colaborarem internacionalmente na coleta de informações científicas sobre a Terra. As crianças coletariam rotineiramente estatísticas sobre coisas como temperatura e pluviometria e as transmitiriam pela Internet e por satélites para um banco de dados central na Administração Oceânica e Atmosférica Nacional, em Maryland, onde seriam utilizadas para criar imagens sintéticas do planeta. A informação sintética seria retransmitida de volta aos estudantes, bem como para cientistas e para o público em geral. Ninguém sabe qual seria o valor científico dos dados, em especial os coletados pelos mais jovens, mas colhê-los e ver as imagens compostas seria uma bela maneira de um grande número de crianças de muitos países aprender sobre cooperação internacional, comunicação e questões ambientais.

1995: Tela de Home Page da World Wide Web, University of Connecticut, exibindo recursos arqueológicos extraídos de diversas fontes

As possibilidades educacionais da estrada também estarão abertas aos estudantes não oficiais do mundo. Qualquer pessoa, em qualquer lugar, poderá assistir aos melhores cursos dados pelos grandes mestres. A estrada tornará a educação de adultos, inclusive cursos profissionalizantes ou de aprimoramento profissional, mais facilmente disponíveis.

Muitos pais, profissionais e líderes comunitários e políticos terão a oportunidade de participar dos processos de ensino, mesmo que seja por uma hora aqui e outra ali. Será prático, barato e, acredito, corriqueiro, que convidados de saber reconhecido conduzam ou participem de discussões, via videoconferências, sem sair de suas casas ou escritórios.

O fato de haver estudantes conectados diretamente à informação ilimitada e conectados uns aos outros levantará questões de diretrizes para as escolas e para a sociedade em geral. Discuti a questão da regulamentação da Internet. Terão os estudantes permissão para levar seus micros portáteis para todas as salas de aula? Terão eles permissão para exploração independente durante discussões em grupo? Se assim for, quanta liberdade deveriam ter? Poderiam procurar uma palavra que não entendem? Deveriam ter acesso a informações que seus pais julguem impróprias segundo critérios morais, sociais ou políticos? Teriam permissão para fazer os deveres de um outro curso? Teriam permissão para mandar bilhetes uns para os outros durante a aula? Deveria o professor monitorar o que está na tela de cada estudante, ou gravar para depois examinar?

Quaisquer que sejam os problemas que o acesso direto à informação ilimitada possa causar, serão mais do que compensados pelos benefícios que trará. Eu gostava da escola, mas segui meus maiores interesses fora da sala de aula. Posso apenas imaginar como o acesso a toda essa quantidade de informação teria mudado minha experiência escolar. A estrada vai mudar o foco da educação da instituição para o indivíduo. O objetivo último evoluirá de obter um diploma para gozar uma vida inteira de aprendizagem.

10

CONECTADO
EM CASA

Um dos muitos temores a respeito da estrada da informação é que ela vai reduzir o tempo que as pessoas dedicam a atividades sociais. Alguns têm a preocupação de que nossas casas se tornem provedoras de lazer tão aconchegantes que nunca sairemos delas e que, protegidos em nossos santuários privados, ficaremos isolados. Não acho que isso vá acontecer e neste capítulo explico por quê.

Estou construindo uma casa repleta de centros avançados de lazer, incluindo um pequeno cinema, e estou instalando um sistema de *video-on-demand*, mas com certeza não planejo ficar em casa o tempo todo. Outras pessoas, quando tiverem lazer a rodo em casa, também continuarão a freqüentar cinemas, da mesma forma que visitarão parques, museus e lojas. Como os comportamentalistas não se cansam de nos lembrar, somos animais sociais. Teremos a alternativa de ficar mais tempo em casa porque a estrada criará muitas novas opções de lazer doméstico, de comunicação — tanto pessoal quanto profissional — e de emprego. Apesar de a combinação de atividades se alterar, creio que as pessoas vão preferir passar quase tanto tempo fora de casa quanto hoje.

No prefácio, mencionei sombrias previsões anticulturais feitas no passado que não se realizaram. Mais recentemente, nos anos 50, houve quem dissesse que os cinemas desapareceriam e que todo mundo ficaria em casa assistindo ao novo invento, a televisão. A TV por assinatura e, mais tarde, as videolocadoras, provocaram temores semelhantes. Por que alguém haveria de gastar o dinheiro do estacionamento e da babá e compraria os refrigerantes e chocolates mais caros do mundo para se sentar no escuro em companhia de estranhos? Mas filmes de sucesso continuam a lotar os cinemas. Pessoalmente, adoro cinema e gosto da experiência de sair e ver um filme. Faço isso quase toda semana e não acho que a estrada da informação vá mudar isso.

As novas capacidades de comunicação farão com que manter contato com os amigos e parentes que se encontram geograficamente longe seja muito mais fácil do que é hoje. Muitos de nós lutamos para manter viva uma amizade com alguém à distância. Eu costumava namorar uma moça que morava em outra cidade. Passávamos muito tempo juntos, usando correio eletrônico. E descobrimos um jeito de, de certa forma, irmos ao cinema juntos. Procurávamos um filme que estivesse passando no mesmo horário em ambas as cidades. Dirigíamos até nossos respectivos cinemas, batendo papo através de nossos telefones celulares. Víamos o filme e, a caminho de casa, usávamos os celulares de novo para discutir o que tínhamos visto. No futuro, este tipo de "namoro virtual" será melhor, porque a projeção do filme poderá ser aliada a uma videoconferência. Já jogo bridge em um sistema on-line que permite que os jogadores vejam quem mais está interessado em jogar: há uma sala de espera e as pessoas têm a facilidade de escolher como querem aparecer para os demais participantes: sexo, corte de cabelo, constituição corporal etc. A primeira vez que me conectei ao sistema, estava com pressa de jogar e não perdi tempo nenhum configurando minha aparência eletrônica. Depois que meus amigos e eu começamos a jogar, todos eles me enviaram mensagens dizendo como eu estava careca e nu (da cintura para cima, a única parte do corpo que aparece). Apesar de este sistema não permitir comunicação de vídeo ou de voz como acontecerá com os do futuro, a possibilidade de mandarmos mensagens uns para os outros durante o jogo o transformou num estouro.

A estrada não apenas fará com que possamos manter amigos distantes como nos permitirá encontrar novos companheiros. Amizades feitas através da rede naturalmente nos levarão a nos encontrarmos pessoalmente. Por enquanto, nossas formas de entrar em contato com aqueles de quem gostamos são bastante limitadas, mas a rede vai mudar isso. Vamos encontrar alguns de nossos novos amigos de maneiras diferentes das que usamos hoje. Só isso já vai tornar a vida mais interessante. Suponha que você queira encontrar alguém com quem jogar bridge. A estrada da informação vai lhe permitir encontrar jogadores com o nível adequado de talento e disponibilidade na vizinhança ou outras cidades e nações. A idéia de jogos interativos jogados por pessoas que se encontram a grande distância umas das outras não é de forma alguma nova. Jogadores de xadrez vêm mantendo partidas pelo correio, um lance de cada vez, há gerações. A diferença é que as aplicações rodando na rede farão com que seja fácil encontrar pessoas que compartilhem os mesmos interesses e também jogar no mesmo ritmo em que vocês jogariam se estivessem frente a frente.

Outra diferença é que, ao mesmo tempo em que joga — digamos, bridge ou Starfighter — você poderá conversar com os outros jogadores. Os novos modems DSVD que discuti antes permitirão que você use uma linha telefônica normal para manter uma conversa com os outros jogadores enquanto vê o jogo se desenrolar na tela de seu monitor.

A experiência de jogar com um grupo de amigos, como acontece na tradicional mesa de baralho, é tão agradável pela companhia quanto pela competição. O jogo é mais divertido quando você gosta da conversa. Algumas empresas estão levando esse conceito de jogo de múltiplos participantes a um novo nível. Você poderá jogar sozinho, com alguns amigos, ou com milhares de pessoas, e poderá ver as pessoas com quem está jogando — se elas quiserem lhe permitir tal coisa. Será fácil localizar um especialista e acompanhar seu jogo, ou receber aulas dele. Na estrada, você e seus amigos serão capazes não apenas de se reunir em volta da mesa, mas também de se "encontrar" em um lugar real, como em Kensington Gardens, ou em um ambiente imaginário.

Você será capaz de jogar um jogo convencional em um local especial, ou jogar um novo tipo de jogo no qual explorar o ambiente virtual faça parte da ação.

Warren Buffett, famoso por sua sensibilidade nos investimentos, é um bom amigo meu. Durante anos tentei imaginar como persuadi-lo a usar um microcomputador. Até me ofereci para ensiná-lo pessoalmente. Ele não se interessou até descobrir que podia jogar bridge com amigos em todo o país através de um serviço on-line. Nos primeiros seis meses, ele chegava em casa e jogava por horas a fio. Apesar de ter se mantido deliberadamente longe da tecnologia e dos investimentos em tecnologia, uma só vez depois de usá-la, foi fisgado. Agora, há muitas semanas em que Warren utiliza os serviços on-line com mais freqüência do que eu. O atual sistema não exige que você informe sua aparência verdadeira ou nome, idade ou sexo. No entanto, parece que a maioria dos usuários são crianças ou aposentados — categorias em que Warren não se enquadra. Um atributo que teve que ser incorporado ao sistema foi um limite que permite que os pais restrinjam a quantidade de tempo (e de dinheiro) que seus filhos gastam conectados.

Acho que os jogos de computador on-line serão um grande sucesso. Teremos uma vasta gama de jogos para escolher, incluindo todos os jogos clássicos de tabuleiro e de cartas, ação e aventuras, bem como de *role-playing games*. Novos estilos de jogos serão inventados especificamente para esta mídia. Haverá concursos com prêmios. De tempos em tempos, celebridades e especialistas entrarão no sistema e todos os demais serão capazes de assistir às celebridades jogando, ou poderão se inscrever para jogar contra elas.

Programas de jogos na TV vão evoluir para um novo patamar quando houver resposta dos espectadores. Os espectadores poderão votar e ver os resultados imediatamente — como os medidores de aplauso usados nos programas de antigamente, como *Rainha por um dia*. Tal formato também possibilitará que prêmios sejam conferidos aos espectadores. Algumas empresas empreendedoras, como a *Answer TV*, por exemplo, já projetaram e testaram sistemas específicos para a

TV interativa, mas, como o sistema tem apenas uma aplicação, ainda não foi capaz de fazer dinheiro. Na estrada da informação, você não terá que comprar hardware ou software especial para interagir com esse tipo de programa de televisão. Imagine os futuros jogos de perguntas e respostas da televisão, que permitirão que os espectadores de casa participem e ganhem dinheiro ou algum tipo de crédito. Os programas poderão até controlar e recompensar membros assíduos do público, oferecendo-lhes troféus ou citando seus nomes, se eles decidirem participar.

Apostas a dinheiro serão outra forma de divertimento na estrada da informação. É um enorme negócio em Las Vegas, Reno e Atlantic City, e praticamente sustenta Mônaco. Os lucros gerados pelos cassinos são inacreditáveis. Mesmo com as estatísticas contra, os jogadores continuam acreditando que vão ganhar. Quando estava na faculdade, gostava de jogar pôquer. Acho que o pôquer é principalmente um jogo de habilidade. Apesar de às vezes jogar *black-jack* quando estou em Las Vegas, os jogos baseados principalmente em sorte não me atraem muito. Talvez pelo fato de o tempo me impor mais limites do que o dinheiro. Se inventassem um jogo que desse aos ganhadores algumas horas adicionais por dia, talvez me atraísse.

Os avanços na tecnologia já tiveram impacto nos jogos de apostas. Uma das primeiras aplicações do telégrafo e, mais tarde, dos letreiros eletrônicos foi noticiar resultados de corridas de cavalos. A transmissão de TV por satélite contribuiu para as apostas fora dos hipódromos. Os projetos das máquinas caça-níqueis sempre refletiram o progresso das calculadoras mecânicas e, mais recentemente, dos computadores. A estrada da informação vai ter um efeito ainda mais significativo nos jogos de apostas, sejam eles legais ou ilegais. É certo que veremos as probabilidades dos jogos colocadas em servidores e no correio eletrônico. A moeda eletrônica será usada para se fazerem apostas e se receberem prêmios.

Jogos de azar são objeto de muitas restrições legais, de modo que é difícil se prever que modalidades serão permitidas na estrada. Talvez passageiros aéreos, presos em aviões sem ter o que fazer, possam jogar uns com os outros. Talvez se exija que os jogadores possam saber suas verdadeiras chances de ganhar em cada jogo. A tecnologia vai permitir que as pessoas apostem em qualquer coisa que quiserem; se for legal, alguém vai prover o serviço. Será possível trazer corridas de cavalo, corridas de cães ou qualquer outro tipo de evento esportivo para dentro de casa, em tempo real, de modo que se mantenha ao menos parte da emoção da pista ou do estádio. Muitos governos levantam recursos através de loterias e no futuro poderão oferecer loterias eletrônicas. A estrada fará com que as apostas fiquem muitíssimo mais difíceis de controlar do que hoje.

É certo que usaremos as possibilidades únicas da estrada para encontrar comunidades de pessoas que tenham os mesmos interesses que nós. Hoje, você pode pertencer a um clube de esqui e assim encontrar outras pessoas que gostem de esqui. Também pode fazer uma assinatura de uma revista especializada, a fim de receber informações sobre novos produtos para o esporte. Amanhã, você poderá se juntar a comunidades como essa na estrada da informação. Ela não apenas vai lhe fornecer instantaneamente informações atualizadas sobre as condições climáticas, mas também será um meio para que você mantenha contato com outros entusiastas.

Quanto maior o número de pessoas em uma comunidade eletrônica, maior valor ela terá para todos que a usam. A maioria dos entusiastas do esqui de todo o mundo participará, ao menos ocasionalmente. Com o tempo, as melhores informações do mundo a respeito de esqui estarão disponíveis eletronicamente. Se você freqüentar a comunidade, descobrirá quais as melhores pistas de Munique, o menor preço de um determinado par de bastões, a última notícia ou anúncio sobre produtos relacionados a esqui. Se alguém tirou fotografias ou gravou um vídeo de uma corrida ou viagem, poderá compartilhá-los. Livros sobre esqui serão analisados por quem quiser. Leis e práticas de segurança serão discutidas. Vídeos de instrução estarão disponíveis de um momento para outro. Documentos multimídia serão acessíveis, de graça, para uma pessoa ou centenas de milhares delas. Tal comunidade na estrada da informação será o lugar certo para se freqüentar se você se interessar por esqui.

Se quiser desenvolver uma melhor condição física antes de tentar uma pista mais íngreme, talvez considere os exercícios mais divertidos se estiver em estreito contato eletrônico com uma dúzia de outras pessoas que tenham sua mesma altura, peso e idade, e que tenham os mesmos objetivos que você no que se refere a exercícios e perda de peso. Você ficará menos constrangido em um programa de exercícios se todos os demais participantes forem parecidos com você. E se continuar constrangido assim mesmo, poderá desligar sua câmera. Membros de tal comunidade podem se encontrar para encorajar uns aos outros e até se exercitar ao mesmo tempo.

A comunidade de esquiadores é bem grande e fácil de se definir. Na estrada da informação, haverá aplicações para ajudá-lo a encontrar pessoas e informações que coincidam com seus interesses, não importa o quanto forem específicas. Se está pensando em visitar Berlim, a estrada vai colocar à sua disposição vastas quantidades de informações históricas, turísticas e sociológicas. Mas também haverá aplicações que lhe permitirão encontrar gente que goste das mesmas coisas que você lá. Você será convidado a registrar seus interesses em bancos de dados que poderão ser analisados por aplicações. Tais aplicações até sugerirão pessoas que você possivelmente gostaria de encontrar. Se você tem uma coleção de pesos de papel feitos de cristal de Veneza, talvez queira fazer parte de uma ou mais comunidades mundiais de pessoas que compartilham esse interesse. Algumas dessas pessoas podem morar em Berlim e ter coleções que adorariam lhe mostrar. Se você tem uma filha de dez anos e a está levando com você para Berlim, talvez queira descobrir se há alguém lá que tenha uma filha de dez anos, fale sua língua e queira passar algum tempo com você durante sua visita. Se encontrar duas ou três pessoas, você terá criado uma pequena — e provavelmente temporária — comunidade de interesse.

Recentemente, fui à África e trouxe uma porção de fotografias de chimpanzés. Se a estrada da informação já estivesse disponível, eu enviaria uma mensagem dizendo que se alguém mais do safári quisesse trocar fotos, deveria pô-las na mesma BBS onde eu pus as minhas. Seria possível configurá-la de forma que só companheiros do safári obtivessem acesso.

Já existem milhares de conferências na Internet e incontáveis fóruns em serviços comerciais on-line funcionando como locais onde pequenas comunidades trocam informações. Por exemplo, na Internet há animados grupos de discussão (usando texto) com nomes como *alt.agriculture.fruit* [sobre frutas], *alt.animals.raccoons* [sobre guaxinins], *alt.asian.movies* [sobre filmes asiáticos], *alt.coffee* [sobre café], *bionet.biology.cardiovascular* [sobre questões cardiovasculares], *soc.religion.islam* [sobre o Islã] e *talk.philosophy.misc* [sobre filosofia]. Mas tais tópicos não são nem de longe tão especializados como alguns dos temas que acredito que as comunidades eletrônicas vão abordar. Algumas comunidades serão muito locais, enquanto outras serão globais. O número de opções não será muito mais avassalador do que o sistema telefônico de hoje. Você vai encontrar um grupo pelo qual tenha interesse genérico e, dentro dele, buscará o pequeno segmento no qual queira entrar. Suponho que a administração de cada município se tornará o foco de uma comunidade eletrônica.

Às vezes fico aborrecido porque um sinal de trânsito perto do meu escritório sempre fica vermelho por mais tempo que acho necessário. Eu poderia escrever uma carta para a prefeitura, dizendo ao pessoal que programa o sinal que os tempos podem ser melhorados, mas seria apenas uma carta esquisita. Por outro lado, se conseguisse encontrar a "comunidade" de pessoas que trafegam na mesma rua, poderíamos enviar à prefeitura uma queixa que mereceria consideração. Poderia encontrar essas pessoas mandando uma mensagem àqueles que moram perto de mim ou postando uma mensagem em uma BBS de assuntos comunitários que mostrasse um mapa do cruzamento junto com uma mensagem: "De manhã, na hora do rush, quase ninguém vira à esquerda neste cruzamento. Alguém mais acha que o ciclo deveria ser reduzido?". Qualquer um que concordasse poderia subscrever minha mensagem. Seria mais fácil lutar com a prefeitura.

À medida que as comunidades on-line crescerem em importância, mais elas se transformarão em pólos de opinião. As pessoas gostam de saber o que é popular, que filmes os amigos estão vendo e que notícias os outros acham interessantes. Quero ler a mesma primeira página de jornal que aqueles que vou encontrar mais tarde, de modo que tenhamos algo em comum sobre o que conversar. Você será capaz de ver que locais da rede estão sendo visitados freqüentemente. Haverá todo tipo de *"hot lists"* com os lugares mais legais.

Entretanto, as comunidades eletrônicas, com todas as informações que oferecem, também criarão problemas. Algumas instituições terão que fazer grandes mudanças, à medida que as comunidades on-line ganharem força. Médicos e pesquisadores já estão sendo obrigados a lidar com pacientes que exploram a literatura médica eletronicamente e comparam seus apontamentos com outros pacientes que têm as mesmas doenças. Comentários sobre tratamentos reprovados ou pouco ortodoxos se espalham rapidamente nessas comunidades. Alguns pacientes, envolvidos em testes de remédios, têm sido capazes de descobrir, comunicando-se com outros pacientes que participam do mesmo teste, que estão recebendo placebo em vez da medicação verdadeira. A descoberta levou alguns deles a abandonar os testes ou procurar outros remédios simultâneos. Isso prejudica a pesquisa, mas é difícil recriminar pacientes que estão tentando salvar suas vidas.

Não são apenas os pesquisadores da área médica que serão afetados por tanto acesso à informação. Uma das maiores preocupações são os pais que têm que lidar com crianças que conseguem descobrir praticamente tudo o que querem, a partir de uma ferramenta doméstica de informação. Hoje, os sistemas de classificação são projetados para permitir o controle dos pais sobre tudo a que os filhos têm acesso. Isso pode se tornar uma questão política importantíssima se os fornecedores de informação não lidarem com o problema corretamente.

No fim das contas, as vantagens vão sobrepujar, em muito, os problemas. Quanto mais informação estiver disponível, mais alternativas teremos. Hoje, os fãs planejam suas noites de acordo com o horário de transmissão de seus programas de televisão favoritos. Já que o *video-on-demand* nos dará a oportunidade de assistir ao que quisermos quando bem entendermos, serão as atividades familiares e sociais, e não os horários de uma emissora, que controlarão nossa agenda de lazer. Antes do telefone, as pessoas concebiam sua vizinhança como sua única comunidade. Quase tudo era feito com aqueles que moravam perto. O telefone e o automóvel permitiram que nos espalhássemos. Talvez hoje as pessoas se encontrem menos do que há um século, mas isso não quer dizer que tenhamos ficado isolados. Ficou mais fácil conversarmos uns com os outros e mantermos contato. Às vezes, chega a ser fácil demais que os outros nos encontrem.

Daqui a dez anos você vai se lembrar com assombro que houve um tempo em que qualquer estranho ou ligação errada podiam interrompê-lo com um telefonema. Hoje, os telefones celulares, *pagers* e aparelhos de fax já obrigam os homens de negócios a tornar explícitas decisões que costumavam ser implícitas. Decisões como as de receber documentos em casa ou telefonemas na rua não precisavam ser tomadas. Recolher-se em casa ou no carro era simples. Com a tecnologia moderna, você passa a decidir onde quer ser encontrado. No futuro, quando for possível trabalhar em qualquer lugar, encontrar qualquer pessoa e também ser encontrado em qualquer lugar, será fácil determinar quem ou o que poderá interrompê-lo. As indicações explícitas dos níveis de acesso tornarão possível o restabelecimento de seu lar — ou qualquer lugar de sua escolha — como seu verdadeiro santuário.

Examinando toda a comunicação entrante, a estrada da informação vai ajudar a filtrar telefonemas, documentos multimídia, correio eletrônico, publicidade e até mesmo notícias. Qualquer um que você tenha aprovado será capaz de chegar a sua caixa de entrada eletrônica ou chamá-lo pelo telefone. Você poderá permitir que certas pessoas lhe enviem mensagens, mas não tenham acesso a seu telefone. Poderá permitir que outros telefonem, mas só em horas em que você não esteja ocupado; outras pessoas poderão ter acesso a qualquer hora. Você não vai querer receber milhares de anúncios indesejáveis todos os dias, mas, se estiver procurando entradas para um concerto que lotou, vai querer ver as respostas a seus pedidos imediatamente. A comunicação entrante virá etiquetada com o remetente e suas características, como anúncios, saudações, pesquisas, publicações, documentos de trabalho ou contas. Você vai criar procedimentos explícitos de entrega. Vai decidir quem pode telefonar durante o jantar, quem vai poder ligar para o carro, ou durante suas férias, e que tipo de telefonema é importante o bastante para acordá-lo no meio da noite. Você poderá fazer qualquer tipo de discriminação, e modificar os critérios quando bem entender. Em vez de dar seu telefone, que pode ser passado adiante e usado indefinidamente, você vai acrescentar o nome da pessoa a uma lista, constantemente atualizada, indicando seu nível de interesse em receber mensagens dela. Se alguém que não constar de suas listas quiser chegar até você, terá que pedir a alguém que conste que lhe envie uma mensagem. Você poderá sempre rebaixar alguém a um nível de prioridade inferior, ou simplesmente removê-lo das listas por completo. Conseqüentemente, para chegar a você, o remetente terá que lhe mandar uma mensagem paga, como discutimos no capítulo 8.

As mudanças na tecnologia vão começar a influir na arquitetura. À medida que mudar a maneira como usamos nossas casas, os edifícios vão evoluir. Monitores de todos os tamanhos controlados por computador serão incluídos nos projetos das casas. Cabos conectando os componentes serão instalados durante a construção, e haverá a preocupação de dispor as telas em relação às janelas de tal forma que não haja reflexão nem ofuscamento. Quando as ferramentas de informação estiverem conectadas à estrada, haverá menos necessidade de coisas físicas — livros de referência, aparelhos de som, CDs, aparelhos de fax, gavetas de arquivos, e caixas para armazenar registros e recibos. Uma porção de trastes consumidores de espaço vai se transformar em informação digital que poderá ser recuperada à vontade. Mesmo velhas fotografias poderão ser armazenadas em formato digital e apresentadas numa tela, em vez de emolduradas na parede.

Tenho pensado muito nesses detalhes porque estou construindo uma casa e, com ela, tentando prever o futuro próximo. Minha casa está sendo projetada e construída para estar um pouco à frente de seu tempo, mas talvez ela contribua um pouco para as construções do futuro. Quando descrevo a planta, as pessoas às vezes me olham de um jeito indagador: "Você tem certeza de que quer fazer isso mesmo?".

Como quase todo mundo que cogita construir uma casa, quero que a minha esteja em harmonia com o ambiente onde se encontra e com as pessoas que vão ocupá-la. Quero que tenha um apelo arquitetônico. Acima de tudo, entretanto, quero que seja confortável. É onde eu e minha família vamos morar. Uma casa é uma companheira íntima, ou, nas palavras do grande arquiteto do século XX, Le Corbusier, "a máquina de morar".

Minha casa é feita de madeira, vidro, concreto e pedra. Está construída na encosta de um morro e a maior parte envidraçada dá para o lago Washington, em Seattle, com vista para o pôr-do-sol e o monte Olympic.

Minha casa também é feita de silício e software.

A instalação de microprocessadores e chips de memória de silício, e o software que lhes dá vida, permitirá que a casa tenha algumas das características que a estrada da informação trará a milhões de lares em alguns anos. A tecnologia que vou usar ainda é experimental hoje, mas, com o tempo, parcelas do que estou fazendo poderão ser amplamente aceitas e se tornar menos caras. O sistema de lazer é uma simulação muito próxima de como funcionará a utilização da mídia, de forma que eu consiga ter uma idéia de como será viver no meio de várias tecnologias.

Não será possível, claro, simular as aplicações da estrada que exigem a conexão de muitas pessoas. Uma estrada da informação privada é um pouco como uma só pessoa ter um telefone. As aplicações realmente interessantes da estrada irão emergir da participação de dezenas ou centenas de milhões de pessoas, que vão não apenas consumir lazer e informação, mas também criá-los. Até que milhões de pessoas estejam se comunicando umas com as outras, explorando assuntos de interesse comum e fazendo todo o tipo de contribuições multimídia, incluindo vídeo de alta qualidade, não haverá uma estrada da informação.

A tecnologia de ponta da casa que estou construindo não será apenas usada como uma prévia de aplicações de lazer. Também vai ajudar a realizar as necessidades básicas de uma casa: aquecimento, luz, conforto, conveniência, prazer e segurança. Essa tecnologia vai substituir antigas técnicas hoje consideradas indiscutíveis. Há muito tempo, as pessoas ainda se assombravam com a idéia de casas com luz elétrica, descarga nos banheiros, telefones e aparelhos de ar-condicionado. Minha meta é uma casa que ofereça lazer e estimule a criatividade em atmosfera relaxante, agradável e acolhedora. Tais desejos não são muito diferentes daqueles de pessoas que podiam se dar ao luxo de ter casas ousadas no passado. Estou fazendo experiências para descobrir o que funciona melhor, o que não deixa de ter, também, uma longa tradição.

Em 1925, quando William Randolph Hearst, o magnata da imprensa norte-americana, mudou-se para seu castelo da Califórnia, em San Simeon, ele almejava o melhor da moderna tecnologia. Naqueles dias, sintonizar o rádio era algo difícil e demorado. Assim, ele instalou vários rádios no porão de San Simeon, cada um sintonizado em uma estação diferente. Os fios dos alto-falantes corriam até a suíte de Hearst no terceiro andar, encontrando-se em um armário de carvalho do século XV. Bastava que Hearst apertasse um botão para que ouvisse a estação que quisesse. Era uma maravilha em sua época. Hoje, esse é um atributo-padrão em qualquer rádio de automóvel.

Não quero, de forma alguma, comparar minha casa com San Simeon, um dos monumentos ao excesso da Costa Oeste. O único paralelo que estou fazendo é que as inovações tecnológicas que tenho em mente para minha casa não são realmente diferentes no espírito daquelas que Hearst queria para a sua. Ele queria informação e lazer, tudo com um simples toque. Eu também.

Comecei a pensar em construir uma casa nova no fim dos anos 80. Queria uma casa bem acabada, mas sem ostentação. Uma casa que alojasse uma tecnologia sofisticada e mutante, mas de forma não invasiva; que deixasse claro que a tecnologia é o servo, não o senhor. Não queria que minha casa fosse pautada pelo uso de tecnologia. Originalmente, a casa foi projetada como uma moradia de solteiro, mas quando Melinda e eu nos casamos, resolvemos modificar a planta para que ficasse mais adequada a uma família. A cozinha foi melhorada para abrigar uma família. Mas os eletrodomésticos não têm uma tecnologia mais avançada do que aquela encontrada em qualquer outra cozinha bem equipada. Melinda também assinalou e corrigiu o fato de que eu tinha um grande estúdio, e nenhum espaço projetado para ela trabalhar.

Encontrei um terreno na margem do lago Washington, suficientemente perto da Microsoft. Em 1990, iniciou-se o trabalho no chalé de hóspedes. Em 1992, começamos a escavar e fazer a fundação da residência principal. Era uma tarefa e tanto, exigindo muito concreto, porque Seattle está situada em uma zona sísmica, no mínimo tão perigosa quanto a Califórnia.

A área útil será mais ou menos a média de uma casa grande. A sala de estar terá cerca de cinco por sete metros, incluindo uma área para assistir à televisão ou ouvir música. Haverá também um espaço aconchegante para uma ou duas pessoas, apesar de haver um salão de recepções para que cem pessoas possam jantar com conforto. Gosto de fazer reuniões para novos empregados da Microsoft ou pessoas contratadas para o verão. A casa terá também um pequeno cinema, uma piscina e uma sala para a cama elástica. Haverá uma quadra de esportes entre as árvores, à beira d'água, atrás de um cais para esqui aquático, um dos meus esportes favoritos. Planejamos um pequeno estuário, alimentado por um lençol freático do morro atrás da casa. Vamos encher o estuário de trutas, e, pelo que me dizem, podemos contar com lontras de água doce.

Se você vier nos visitar, vai dirigir por uma aléia ligeiramente sinuosa que se aproxima da casa através de um bosque alto de bordos e

*Imagem renderizada por computador da futura residência dos Gates,
mostrando a vista noroeste sobre o lago Washington*

amieiros, pontilhado de pinheiros do tipo Douglas. Muitos anos atrás, o húmus de uma área desmatada foi recolhido e espalhado na parte de trás do terreno. Agora, estão florescendo os mais interessantes tipos de plantas. Depois de algumas décadas, à medida que o bosque amadurecer, os pinheiros vão dominar o local, como ocorria com as grandes árvores antes de a área ter sido desmatada pela primeira vez, na virada do século.

Quando parar seu carro na área semicircular em frente à porta principal, verá pouco da casa. É porque você vai estar entrando pelo andar de cima. Ao entrar, receberá um crachá eletrônico para prender na roupa. Esse crachá vai conectá-lo aos serviços eletrônicos da casa. Em seguida, você descerá pelo elevador ou por uma escada que vai em direção da água, tendo um teto de vidro inclinado sustentado por colunas de pinheiro. A casa tem várias vigas e colunas aparentes. Você terá uma ampla vista do lago. Espero que a vista e os pinheiros, à medida que você desce para o andar térreo, despertem mais o seu interesse que o crachá eletrônico. A maior parte da madeira veio de uma usina de tratamento de madeira da Weyerhaeuser de oitenta anos de idade que estava sendo demolida no rio Columbia. Essa madeira, colhida há quase cem anos, veio de árvores de mais de cem metros de altura e entre três e cinco metros de diâmetro. Esse tipo de pinheiro, o Douglas, se considerarmos seu peso, é das madeiras mais resistentes do mundo. Infelizmente, o Douglas jovem tende a rachar se você transformá-lo em colunas, porque as fibras não estão tão comprimidas em uma árvore de setenta anos quanto estão em uma árvore de quinhentos anos. Quase todo o Douglas antigo já foi colhido, e o que resta deve ser preservado. Tive sorte de encontrar toras antigas que podiam ser reutilizadas.

Colunas de pinheiro sustentam os dois andares privativos pelos quais você passa à medida que desce. Privacidade é importante. Quero uma casa que tenha a sensação de lar mesmo quando houver visitas aproveitando outros espaços.

No sopé da escada, o cinema estará à direita e, à esquerda, no lado sul, estará o salão de recepções. Quando entrar no salão de recepções, à sua direita estará uma série de portas de correr que se abrem para um terraço que leva ao lago. Embutidos na parede leste estarão 24 monitores de vídeo, cada um com um tubo de imagem de quarenta polegadas, empilhados em quatro linhas e seis colunas. Esses monitores funcionarão em conjunto, mostrando grandes imagens, seja para fins artísticos, de trabalho ou de diversão. Eu queria que, quando não estivessem em uso, os monitores literalmente sumissem na madeira. Queria que as telas apresentassem uma textura de madeira que reproduzisse o ambiente. Infelizmente, nunca logrei êxito com a tecnologia existente, porque um monitor emite luz, enquanto a madeira autêntica a reflete. Tive, então, que me contentar com que os monitores desaparecessem atrás de painéis de madeira quando não estão em uso.

O crachá eletrônico que você vai usar dirá à casa quem você é e onde se encontra. A casa vai usar tais informações para tentar satisfazer e até prever suas necessidades — tudo da maneira menos invasiva

Imagem renderizada por computador da futura residência dos Gates,
mostrando a escada e a sala de jantar formal

possível. Algum dia, no lugar do crachá, talvez seja possível ser identificado a partir de uma câmera com capacidade para reconhecimento de imagem. Mas isso está além da tecnologia existente. Quando estiver escuro do lado de fora, o crachá fará com que uma área de luz o acompanhe pela casa. Cômodos vazios permanecerão no escuro. À medida que andar por um corredor, talvez não perceba que as luzes à sua frente se acendem gradualmente, enquanto as luzes para trás se apagam. A música também vai se mover junto com você. Parecerá estar por toda parte, apesar de que outras pessoas na casa estarão ouvindo uma música completamente diversa, ou nenhuma. Um filme ou o noticiário também poderão acompanhá-lo ao longo da casa. Se você receber uma chamada telefônica, apenas o aparelho mais próximo tocará.

Você não será afrontado pela tecnologia, mas ela estará disponível de forma fácil e imediata. Controles remotos portáteis lhe darão o domínio do ambiente próximo e do sistema de lazer da casa. O controle expandirá a capacidade do crachá. Não apenas vai permitir identificá-lo e localizá-lo, como também vai aceitar instruções. Você usará o controle para acionar os monitores de uma sala e o que deverão apresentar. Você será capaz de escolher entre milhares de imagens, gravações, filmes e programas de televisão, e terá todo o tipo de opção para selecionar a informação disponível.

Um console, o equivalente a um teclado, estará discretamente visível em todos os cômodos e permitirá que você dê instruções bastante específicas. Quero consoles perceptíveis para quem precisar deles, mas que não chamem a atenção. Uma aparência característica, fácil de identificar, vai fazer com que o usuário reconheça e localize o console. O telefone já fez essa transição. Ele não chama muita atenção, e a maioria de nós se sente bem de pôr um telefone discreto em qualquer mesinha de canto.

Todo sistema computacional deveria ser tão simples e natural de usar que as pessoas nem precisassem pensar neles. Mas o simples é di-

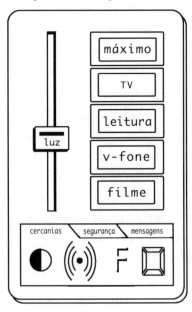

Protótipo de um console de controle doméstico

fícil. Mesmo assim, os computadores ficam mais fáceis de usar a cada ano, e o processo de tentativa e erro em minha casa nos ensinará a criar um sistema verdadeiramente simples. Você poderá ser indireto em suas instruções e pedidos. Por exemplo, você não terá que pedir uma música pelo nome. Você poderá pedir à casa que toque os sucessos do momento, ou canções de um determinado artista, ou as músicas que foram tocadas no festival de Woodstock, ou a música de Viena no século XVIII, ou as canções que tenham a palavra *amarelo* em seus títulos. Você poderá pedir músicas classificadas com um determinado adjetivo, ou outras que nunca tenham sido tocadas para uma determinada visita. Posso programar música clássica como fundo para quando eu estiver descansando ou algo mais moderno e ativo para quando estiver me exercitando. Se você quiser ver o filme que ganhou o Oscar de 1957, pode pedir assim mesmo — e assistir a *A ponte sobre o rio Kwai*. Você poderia encontrar a mesma obra pedindo por filmes estrelados por Alec Guiness ou William Holden, ou que tivessem campos de prisioneiros.

Se você pretende ir a Hong Kong em breve, pode pedir à tela que está no seu quarto que mostre fotos da cidade. Você terá a sensação de que as fotos estão por toda parte, apesar de as imagens só se materializarem nas paredes dos cômodos logo antes de você entrar, desaparecendo logo depois de você sair. Se você e eu queremos coisas diferentes e um de nós entra em um quarto onde o outro está, a casa seguirá regras predeterminadas sobre o que fazer. Por exemplo, a casa poderá manter o som e as imagens da pessoa que já se encontrava no cômodo, ou poderá mudar a programação para algo que agrade aos dois.

Uma casa que monitora seus ocupantes de forma a satisfazer suas necessidades específicas alia duas tradições. A primeira é a do serviço não invasivo, a outra é que um objeto que carregamos nos dá a prerrogativa de determinado tratamento. Você já se acostumou com a idéia de que um objeto pode lhe dar uma autenticação. Ele pode informar as pessoas ou as máquinas de que você tem permissão para fazer algo como abrir uma porta trancada, embarcar num avião ou usar uma linha de crédito específica — a sua — para comprar alguma coisa. Chaves, cartões de ponto eletrônicos, carteiras de habilitação, passaportes, crachás, cartões de crédito e passagens são todos formas de autenticação. Se eu lhe der a chave do meu carro, o carro permite que você entre, dê partida no motor e saia dirigindo. Você poderia dizer que o carro acha que você é de confiança porque você leva suas chaves. Se eu der a um manobrista uma chave que entra no contato, mas não na fechadura do porta-malas, o carro o deixará dirigir, mas não abrir a mala. Não é diferente com minha casa, que lhe dará uma série de confortos de acordo com a chave eletrônica que você tiver.

Nada disso é radical, na verdade. Alguns visionários estão prevendo que, nos próximos dez anos, haverá uma porção de robôs caminhando por aí e nos ajudando em diversas tarefas domésticas. Com certeza não estou me preparando para isso, porque acho que ainda vai demorar muitas décadas até que os robôs se tornem práticos. Os únicos que acho que serão amplamente usados em breve são os brinquedos inteligentes. As crianças poderão programá-los para responder a diferentes situações e até para falar com as vozes de suas personagens preferidas. Tais robôs-brinquedos poderão ser programados de formas restritas. Terão uma visão limitada, saberão a que distância está a parede em todas as direções, a hora, as condições de luz, e aceitarão comandos verbais limitados. Acho que seria legal ter um carro de brinquedo com que eu pudesse falar e programar para responder às minhas instruções. Além de brinquedos, outro uso importante que vejo para dispositivos robóticos são aplicações militares. O motivo pelo qual duvido que robôs inteligentes sejam de grande utilidade nos lares de verdade em futuro próximo é que é necessária grande inteligência visual e destreza para preparar comida ou trocar fraldas. Limpar a piscina, aparar o gramado ou até passar o aspirador podem ser feitos com sistemas relativamente burros, mas uma vez que vamos além de tarefas em que você simplesmente empurra alguma coisa para lá e para cá, é muito difícil projetar uma máquina capaz de reconhecer e responder a todas as contingências que aparecem.

Os sistemas que estou incorporando à casa foram projetados para tornar a vida doméstica mais fácil, mas só saberei com certeza se eles valem a pena depois de me mudar. Estou experimentando e aprendendo o tempo todo. A equipe de projeto usou meu chalé, que foi construído antes da casa, como laboratório de testes para os controles domésticos. Como algumas pessoas gostam da temperatura mais alta do que outras, o software do chalé regula a temperatura de acordo com quem está em seu interior e de acordo com a hora. O chalé sabe que deve estar bem aquecido quando um hóspede levanta da cama em uma manhã fria. De noite, quando está escuro do lado de fora, as luzes do chalé diminuem quando a televisão está ligada. Se alguém está dentro do chalé durante o dia, ele faz com que a luz do lado de dentro fique igual à do lado de fora. É claro que o ocupante sempre pode dar ordens expressas que se sobreponham à regulagem.

Esse tipo de controle pode ser responsável por uma significativa economia de energia. Há diversas companhias elétricas testando uma rede para acompanhar o uso de energia nas residências. Isso acabaria com a dispendiosa prática de mandar funcionários para ler os medidores todos os meses, mas, mais importante, computadores nas casas e na companhia elétrica poderão administrar a demanda de energia a cada minuto em vários momentos do dia. A administração da demanda de energia pode significar grande economia, respeitando o meio ambiente e diminuindo as cargas de pico.

Nem tudo o que tentamos no chalé deu certo. Por exemplo, instalei alto-falantes que desciam do teto quando necessário. As caixas com os alto-falantes ficavam suspensas, longe das paredes, em uma posição ideal em termos acústicos. Mas, depois de experimentar isso no chalé, achei que ficava parecido demais com as engenhocas de James Bond, de modo que, na casa principal, preferimos usar alto-falantes ocultos.

Uma casa que tenta adivinhar o que você quer tem que acertar o bastante para que você não se aborreça com os erros. Fui a uma festa em uma casa que tinha um sistema de controle doméstico computadorizado. As luzes eram programadas para se apagarem às dez e meia, que era a hora em que o dono costumava ir dormir. Às dez e meia, a festa continuava, mas, pontualmente, as luzes se apagaram. O anfitrião ficou fora por um tempo que pareceu muito longo tentando acendê-las novamente. Alguns edifícios de escritório usam detetores de movimento para controlar a iluminação em cada sala. Se não houver nenhum movimento durante um certo tempo, as luzes se apagam. Gente que fica na escrivaninha quase sem se mexer acaba aprendendo a sacudir os braços de vez em quando.

Não é difícil acender e apagar a luz você mesmo. Interruptores de luz são extremamente confiáveis e muito fáceis de usar, de forma que você corre um risco sempre que resolve substituí-los por dispositivos controlados por computador. Você tem que instalar sistemas que funcionem sem problemas por períodos de tempo incrivelmente longos, porque a recompensa em conveniência pode ser eliminada por qualquer falha de confiabilidade ou sensibilidade. Espero que os sistemas da casa sejam capazes de regular as luzes da forma correta. Mas, só por desencargo de consciência, todos os cômodos terão também interruptores de luz que poderão se sobrepor à iluminação decidida pelo computador.

Se você regularmente pedir uma luz incomumente forte ou fraca, a casa vai presumir que é assim que você prefere na maior parte do tempo. Na verdade, a casa vai se lembrar de tudo que aprender acerca de suas preferências. Se no passado você pediu para ver quadros de Henri Matisse ou fotos de Chris Johns na *National Geographic*, talvez você veja outras obras deles nas paredes dos cômodos onde entrar. Se você ouviu concertos para trompa de Mozart na última vez em que esteve na casa, talvez os ouça de novo na próxima. Se você não atende telefonemas quando está jantando, o telefone não vai tocar se a chamada for para você. Também seremos capazes de "dizer" à casa de que uma visita gosta. Paul Allen é fã de Jimi Hendrix e, sempre que aparece, vai ser saudado com um lancinante solo de guitarra.

A casa será equipada para registrar estatísticas das operações de todos os sistemas, de forma que poderemos analisar essa informação e regulá-los.

Quando estivermos todos na estrada da informação, o mesmo tipo de equipamento será usado para contar e monitorar todo tipo de coisa, e as estatísticas serão publicadas para quem se interessar. Já vemos prévias desse tipo de tabulação. A Internet já oferece informação sobre padrões de tráfego local, o que é ótimo para decidir que rota é melhor. Programas noticiosos de televisão freqüentemente apresentam o tráfego como é visto por câmeras em helicópteros e usam esses mesmos helicópteros para estimar a velocidade nas estradas durante a hora do rush.

Um exemplo bobo mas divertido ocorre hoje graças a estudantes programadores em diversos *campi* de faculdades. Eles puseram um sensor na luz que indica "vazio" de uma máquina de refrigerantes e o ligaram a um computador, disponibilizando essa informação na Internet. É uma engenharia meio frívola, mas a cada semana centenas de pessoas do mundo inteiro checam se ainda há uma lata de Seven-Up ou de Diet Coke na máquina de refrigerantes da Carnegie Mellon University.

A estrada da informação talvez continue relatando o estado de máquinas de refrigerantes, além de nos mostrar vídeos ao vivo de muitos locais públicos, os últimos resultados da loteria, a posição das apostas em esportes, as taxas de financiamento atualizadas ou posição do estoque de certos tipos de produto. Acredito que poderemos buscar imagens de vários pontos na cidade e consultar que imóveis estão sendo alugados, junto com listas de preços e plantas. Para consultar estatísticas de queixas criminais, contribuições para campanhas políticas por área, e praticamente qualquer outro tipo de informação pública ou potencialmente pública, bastará pedir.

Eu serei o primeiro usuário doméstico de um dos atributos eletrônicos mais incomuns da minha casa. É um banco de dados de mais de um milhão de imagens, incluindo fotografias e reproduções de quadros. Se você for meu hóspede, poderá ver retratos de presidentes, fotos de pôr-do-sol, aviões, esquiadores nos Andes, um raro selo francês, os

Beatles em 1965, reproduções de pinturas da alta Renascença, em telas por toda a casa.

Há alguns anos, fundei uma pequena empresa, chamada Corbis, para construir um arquivo digital abrangente e sem paralelo de imagens de todos os tipos. A Corbis é um armazém digital, oferecendo uma grande variedade de material visual — desde história, ciência e tecnologia até história natural, diferentes culturas e belas-artes. Ela converte essas imagens para formato digital usando scanners de alta qualidade. As imagens são armazenadas em alta resolução em um banco de dados indexado criativamente, permitindo que seja fácil alguém encontrar exatamente a imagem que procura. Tais imagens digitais estarão disponíveis para usuários comerciais como revistas e editoras, bem como pesquisadores individuais. Os direitos serão pagos aos proprietários das imagens. A Corbis está trabalhando com museus e bibliotecas, além de grande número de fotógrafos, agências e outros repositórios.

Acredito que imagens de qualidade serão muito procuradas na estrada. Essa idéia de que mesmo o público vai gostar de explorar as imagens não tem nenhum fundamento em pesquisas. Apenas acho que a interface correta vai torná-las atraentes a muita gente.

Se você não sabe o que quer ver, vai poder vasculhar à vontade, e o banco de dados vai lhe mostrar várias imagens, até que algo lhe interesse. Aí você poderá explorar imagens relacionadas em profundidade. Estou ansioso para poder procurar por "veleiros", "vulcões" ou "cientistas famosos".

Apesar de algumas das imagens serem de obras de artes, isso não quer dizer que eu acredite que as reproduções sejam tão boas quanto os originais. Não há nada como contemplar a obra original. Acho que um banco de dados de imagens fácil de consultar vai fazer com que mais pessoas se interessem por arte, seja ela gráfica ou fotográfica.

Em minhas viagens de negócios, tenho podido passar algum tempo em museus vendo obras de arte no original. A "arte" mais interessante que eu possuo é um caderno científico, pertencente a Leonardo da Vinci no início do século XVI. Admiro Leonardo desde jovem, porque ele era um gênio em muitos campos e estava muito à frente de sua época. O que eu possuo é um caderno de notas e desenhos, não uma pintura, mas, mesmo assim, nenhuma reprodução poderia lhe fazer justiça.

A arte, como a maioria das coisas, pode ser mais apreciada quando você sabe algo a respeito dela. Você pode passar horas passeando pelo Louvre, admirando pinturas que são no máximo vagamente familiares, mas a experiência fica muito mais interessante quando há alguém que entende do assunto passeando com você. O documento multimídia pode desempenhar o papel de guia, em casa ou num museu. Pode fazer com que você ouça uma palestra de uma importante autoridade nas obras em questão. Pode lhe sugerir outras obras do mesmo autor ou do mesmo período. Você pode até ampliar partes da obra para examinar melhor. Se as reproduções em multimídia conseguem fazer as obras de arte mais acessíveis, aqueles que virem a reprodução vão querer ver os originais. A descoberta das reproduções provavelmente vai aumentar, ao invés de diminuir, o respeito pela arte genuína e estimular mais gente a visitar museus e galerias.

Daqui a uma década, o acesso a milhões de imagens e todas as outras oportunidades de lazer que descrevi estarão disponíveis em muitos lares e com certeza serão mais impressionantes do que o que terei quando me mudar para minha casa no fim de 1996. Minha casa vai ter alguns dos serviços apenas com uma certa antecedência.

Gosto de experimentar e sei que algumas das minhas idéias para a casa poderão funcionar melhor do que outras. Talvez eu decida ocultar os monitores atrás de quadros comuns ou jogar os crachás eletrônicos no lixo. Ou talvez acabe me acostumando com os sistemas na casa, me apaixone por eles, e fique imaginando como foi que eu pude viver sem eles durante tanto tempo. É isso que espero que aconteça.

11

A CORRIDA
DO OURO

A impressão que dá é que toda semana alguma empresa ou consórcio anuncia que venceu a corrida para construir a estrada da informação. Há uma balbúrdia incessante sobre fusões gigantescas e ousados investimentos que criou uma atmosfera de corrida do ouro — pessoas e empresas se atirando sobre uma oportunidade, com esperanças de atingir a linha de chegada, ou exigir um direito que acreditam que lhes garantirá o sucesso. Os investidores parecem encantados com ofertas de ações ligadas à estrada. O destaque que a mídia tem dado à corrida não tem precedentes, especialmente se considerarmos que tanto a tecnologia como a demanda ainda não são fatos concretos. É muito diferente dos primórdios não documentados da indústria da microinformática. O frenesi de hoje pode ser intoxicante, especialmente para aqueles que têm esperanças de estar entre os contendores. A verdade é que, nessa corrida, todos estão ainda na linha de largada.

Quando finalmente a corrida tiver início, haverá muitos vencedores, alguns surpreendentes. Um dos resultados da corrida do ouro na Califórnia foi o rápido desenvolvimento do Oeste. Em 1848, apenas quatrocentos colonos tinham sido atraídos para a Califórnia. A maioria, agricultores. Em um ano, a corrida do ouro atraiu 25 mil colonos. Uma década depois, a indústria manufatureira era um componente da economia da Califórnia muito mais importante do que a produção de ouro, e a renda per capita do estado era a mais alta do país.

Com o tempo, vai se ganhar muito dinheiro com as estratégias de investimento corretas. Há incontáveis empresas, de todos os tipos, tentando se articular para alcançar o que imaginam ser a melhor posição. E boa parte dessa articulação é tratada como se fosse notícia relevante. Neste capítulo, vou tentar analisar o que se passa.

Na corrida para construir a estrada da informação, ninguém ainda viu ouro nenhum, e há muito investimento para ser feito antes que alguém o veja. O investimento será impulsionado pela crença de que o mercado será amplo. Nem a estrada completa nem o mercado vão existir até que uma rede de banda larga seja levada à maioria dos lares e empresas. Antes que isso possa acontecer, as plataformas de software, as aplicações, as redes, os servidores e os meios de informação que vão compor a estrada terão que ser construídos e postos em prática. Muitos trechos da estrada não serão rentáveis até que haja dezenas de milhões de usuários. Alcançar esse objetivo vai exigir trabalho duro, engenhosidade técnica e dinheiro. Nesse sentido, o frenesi de hoje é de grande utilidade, pois encoraja o investimento e a experimentação.

Ninguém sabe ainda com certeza o que o público espera da estrada da informação. O próprio público não tem condições de saber, porque ainda não teve experiência com redes e aplicações interativas baseadas em vídeo. Algumas tecnologias pioneiras foram testadas, mas houve poucos testes. Ofereceram-se filmes, compras e muitas novidades, que logo perderam o interesse. O resultado é que tudo o que de fato se aprendeu até agora é que sistemas interativos limitados geram resultados limitados. Será impossível ter uma boa noção do verdadeiro potencial da estrada até que dúzias de aplicações tenham sido construídas. Entretanto, é difícil justificar a construção de aplicações sem que haja confiança no mercado. Até que pelo menos um teste confiável prove que a receita gerada justifica os custos do sistema, todos os que prometem que sua empresa gastará bilhões construindo a estrada da informação para conectá-la aos lares só estarão se autopromovendo.

Minha impressão é que não haverá uma criação repentina, revolucionária, mas que a Internet, juntamente com uma evolução nos microcomputadores e em seu software, nos levará, passo a passo, ao sistema acabado.

Parte dessa autopromoção está elevando injustamente as expectativas e contribuindo para os excessos do Frenesi da Estrada da Informação. Um número surpreendente de pessoas está especulando sobre a direção que a tecnologia vai tomar. Algumas dessas conjeturas ignoram questões práticas ou preferências que o público já apontou ou não são realistas em sua previsão de quando as peças vão se juntar. Todo mundo deve ter a liberdade de teorizar, mas a especulação que sugere que a estrada da informação em sua plenitude terá um impacto considerável sobre os consumidores antes da virada do século está redondamente equivocada.

As empresas que hoje investem na estrada da informação estão, na melhor das hipóteses, dando palpites bem fundamentados. Os céticos têm bons motivos para achar que a estrada não será uma oportunidade tão boa ou súbita quanto eu acho que será. Eu acredito neste negócio. A Microsoft está investindo mais de 100 milhões de dólares por ano em pesquisa e desenvolvimento para a estrada. É quase certo que sejam necessários cinco anos ou mais de investimentos desse tipo antes que os resultados trazidos pela P&D garantam uma receita suficiente para recuperar o dinheiro, ou essa aposta de 500 milhões de dólares. Pode ser que percamos uma aposta de meio bilhão de dólares. Nossos acionistas estão permitindo que a façamos por causa de nossos sucessos anteriores, mas isso não é uma garantia. Naturalmente esperamos ser bem-sucedidos e, como os outros que participam da corrida, pensamos saber por quê. Acreditamos que nossas habilidades no desenvolvimento de software e nosso compromisso com a revolução da microinformática vão permitir que consigamos um retorno sobre nosso investimento.

Amplos testes de conexões de banda larga com micros e aparelhos de televisão devem começar em 1996 na América do Norte, Europa e

Ásia, financiados por empresas dispostas a correr riscos, esperando que os resultados lhes dêem um vantagem inicial.

Alguns dos testes configuram pura imitação, pretendendo mostrar que uma determinada operadora de rede também é capaz de construir e operar uma rede de banda larga. O principal objetivo dos testes deveria ser a disponibilização de uma plataforma para que os que desenvolvem software possam construir e explorar novas aplicações, a fim de testar seu apelo e viabilidade financeira.

Quando Paul Allen e eu vimos aquela foto do primeiro computador Altair, podíamos apenas imaginar a riqueza de aplicações que ele iria inspirar. Sabíamos que seriam desenvolvidas aplicações, mas não sabíamos quais. Algumas eram previsíveis — por exemplo, programas que permitiriam que um microcomputador operasse como terminal de mainframe —, mas as aplicações mais importantes, como a planilha VisiCalc, não eram esperadas.

Esses testes que vêm por aí darão às empresas a oportunidade de procurar os equivalentes das planilhas eletrônicas — serviços e aplicações arrasadores e inesperados que vão capturar a imaginação dos consumidores — e criar um modelo financeiro para construir a estrada. É quase impossível adivinhar que tipos de aplicações terão apelo ou não para o público. As necessidades e desejos dos consumidores são pessoais demais. Por exemplo, gostaria de usar a estrada para me manter atualizado no que se refere a avanços médicos. Gostaria de saber quais são os riscos para a saúde de alguém de minha faixa etária e de que maneira posso evitá-los. Portanto, quero aplicações médicas e de condicionamento físico e outras tantas que permitam que eu continue me educando em outras áreas em que estou interessado. Mas isso apenas quanto a mim. Será que os outros vão querer aconselhamento médico? Novos tipos de jogos? Novas maneiras de encontrar pessoas? Fazer compras sem sair de casa? Ou apenas mais filmes?

Os testes vão determinar quais são os serviços e aplicações mais populares. Esses provavelmente incluirão simples extensões de funções de comunicações já existentes, como *video-on-demand* e conexões de alta velocidade entre microcomputadores. Além disso, haverá alguns poucos novos serviços fantásticos, que captarão a atenção do público, inspirando maiores inovações, investimentos e empreendimentos. Esses são os que espero ver. Se os primeiros testes não instigarem os consumidores, serão necessários novos testes, e a construção da estrada como um todo vai se atrasar. Enquanto isso, a Internet, microcomputadores em rede e software vão se aprimorando e se tornarão uma base ainda mais sólida sobre a qual construir a estrada. Os preços de hardware e software continuarão a cair.

É interessante observar como as grandes empresas reagem diante dessas oportunidades. Ninguém admite incerteza. Companhias telefônicas e de cabo, estações e redes de TV, empresas de hardware e software, jornais, revistas, estúdios de cinema e até autores individuais estão todos formulando estratégias. De longe, seus planos parecem semelhantes, mas em detalhe, na verdade, são bem diferentes. É como a antiga história sobre os cegos e o elefante. Cada um segura uma parte diferente do elefante e, a partir da sua pequena quantidade de informação, tira conclusões genéricas e equivocadas sobre como é o animal inteiro. Nesse caso, em vez de tentar adivinhar a aparência de um bicho enorme, estamos investindo bilhões de dólares baseando-nos numa vaga compreensão da verdadeira forma do mercado.

A concorrência é um benefício para o mercado, mas pode ser impiedosa para com os investidores, especialmente para com aqueles que investem em um produto que ainda não existe. Neste momento, há um negócio inexistente sendo chamado de "estrada da informação". É um negócio que teve receita zero. A construção da estrada da informação será um processo de aprendizado, e algumas empresas perderão as calças. Aqueles que hoje parecem ser nichos lucrativos podem acabar se transformando em mercados altamente competitivos, com margens estreitas de lucro. Ou podem simplesmente não despertar interesse. As corridas do ouro tendem a encorajar investimentos impetuosos. Alguns vão se pagar, mas, depois que o frenesi passar, vamos olhar, incrédulos, para os destroços das empreitadas malsucedidas e indagar: "Quem financiou essas empresas? O que passava na cabeça deles? Foi só obra do delírio?".

A iniciativa e o espírito empreendedor terão um papel preponderante na determinação do desenvolvimento da estrada da informação, assim como determinou o negócio da microinformática. Apenas um punhado de empresas que faziam software de mainframe conseguiu realizar a transição para os microcomputadores. A maioria dos êxitos veio de pequenas empresas novas, geridas por gente que estava aberta para novas possibilidades. Isso valerá também para a estrada da informação. Para cada grande empresa bem-sucedida com uma nova aplicação ou serviço, dez empresas novas vão florescer e cinqüenta outras vão nascer e desfrutar uma glória momentânea antes de deslizar para o esquecimento.

Isso é uma marca registrada de um mercado empreendedor em evolução; a rápida inovação ocorre em muitas frentes. A maior parte dela será malsucedida, não importa se exercida por empresas grandes ou pequenas. As empresas grandes tendem a correr menos riscos mas, quando caem e quebram, a soma de seus egos com o tamanho de seus recursos acaba cavando uma cratera gigantesca no chão. Em contrapartida, uma empresa iniciante costuma fracassar sem grande repercussão. A boa notícia é que as pessoas aprendem tanto com os sucessos quanto com os fracassos, e o resultado líquido é a aceleração do progresso.

Ao permitir que o mercado decida quais empresas e que abordagens vão vencer e quais vão perder, muitos caminhos são explorados simultaneamente. Em nenhum lugar o benefício de uma decisão tomada pelo mercado fica tão aparente quanto em um mercado virgem. Quando centenas de empresas abordam o risco de forma diferente para descobrir o nível de demanda, a sociedade alcança a solução correta muito mais rapidamente do que com qualquer tipo de planejamento centralizado. A gama de incertezas sobre a estrada da informação é muito grande, mas o próprio mercado vai projetar um sistema adequado.

Os governos podem ajudar a garantir um forte ambiente de concorrência e deveriam estar dispostos — sem avidez — a interceder se o mercado não for bem-sucedido em alguma área em particular. Depois que os testes trouxerem informação suficiente, eles poderão determinar as "leis de trânsito" — a estrutura básica de recomendações dentro das quais as empresas devem concorrer. Mas eles não devem tentar projetar ou ditar a natureza da estrada da informação, porque os governos não são mais espertos nem melhores administradores do que o mercado competitivo, particularmente enquanto ainda há incertezas sobre a preferência do consumidor e o desenvolvimento tecnológico.

O governo americano está profundamente envolvido na confecção de regras para as empresas de comunicação. A legislação federal atualmente proíbe as empresas de cabo e de telefone de oferecer uma rede geral de funcionalidade múltipla que as ponha em concorrência umas com as outras. A primeira coisa que os governos têm de fazer é desregulamentar as comunicações.

A antiga abordagem na maioria dos países consistia em criar monopólios nas várias formas de telecomunicação. A teoria por trás dessa abordagem é que nenhuma empresa faria os enormes investimentos necessários para levar fios telefônicos a todo mundo, a não ser que tivesse o incentivo de ser o único fornecedor. Os detentores do monopólio são constrangidos por um conjunto de regras criadas pelo governo a agir no interesse público, com um lucro restrito mas praticamente garantido. O resultado tem sido uma rede muito confiável, com serviços amplos, mas pouca inovação. Leis posteriores estenderam o conceito à televisão por cabo bem como aos sistemas de telefonia local. Tanto os governos federais quanto os locais concederam monopólios e coibiram a concorrência em troca de controle legal.

Uma estrada que forneça tanto serviços de telefone como de vídeo não é permitida pelas leis dos Estados Unidos. Economistas e historiadores podem discutir os prós e contras da concessão de monopólios regulamentados, feita em 1934, mas hoje existe uma concordância geral de que a lei deve ser modificada. Até a metade de 1995, no entanto, os responsáveis pela política do setor ainda não chegaram a um acordo sobre quando e que modificações devem ser feitas. Bilhões de dólares estão em jogo, e os legisladores têm se perdido facilmente nos complicados detalhes de como deveria começar a concorrência. O problema é descobrir como fazer a transição entre o sistema antigo e o novo e ao mesmo tempo manter todos os participantes felizes. Esse dilema é o motivo pelo qual a reforma das telecomunicações tem estado no limbo durante anos. O Congresso permaneceu boa parte do verão [americano] de 1995 atrapalhado em um debate, não sobre se a indústria das telecomunicações deve ser desregulamentada, mas sobre como deve ser desregulamentada. Espero que, quando você ler isto, a estrada da informação já seja legal nos Estados Unidos!

Fora dos Estados Unidos, a questão é mais complicada pelo fato de que, em muitos países, esses monopólios regulamentados são agências de propriedade do próprio governo. Foram chamados PTTs porque administravam serviços postais, telefônicos e telegráficos. Em alguns países, as PTTs estão recebendo permissão para levar adiante o desenvolvimento da estrada, mas quando organizações governamentais estão envolvidas as coisas freqüentemente andam mais devagar. Acho que o ritmo do investimento e a desregulamentação no mundo todo vão aumentar nos próximos dez anos, porque os políticos estão reconhecendo que essa questão é crítica se seus países pretendem permanecer competitivos a longo prazo. A plataforma de muitos candidatos em campanha incluirá políticas que permitam a seus países liderar a criação da estrada. A exploração política destas questões fará com que elas fiquem muito mais visíveis, permitindo a remoção de vários obstáculos internacionais.

Países como os Estados Unidos e o Canadá, onde uma grande porcentagem dos lares tem TV a cabo, têm uma vantagem, porque a concorrência entre empresas de cabo e de telefonia vai acelerar o ritmo na infra-estrutura da estrada. A Grã-Bretanha, entretanto, é a que está mais avançada na utilização verdadeira de uma única rede para fornecer serviços de telefone e de cabo. Lá, permitiu-se que as empresas de cabo oferecessem serviço telefônico em 1990. Empresas estrangeiras, principalmente empresas norte-americanas de cabo e de telefonia, fizeram grandes investimentos na infra-estrutura de fibra no Reino Unido. Agora, os consumidores britânicos podem escolher os serviços telefônicos de sua empresa de TV a cabo. Tal competição obrigou a British Telecom a melhorar suas tarifas e seus serviços.

Se olharmos para trás, há dez anos, acho que vamos ver uma clara correlação entre a intensidade das reformas nas telecomunicações em cada país e o estado de sua economia da informação. Poucos vão querer investir em lugares que não tenham uma excelente infra-estrutura de comunicação. Há muitos políticos e lobistas envolvidos em criar novas legislações em muitos países. Tenho certeza de que vão experimentar todo o espectro de diferentes esquemas de legislação. A solução "certa" vai variar ligeiramente de país para país.

Uma área da qual o governo claramente deveria se abstrair é a da compatibilidade. Algumas pessoas sugeriram que o governo deveria impor padrões para redes, de forma a garantir sua interoperabilidade. Em 1994, foi submetido a um subcomitê da câmara americana um projeto de lei que exigia que todos os decodificadores de TV a cabo fossem compatíveis. Isso pareceu uma grande idéia para aqueles que rascunhavam a legislação. Iria garantir que, se investisse em um decodificador de TV, tia Maricota poderia ter certeza de que ele continuaria funcionando se ela se mudasse para outra parte do país.

A compatibilidade é importante. Faz com que os segmentos de eletrônicos de consumo e de microcomputadores prosperem. Quando a indústria dos computadores ainda era jovem, muitas máquinas apareceram e desapareceram. O Altair 8800 foi suplantado pelo Apple I. Depois vieram o Apple II, o IBM-PC original, o Apple Macintosh, o IBM PC AT, os PCs 386 e 486, os Power Macintosh, e os PCs Pentium. Cada uma dessas máquinas era de alguma forma compatível com as outras. Por exemplo, eram todas capazes de compartilhar arquivos de texto puro. Mas também havia muita incompatibilidade, porque cada nova geração de computadores apresentava avanços fundamentais que os sistemas antigos não contemplavam.

A compatibilidade com as máquinas anteriores é uma grande virtude em alguns casos. Tanto os PC-compatíveis quanto o Apple Macintosh oferecem alguma compatibilidade com as gerações anteriores. No entanto, são incompatíveis entre si. E, na época em que foi lançado, o IBM-PC não era compatível com as máquinas anteriores da IBM. Da mesma forma, o Mac era incompatível com as máquinas mais antigas da Apple. No mundo da computação, a tecnologia é tão dinâmica que toda empresa deveria ser capaz de aparecer com qualquer produto novo que quisesse, deixando para o mercado a tarefa de decidir se ela assumiu os compromissos certos. Como o decodificador é, sob todos os aspectos, um computador, é razoável supor que ele vá seguir os mesmos padrões de rápida inovação que têm conduzido a indústria de microcomputadores. Na verdade, os decodificadores vão ser vendidos para um mercado muito mais incerto do que o dos primeiros micros, portanto, os argumentos a favor de deixar que eles sejam levados pelo mercado são ainda mais fortes. Seria tolo impor os limites de um projeto ditado pelo governo a um invento inacabado.

A legislação original sobre a compatibilidade dos decodificadores de TV nos Estados Unidos acabou morrendo no Congresso em 1994, mas questões assemelhadas apareceram em 1995, e acredito que esforços parecidos venham à baila em outros países. Parece fácil impor limites que soam razoáveis, mas, se não tomarmos cuidado, tais limites podem estrangular o mercado.

A estrada vai se desenvolver em ritmos, comunidades e países diferentes. Quando viajo para o exterior, a imprensa estrangeira freqüentemente pergunta quantos anos os desenvolvimentos de seu país estão atrasados em relação aos Estados Unidos. É uma pergunta difícil. As vantagens que os Estados Unidos têm são o tamanho do mercado, a popularidade dos microcomputadores nos lares americanos e a forma pela qual as empresas de telefonia e de cabo vão competir pelas receitas atuais e futuras. Das várias tecnologias que farão parte da construção da estrada, empresas sediadas nos EUA são líderes em quase todas: microprocessadores, software, lazer, microcomputadores, decodificadores e equipamento de comutação de redes. As únicas exceções importantes são a tecnologia de monitores e os chips de memória.

Outros países têm suas próprias vantagens. Em Cingapura, a densidade populacional e o enfoque político na infra-estrutura assegura que esse país será um dos líderes. A decisão do governo de Cingapura de fazer alguma coisa acontecer significa muito nesse país singular. A estrada da informação já está sendo construída. Os incorporadores imobiliários logo terão que equipar com cabo de banda larga cada casa ou apartamento construído, da mesma maneira que são obrigados por lei a prover água, gás, eletricidade e telefone. Quando visitei Lee Kuan Yew, o ministro de 72 anos que foi chefe político de Cingapura de 1959 a 1990, fiquei extremamente impressionado com sua compreensão da oportunidade e sua convicção de que é uma prioridade absoluta avançar à toda vela. Ele crê que é imperativo que seu pequeno país continue a ser uma das principais concentrações de empregos altamente especializados na Ásia. Fui muito franco com o sr. Lee ao perguntar-lhe se ele compreendia que o governo de Cingapura estaria abrindo mão do rígido controle da informação que exerce hoje para privilegiar valores maiores, que tendem a questionar incessantemente a sociedade. Ele disse que Cingapura reconhece que, no futuro, terá que lançar mão de métodos diferentes da censura para garantir uma cultura que sacrifique um pouco da liberdade à moda ocidental em troca de um forte senso de comunidade.

Na China, entretanto, o governo parece acreditar que é possível ter as duas coisas. O ministro dos Correios e das Telecomunicações Wu Jichuam declarou a repórteres em uma coletiva que, "ao nos ligarmos à Internet, não pretendemos ter absoluta liberdade de informação. Acho que há um consenso sobre isso. Se você passa pela alfândega, você mostra seu passaporte. É a mesma coisa com a gerência da informação". Wu disse que Pequim vai adotar "medidas administrativas", não especificadas, para controlar as entradas de dados em todos os serviços de telecomunicação à medida que eles se desenvolvam na China. "Não há nenhuma contradição entre o desenvolvimento da infra-estrutura das telecomunicações e o exercício da soberania estatal. A International Telecommunications Union afirma que todo país tem soberania sobre sua própria telecomunicação." Talvez ele não compreenda que, para implementar acesso pleno à Internet e manter a censura, seria praticamente necessário ter alguém olhando por cima do ombro de todos os usuários.

Na França, o Minitel, um serviço on-line pioneiro, criou uma comunidade de editores de informação e estimulou uma ampla familiaridade com sistemas on-line em geral. Apesar de tanto os terminais quanto a largura de banda do Minitel serem limitados, seu sucesso gerou inovações e ensinou muita coisa. A France Telecom está investindo em redes de comutação de pacotes.

Na Alemanha, a Deutsche Telekom reduziu drasticamente o preço dos serviços ISDN em 1995. Isso levou a um aumento significativo no número de usuários a conectar microcomputadores. Reduzir o preço do ISDN foi uma decisão inteligente, porque vai estimular o desenvolvimento de aplicações que ajudarão a apressar a chegada de um sistema de banda larga.

O nível de penetração de microcomputadores nas empresas é ainda mais alto nos países nórdicos do que nos Estados Unidos. Esses países compreendem que sua mão-de-obra muito bem formada vai ser beneficiada por ter conexões de alta velocidade com o resto do mundo.

Apesar de o interesse em sistemas de comunicações de alta tecnologia ser provavelmente maior no Japão do que em qualquer outro país, é muito difícil prever o destino da estrada da informação lá. A utilização de microcomputadores em empresas, escolas e lares é significativamente menos disseminada no Japão do que em qualquer outro país desenvolvido. Isso ocorre em parte por causa da dificuldade de digitação com caracteres kanji, mas também por causa do grande e entrincheirado mercado japonês para máquinas dedicadas de processamento de texto.

O Japão só perde para os Estados Unidos no que se refere ao número de empresas desenvolvendo tanto a base para a construção da estrada como seu conteúdo. Muitas empresas japonesas têm excelente tecnologia e uma tradição de fazer investimentos de retorno a longo prazo. A Sony é proprietária da Sony Music e da Sony Pictures, o que inclui a Columbia Records e a Columbia Studios. A Toshiba tem uma boa parte da Time Warner. O lema corporativo da NEC, "Computadores & comunicação", cunhado em 1984, antecipando a estrada, é uma indicação de seu compromisso.

A indústria do cabo no Japão era objeto de legislação excessiva até há muito pouco tempo, mas o ritmo da mudança é impressionante. A companhia telefônica japonesa, a NTT, é a de maior valor entre todas as empresas de capital aberto do mundo e vai desempenhar um papel de liderança em todos os aspectos da estrada.

Na Coréia do Sul, apesar de se venderem muito menos microcomputadores per capita do que nos Estados Unidos, mais de 25% das máquinas são destinadas ao uso doméstico. Tal estatística demonstra como países com fortes estruturas familiares, que põem grande ênfase em seu desenvolvimento por intermédio da educação das crianças, comporão um solo fértil para produtos que ofereçam vantagens educacionais. Um uso adequado da autoridade governamental será a criação de incentivos que encorajem conexões de baixo custo para escolas, garantindo, também, que a estrada alcance tanto as áreas rurais quanto as de baixa renda.

A Austrália e a Nova Zelândia também estão interessadas na estrada, em parte por causa da grande distância geográfica entre elas e os outros países desenvolvidos. As companhias telefônicas na Austrália estão sendo privatizadas e o mercado está se abrindo para a concorrência, encorajando planos futuros. A Nova Zelândia tem o mercado de telecomunicações mais aberto do mundo, e sua recém-privatizada companhia telefônica é um exemplo do quão eficiente pode ser a privatização.

Duvido que qualquer país desenvolvido, incluindo toda a Europa ocidental, a América do Norte, a Austrália, a Nova Zelândia e o Japão, acabe mais de um ou dois anos à frente ou atrás dos outros, a não ser que sejam tomadas decisões políticas fracas. Dentro de cada país, algumas comunidades vão ter serviços antes de outras, por força de questões econômicas específicas. As redes vão chegar aos bairros ricos primeiro, porque é lá que os habitantes gastam mais. Legisladores locais talvez até acabem competindo para conseguir condições favoráveis para a disponibilização pioneira da estrada. Não será necessário nenhum recurso do contribuinte para construir a estrada em países industrializados cuja legislação favoreça a concorrência. A velocidade com que a estrada será levada diretamente até as residências estará relacionada em grande parte com o produto interno bruto per capita de cada país. A despeito disso, mesmo nos países em desenvolvimento as conexões até empresas e escolas terão um enorme impacto e reduzirão a diferença de renda entre esses países e os desenvolvidos. Áreas como Bangalore, na Índia, ou Xangai e Guangzu, na China, instalarão conexões da estrada para empresas, que serão usadas para oferecer ao mundo os serviços de sua mão-de-obra altamente especializada.

Hoje, em muitos países, os mais importantes líderes políticos estão fazendo planos para incentivar o investimento na estrada. A concorrência entre nações, que tentam ou tomar a dianteira ou garantir que não fiquem para trás, está criando uma dinâmica muito positiva. A experimentação de abordagens diferentes vai permitir que países diferentes observem e descubram as melhores soluções. Alguns governos podem raciocinar que, se querem ter uma rede imediatamente e a iniciativa privada não está disposta a construí-la, terão que ajudar a construir ou financiar partes de sua própria estrada da informação. Uma iniciativa governamental poderia, em princípio, antecipar a construção de uma estrada da informação, mas a possibilidade, muito real, de que as conseqüências sejam indesejadas tem que ser considerada com cuidado. O resultado poderia ser uma estrada da informação inútil, um elefante branco construído por engenheiros alheios ao ritmo acelerado do desenvolvimento tecnológico.

Algo parecido com isso aconteceu no Japão com o Hi-Vision, o projeto de televisão de alta definição. O MITI, o poderoso Ministério da Indústria e Comércio Internacional, e a NHK, a emissora de TV estatal, coordenaram uma iniciativa entre empresas de produtos eletrônicos de consumo para construir um novo sistema analógico de HDTV. A NHK comprometeu-se a transmitir, algumas horas por dia, programas no novo formato. Infelizmente, o sistema tornou-se obsoleto antes de se tornar uma realidade, quando ficou claro que a tecnologia digital era superior. Muitas empresas japonesas viram-se em uma situação difícil. Particularmente, sabiam que o sistema não era um bom investimento, mas tinham que manter seu compromisso público com o formato patrocinado pelo governo. No exato instante em que escrevo isto, o "plano de meta" no Japão ainda é aderir a esse sistema analógico, apesar de ninguém realmente acreditar que isso venha a acontecer. O Japão, no entanto, vai se beneficiar dos investimentos no desenvolvimento das câmaras e monitores que o projeto Hi-Vision incentivou.

Criar a estrada da informação não será tão simples quanto dizer "vamos levar fibra a toda parte". Qualquer governo ou empresa que se envolva vai ter que acompanhar novos desenvolvimentos e estar preparado para mudar de direção. Tal flexibilidade requer capacitação tecnológica que, pelos riscos envolvidos, é mais adequada à indústria.

A concorrência no setor privado será acirrada em muitas frentes. Empresas de cabo, telefone e outras vão competir para fornecer fibra, comunicação sem fio e infra-estrutura de satélite. As empresas de hardware vão lutar para vender servidores, centrais de comutação ATM e decodificadores para as empresas de rede, e microcomputadores, TVs digitais, telefones e outros utensílios de informação para os consumidores. Ao mesmo tempo, empresas no setor de software, incluindo Apple, AT&T, IBM, Microsoft, Oracle e Sun Microsystems, estarão oferecendo componentes de software aos fornecedores de redes. Com o tempo, milhões de empresas e indivíduos estarão vendendo aplicações e informações, incluindo lazer, em uma rede que floresce.

Já me detive algum tempo discutindo o quanto é fundamental a infra-estrutura necessária para se levar as conexões de banda larga até as residências. Descrevi a concorrência nos Estados Unidos e as estratégias das indústrias de cabo e de telefone, os principais contendores. As empresas de cabo são mais jovens e menores do que as companhias telefônicas e tendem a ter mais iniciativa. As redes de TV a cabo fornecem a seus clientes vídeo de banda larga em uma única direção através de uma malha de cabos coaxiais e, às vezes, fibra ótica. Apesar de a taxa de penetração no mundo ser bastante baixa, 189 milhões de assinantes, os sistemas de cabo passam em quase 70% de todas as residências americanas, 63 milhões delas. Os sistemas de cabo já estão sendo convertidos para trafegar sinais digitais, e muitas empresas de cabo estão trabalhando para oferecer aos usuários de microcomputadores conexões à Internet e a serviços on-line. Estão apostando que muitos usuários de microcomputadores, acostumados a receber informações através de linhas telefônicas a 28 800 bits por segundo, estarão dispostos a pagar mais para receber informações pelo cabo de TV a 3 milhões de bits por segundo.

Quanto às companhias telefônicas, são muito mais fortes do ponto de vista financeiro. O sistema telefônico americano é a maior rede comutada distribuída do mundo, oferecendo conexões ponto a ponto. O mercado de telefonia local, contando todas as operadoras com receita anual de cerca de 100 bilhões de dólares nos Estados Unidos, é muito mais rentável do que o ramo de cabo, que movimenta 20 bilhões de dólares. As sete companhias telefônicas regionais Bell [RBOCs, Regional Bell Operating Companies] vão competir com a empresa da qual se originam, a AT&T, para fornecer telefonia interurbana, celular e novos serviços. Mas, a exemplo das companhias telefônicas do mundo todo, as RBOCs são estreantes na área da concorrência, estão emergindo de sua herança como empresas de serviços públicos altamente regulamentadas.

As companhias de telefonia local serão motivadas por uma crescente concorrência. Estão em uma posição defensiva. Outras companhias telefônicas e empresas de cabo passarão a oferecer serviços de telefonia, assim como outros serviços em suas áreas. Novas legislações vão avivar a competição e, como já ressaltei, o custo dos serviços telefônicos interurbanos de voz vai cair drasticamente. Se isso acontecer, as companhias telefônicas serão despojadas de boa parte de sua receita.

As empresas que fornecem serviço telefônico local têm, aos poucos, agregado capacidade de transmissão digital avançada a suas redes. Não houve pressão para que acelerassem o processo, porque até hoje pareciam protegidas da concorrência pela existência de fortes barreiras financeiras contra a entrada nesse mercado. Sabiam que um possível concorrente teria que fazer um investimento idêntico de, digamos, 100 milhões de dólares em equipamentos, para poder concorrer em uma determinada comunidade. Mas os custos dos equipamentos de comutação e da fibra estão caindo a cada ano.

Isso significa que as empresas estão se deparando com o mesmo tipo de decisão que qualquer pessoa que já cogitou comprar um microcomputador já enfrentou. É melhor esperar que os preços caiam e o desempenho melhore ou é melhor ceder e começar a usar o equipamento o quanto antes? Será um dilema atroz para algumas empresas de rede. Elas terão que se deslocar rapidamente e atualizar seus equipamentos sem parar. Uma empresa conseguirá preços muito favoráveis se esperar para investir em cabos e centrais de comutação, mas poderá não recuperar nunca mais a fatia de mercado perdida para concorrentes mais ousados.

As companhias telefônicas, apesar de sua invejável receita, podem ser imobilizadas pelos recursos necessários para financiar a dispendiosa reestruturação de seu parque, porque a legislação que regula as tarifas podem não permitir que elas elevem as tarifas ou mesmo que usem lucros provenientes dos serviços atuais para subsidiar os novos negócios. Os acionistas, acostumados aos atraentes dividendos das RBOCs, podem se ressentir do desvio de lucros para construir a estrada da informação. Por mais de cem anos as empresas de telefonia vêm, silenciosamente, trazendo lucros, na forma de monopólios regulados. De um momento para outro, as RBOCs terão que se tornar empresas de crescimento acelerado, o que é quase tão radical quanto transformar um trator em um carro esporte. Isso pode ser feito (pergunte ao pessoal da Lamborghini, que fabrica ambos), mas é difícil.

A oportunidade de oferecer ISDN aos usuários de micros vai criar novas receitas para as companhias telefônicas que quiserem baixar os preços de forma a criar um mercado de massa. Acredito que a adesão ao ISDN será mais rápida do que a utilização de micros com cabos coaxiais. As companhias telefônicas estão fazendo um belo trabalho e criando maneiras de fornecer taxas de transmissão de banda larga nas conexões de par trançado que ligam suas centrais ao assinante. Tanto as companhias telefônicas quanto as empresas de cabo poderão ter sucesso, à medida que a demanda por novos serviços aumente suas possibilidades de receita.

As pretensões das companhias telefônicas e de cabo vão muito além de simplesmente fornecer um tubo para trafegar bits. Suponha que você está administrando uma empresa de entrega de bits. Uma vez que você possui uma rede em determinada área, onde a maior parte dos lares está conectada, como você pode ganhar dinheiro? Fazendo com que os clientes consumam mais bits, mas há apenas 24 horas em um dia para as pessoas verem TV ou se sentarem à frente de seus microcomputadores. Se você não pode mandar um número maior de bits, uma alternativa é ter participação no lucro gerado pelos bits que são entregues. Muita gente vê a estrada como uma empresa de alimentação, com a entrega e distribuição de bits no nível inferior e os vários tipos de aplicações, serviços e conteúdo em camadas superiores. As empresas no ramo da distribuição de bits se sentem atraídas pela idéia de subir na escala de alimentação — conseguindo lucros pela propriedade dos bits, em vez de por sua entrega. É por isso que as empresas de cabo, as empresas de telefonia local e os fabricantes de eletrônicos de consumo estão correndo para os estúdios de Hollywood, para as emissoras de TV e outros fornecedores de conteúdo.

Algumas empresas estão investindo porque têm medo de não fazê-lo. Há muito tempo, a distribuição tem sido bastante lucrativa, em grande parte por causa dos monopólios concedidos pelo governo. À medida que esses monopólios desaparecerem e a concorrência aumentar, a distribuição de bits se tornará menos rentável. As empresas que quiserem participar da criação de aplicações e serviços e entrar no ramo da produção por meio de investimento e/ou influência precisam se mexer já, enquanto ainda há oportunidades. Algumas dessas empresas podem decidir dar ou subsidiar os decodificadores que fazem a conexão com o televisor. Parte da estratégia poderia ser oferecer, por uma mensalidade fixa, a conexão com a estrada, o decodificador e um pacote de programação, aplicações e serviços. As empresas de TV a cabo trabalham assim, e as companhias telefônicas nos Estados Unidos também o faziam, antes da desregulamentação.

As operadoras de rede que incluem o decodificador como parte de sua tarifa-padrão vão atrair clientes que podem estar hesitantes em gastar centenas de dólares para comprá-lo. Como expliquei, há um perigo tangível nos primeiros anos de que os decodificadores se tornem obsoletos rapidamente, então, por que comprá-los? Apesar de o fornecimento do decodificador aumentar o capital inicial exigido pela operadora de rede, a despesa valerá a pena se ajudar a criar uma massa crítica de usuários. Mas os legisladores têm medo de que, ao permitir que as operadoras de rede tenham controle sobre os decodificadores, isso lhes permita tirar vantagens de sua posição privilegiada. Uma operadora de rede que possua o decodificador também pode procurar exercer controle sobre o software, as aplicações e os serviços que rodam nesses decodificadores. Poderiam ser dadas poucas alternativas para os estúdios que quisessem vender seus filmes. Garantir ou não aos diversos serviços igual acesso aos cabos e decodificadores é uma das decisões mais difíceis que o processo de desregulamentação terá que enfrentar. Um dos argumentos a favor do igual acesso é que, se diversos serviços puderem usar os mesmos cabos, o governo não precisará estabelecer padrões para esses serviços e para sua interoperabilidade.

O comércio varejista gostaria de ter a chance de lhe vender os decodificadores. Afinal, já vende televisores e microcomputadores, por que não vender os decodificadores também? As empresas de eletrônicos de consumo vão querer competir na fabricação de decodificadores. Vão querer oferecer vários modelos — uns sofisticados e caros para os que adoram engenhocas, e outros mais simples para os demais. Se as operadoras de rede fornecerem os decodificadores, não haverá lucro para o comércio. A indústria de telefonia celular resolveu esse problema com um subsídio parcial: você compra o telefone celular em qualquer loja, mas parte do preço é de responsabilidade da operadora que você escolher.

As indústrias de telefonia e de cabo serão as principais, mas não as únicas, fornecedoras da rede. Empresas ferroviárias no Japão, por exemplo, perceberam que o direito que detêm sobre seus trilhos seria ideal para a instalação de trechos longos de fibra ótica. Companhias de gás, água e energia elétrica em muitos países chamam a atenção para o fato de que elas também têm linhas que as ligam a casas e empresas. Algumas argumentam que só a economia de energia obtida pela administração computadorizada dos sistemas de aquecimento doméstico já pagaria boa parte do custo de passar a fibra, porque a demanda de energia diminuiria, reduzindo a necessidade de novas e dispendiosas usinas de geração. Na França, a maioria das conexões de TV a cabo pertence a duas grandes companhias de água. Mas, fora da França, pelo menos, as companhias de serviço público não são candidatas tão óbvias a construir a estrada da informação.

Talvez você se pergunte por que não mencionei satélites de difusão direta [*direct-broadcast satellites*], ou outras tecnologias como concorrentes importantes das companhias telefônicas e de cabo. Como já disse antes, a atual tecnologia de satélite é uma boa solução transitória. Ela fornece excelente transmissão de sinal de vídeo, mas teria que haver algum grande avanço tecnológico para que pudesse oferecer uma conexão individual com largura de banda suficiente para fornecer vídeo para cada televisor ou microcomputador. Para o mercado americano, ela teria que evoluir do sistema atual, de trezentos canais por satélite, para um sistema de 300 mil canais por satélite, mesmo supondo que menos de 1% dos monitores precisem de um sinal diferente simultaneamente.

Como esses satélites também têm problemas para enviar dados das casas para a rede (o canal de retorno), de maneira a permitir a verdadeira interatividade, aplicações como videoconferência não seriam possíveis. Uma solução parcial é usar o telefone como canal de retorno. Satélites de difusão direta, como o sistema DIRECTV, da Hughes Electronics, usam linhas telefônicas comuns para enviar a seus centros de cobrança um registro de qualquer programa pago [*pay-per-view*] que você queira ver. Com um circuito adicional, satélites de difusão direta podem mandar dados para microcomputadores, além dos televisores. A difusão de dados é um meio de transmissão importante, ainda que transitório, para algumas aplicações.

A Teledesic, empresa onde meu amigo e pioneiro da telefonia celular Craig McCaw e eu somos sócios, está trabalhando no sentido de superar os limites da tecnologia de satélite, por meio da utilização de um grande número de satélites de baixa órbita. O escopo do sistema que está sendo proposto é ambicioso. Envolve quase mil satélites em uma órbita cinqüenta vezes mais próxima da Terra do que a dos satélites geoestacionários tradicionais. A maior proximidade da Terra significa que tais satélites exigem 2500 vezes menos potência e terão maiores recursos bidirecionais. Além disso, a significativa demora na transmissão associada aos satélites também é superada. Para grandes distâncias, esses satélites de baixa órbita podem fornecer velocidades de transmissão comparáveis às da fibra ótica. A Teledesic apresenta desafios legais, técnicos e financeiros e ainda vai demorar muitos anos até que saibamos se ela será capaz de vencê-los. Se conseguir, a Teledesic e outros sistemas parecidos podem ser a melhor e mais barata, senão a única, maneira de levar a estrada a vários cantos da Terra. A maior parte da população da Ásia e da África, por exemplo, provavelmente não terá acesso local a conexões de fibra pelos próximos vinte anos.

Outra tecnologia que está avançando rapidamente é a comunicação terrestre sem fio. Os sinais de televisão, que até hoje têm sido distribuídos pelo ar através de radiodifusão, usando VHF e UHF, serão veiculados principalmente em fibra. O objetivo dessa mudança é permitir que todos recebam seu sinal pessoal e possam interagir. Enquanto isso, voz e outras conexões de baixa velocidade estão migrando da infra-estrutura com fio para a transmissão sem fio, de forma a oferecer uma mobilidade cada vez maior. O sistema ideal permitiria o tipo de vídeo personalizado de alta qualidade com a mobilidade que, como mencionei, teríamos com o micro de bolso. Até agora, tal combinação não é permitida pela tecnologia existente, porque os sistemas sem fio não conseguem oferecer a largura de banda para sinais de vídeo individuais que a fibra oferece.

No início, os concorrentes terão que correr para fornecer às comunidades os primeiros serviços interativos, mas, uma vez que todos os territórios atraentes estejam tomados, vai começar uma disputa acirrada para invadir os mercados alheios. É interessante constatar que, no ramo de TV a cabo, nos poucos lugares onde um segundo sistema foi construído o concorrente recém chegado jamais teve lucro. Ter duas ou mais conexões de uso geral chegando a cada casa será benéfico para a concorrência, mas o custo extra é imenso.

Os servidores da estrada da informação terão que ser grandes computadores com gigantesca capacidade de armazenamento, rodando 24 horas por dia, sete dias por semana. A concorrência para fornecê-los será intensa. Várias empresas têm diferentes idéias a respeito de qual o melhor projeto para esses servidores, e qual a melhor estratégia para desenvolvê-los. É claro que as atitudes defendidas pelos diversos possíveis contendores são influenciadas por suas áreas de especialidade. Se sua única ferramenta é um martelo, rapidamente cada novo problema começa a se parecer com um prego que precisa ser batido. Empresas de minicomputadores como a Hewlett-Packard concebem grupos de minicomputadores como servidores. Uma série de empresas que fazem principalmente microcomputadores acredita que tais máquinas, ligadas em grande número, se firmarão como a solução mais confiável e de melhor custo. Especialistas em mainframes como a IBM estão adaptando suas grandes máquinas para funcionar como servidores. Eles acalentam a esperança de que a estrada da informação seja sua última trincheira.

As empresas de software naturalmente vêem seus produtos como a resposta. Software é tão barato de duplicar que utilizá-lo no lugar de hardware dispendioso reduz os custos dos sistemas. Outra concorrência está se delineando para fornecer as plataformas de software que vão rodar nesses servidores. A Oracle, uma empresa de gerenciamento de bancos de dados que fornece software para mainframes e minicomputadores, concebe o servidor como um supercomputador ou minicomputador rodando software Oracle. A AT&T, com sua experiência no ramo de redes, provavelmente tentará incorporar a maior parte da inteligência do sistema nos servidores e centrais de comutação da rede, e colocará relativamente pouco poder de processamento em equipamentos de informação como microcomputadores e decodificadores.

Na Microsoft, nosso único "martelo" é o software. Acreditamos que a inteligência da estrada será dividida de forma equânime entre servidores e equipamentos de informação. Esse tipo de esquema é às vezes chamado de computação "cliente/servidor", o que significa que os instrumentos de informação (os clientes) e os servidores vão rodar aplicações cooperativas. Não acreditamos que supercomputadores gigantes, mainframes ou mesmo grupos de minicomputadores sejam necessários. Em vez disso, a Microsoft, assim como muitos dos fabricantes de microcomputadores, enxerga o servidor como uma rede de dúzias, ou centenas, de máquinas que são essencialmente micros. Não terão os gabinetes, monitores e teclados a que estamos acostumados, e podem ser agrupados, em racks, na sede de um sistema de cabo ou no escritório central de um sistema telefônico. Vai ser necessária uma tecnologia de software especial para retirar desses milhares de máquinas o devido poder de processamento. Nosso enfoque é fazer da coordenação da estrada da informação uma questão de software e então usar computadores de larga escala (e, portanto, mais baratos) para o trabalho — os mesmos da indústria de microinformática.

Nosso enfoque se concentra em tirar a maior vantagem possível de todos os avanços em curso na indústria de microinformática, incluindo o software. O microcomputador será um dos principais dispositivos usados na estrada da informação. Achamos que o decodificador deveria compartilhar, tanto quanto possível, as mesmas características técnicas dos microcomputadores, facilitando aos desenvolvedores a criação de aplicações e serviços que funcionem com os dois. Isso permitirá que a Internet evolua, de forma compatível, até se transformar na estrada. Acreditamos que as ferramentas e aplicações existentes nos microcomputadores de hoje possam ser usadas para construir novas aplicações. Por exemplo, pensamos que os decodificadores deveriam ser capazes de rodar a maioria dos títulos de CD-ROM que vão aparecer na próxima década. Poder-se-ia argumentar que estamos fazendo um raciocínio estreito ao tentar imaginar o novo mundo em termos de microinformática. Mas vendem-se mais de 50 milhões de microcomputadores em todo o mundo. A população de micros instalados fornecerá um mercado inicial considerável para o futuro desenvolvimento de qualquer aplicação ou serviço.

Mesmo que de repente houvesse 1 milhão de unidades de um determinado tipo de decodificador em uso, ainda assim isso representaria um mercado minúsculo se comparado às oportunidades para os títulos de multimídia para micros. Uma empresa de desenvolvimento não poderia se dar ao luxo de dedicar apenas uma pequena fração de seu investimento em P&D aos clientes com tal tipo de decodificador. Só as maiores empresas têm condições de investir em novas aplicações sem se preocupar com o tamanho do público no curto prazo. Acreditamos que a maior parte das inovações futuras vai expandir mercados existentes, e que usar o mercado micro/Internet é o melhor meio de atingirmos a TV interativa e a estrada. Os mesmos argumentos poderiam ser utilizados a favor de outras plataformas de computadores e até mesmo de equipamentos domésticos para joguinhos.

Outras empresas de software estão igualmente confiantes a respeito de suas próprias estratégias em relação ao software para decodificadores. A Apple propõe que se use a tecnologia Macintosh, a Silicon Graphics pretende adaptar o sistema operacional de suas estações de trabalho, uma forma de UNIX. Há até uma pequena empresa que quer retrabalhar seu sistema operacional hoje usado principalmente em sistemas de freio antitravamento de caminhões!

Os fabricantes de hardware estão tomando decisões parecidas sobre que abordagem adotar em relação aos decodificadores. Enquanto isso, as empresas de produtos eletrônicos de consumo estão decidindo que tipo de equipamentos de informação — desde micros de bolso até TVs — vão construir e que software vão usar.

A batalha entre arquiteturas de software ainda vai durar um bom tempo e poderá envolver possíveis concorrentes que ainda nem sequer mostraram interesse. Todos os componentes de software serão compatíveis em algum nível, da mesma forma que todos os computadores de hoje compartilham algum nível de compatibilidade. Você pode ligar praticamente qualquer computador à Internet, e isso valerá também para a estrada.

Ainda há questões em aberto, como até que ponto essas plataformas vão ter a mesma personalidade ou interface de usuário. Uma interface de usuário única, comum a todas, seria excelente — a não ser que, por acaso, você não goste dela. Será que mamãe, papai, vovó, a criança, o adolescente, todos terão o mesmo gosto? Será que devemos usar um padrão único, justamente na mídia mais flexível que existe? Também aqui há bons argumentos a favor de todos os pontos de vista, de forma que a indústria vai ter que experimentar, inovar e deixar o mercado decidir.

Há outras decisões parecidas esperando pelo julgamento do mercado. Por exemplo, será que a publicidade vai desempenhar um papel importante no financiamento da informação e do lazer, ou os consumidores pagarão diretamente pela maioria dos serviços? Será que você vai controlar tudo o que vê a partir do momento em que liga a TV ou outro aparelho de informação, ou seu provedor de rede usará uma parte de sua tela de abertura para lhe mostrar informação sob seu próprio controle?

O mercado também influenciará aspectos técnicos do projeto da rede. A maioria dos especialistas acredita que a rede interativa usará o ATM, mas hoje o ATM é caro demais. Se os preços dos equipamentos ATM se comportarem como outras tecnologias ligadas aos chips, cairão rapidamente. Entretanto, se, por algum motivo, permanecerem altos ou não caírem com a rapidez necessária, talvez os sinais tenham que ser traduzidos para alguma outra forma antes de entrar na casa do consumidor.

Será necessário amplo leque de realizações, de uma vasta gama de empresas, para criar uma estrada da informação grande o bastante para formar um mercado representativo. As empresas que têm força em um ou mais dos campos necessários ficarão tentadas a encontrar um meio de dominar o mercado sozinhas, mas acho que isso seria um erro.

Sempre acreditei que as empresas que se concentram em poucas especialidades essenciais as realizam melhor. Uma das lições da indústria de computadores — bem como da vida — é que é quase impossível ser bom em tudo. A IBM, a DEC e outras empresas na antiga indústria de computadores tentaram oferecer tudo, incluindo chips, software, sistemas e consultoria. Quando o ritmo da tecnologia se acelerou com o microprocessador e com os padrões da microinformática, essa estratégia diversificada se mostrou vulnerável porque, com o tempo, os concorrentes que se concentraram em áreas específicas tiveram melhor desempenho. Uma empresa fazia chips excelentes, outra fazia projetos de microcomputador excelentes, outra fazia distribuição e integração excelentes. Cada nova empresa que obtinha sucesso escolhia uma pequena fatia e se concentrava nela.

Cuidado! Fusões que são tentativas de reunir em uma única organização todas as especialidades da estrada devem ser vistas com ceticismo. Boa parte da cobertura da imprensa sobre a estrada tem se dedicado apenas a esses grandes negócios. Empresas de mídia estão se fundindo e experimentando diferentes configurações. Algumas companhias telefônicas estão comprando empresas de cabo. A McCaw Cellular, uma empresa de comunicação sem fio, foi adquirida pela AT&T, uma empresa de comunicação com fio. A Disney comprou a Capital Cities-ABC e a Time-Warner se ofereceu para comprar a Turner Broadcasting. Ainda vai demorar muito tempo para que as empresas que estão fazendo esses investimentos tenham condições de descobrir se tomaram decisões acertadas ou não.

Certos ou errados, negócios como esses fascinam o público. Por exemplo, quando a tentativa de fusão entre a Bell Atlantic e a TCI, um negócio de 30 bilhões de dólares, fracassou, a imprensa especulou se foi uma derrota para a estrada da informação. A resposta é não. Ambas as empresas ainda têm planos de investimento muito agressivos para a construção da infra-estrutura da estrada.

A chegada da estrada vai depender da evolução do microcomputador, da Internet e das novas aplicações. A fusão, ou seu fracasso, de empresas não é indicativa nem do progresso nem da ausência dele. Esse tipo de negócio é como ruído de fundo; fica reverberando continuamente, não interessa se há alguém ouvindo ou não. A Microsoft pretende se entender com centenas de empresas, incluindo estúdios de cinema, redes de televisão, editoras de jornais e revistas. Esperamos poder trabalhar com elas, de forma que, juntos, possamos reunir sua produção e construir aplicações para CD-ROMs, para a Internet e para a estrada.

Acreditamos em alianças e estamos ansiosos para participar delas. Nossa missão fundamental, entretanto, é construir um determinado número de componentes de software para a estrada da informação. Estamos fornecendo ferramentas de software para diversas empresas de hardware que estão construindo novas aplicações. Muitas empresas de mídia e de comunicações de todo o mundo estarão trabalhando conosco e observando de que forma os clientes reagem às aplicações. Será essencial prestar atenção ao retorno dos clientes.

Você também vai ler a respeito dos resultados das experiências com a estrada. As pessoas estão procurando novos tipos de jogos com múltiplos usuários? Estão se relacionando de novas maneiras? Estão trabalhando em conjunto através da rede? Estão fazendo compras em novos mercados? Estão surgindo aplicações empolgantes, com as quais você nunca tinha sonhado? As pessoas estão dispostas a pagar por esses novos benefícios?

As respostas a essas perguntas são a chave para se descobrir como a Era da Informação vai se desenvolver. É divertido assistir a fusões e à histeria, mas se você quer saber como realmente anda a corrida para construir a estrada da informação, fique de olho nos microcomputadores ligados à Internet e nas aplicações que estão tendo sucesso nas experiências com a estrada. Pelo menos, é isso o que vou fazer.

12

QUESTÕES CRÍTICAS

Estamos em uma época empolgante na Era da Informação. Estamos bem no início. Em quase toda parte aonde vou, seja para fazer palestras, seja para jantar com amigos, aparecem perguntas a respeito de como a tecnologia da informação vai mudar nossas vidas. As pessoas querem compreender de que forma ela vai criar um futuro diferente. Vai fazer nossas vidas melhores ou piores?

Já disse que sou otimista, e estou otimista a respeito do impacto da nova tecnologia. Ela vai aprimorar o período de lazer e enriquecer a cultura através da expansão da distribuição da informação. Vai ajudar a aliviar a pressão nas áreas urbanas permitindo que os indivíduos trabalhem em casa ou em escritórios remotos. Vai aliviar a pressão sobre os recursos naturais, porque um número cada vez maior de produtos poderá tomar a forma de bits em vez de bens manufaturados. Vai nos dar maior controle sobre nossas vidas e permitir que experiências e produtos sejam adequados aos nossos interesses. Os cidadãos da sociedade da informação terão novas oportunidades no que se refere a produtividade, aprendizado e lazer. Os países que se moverem de maneira ousada e em consonância com os demais usufruirão de compensações econômicas. Mercados inteiramente novos vão emergir e uma miríade de novas oportunidades de emprego serão criadas.

Se considerada de década em década, a economia está sempre em ascensão. Durante os últimos cem anos, todas as gerações encontraram maneiras mais eficientes de efetuar tarefas, e os benefícios acumulados têm sido enormes. O ser humano médio de hoje vive uma vida muito melhor do que a da nobreza há alguns séculos. Possuir a terra de um rei seria ótimo, mas que dizer de seus piolhos? Os avanços da medicina, para não falar do resto, aumentaram muito a expectativa de vida e melhoraram o padrão de vida.

Henry Ford, na primeira metade do século XX, era toda a indústria automobilística, mas o carro que você dirige é, hoje, melhor do que qualquer coisa que ele tenha dirigido. É mais seguro, mais confiável e com certeza tem um sistema de som melhor. Esse padrão de melhoria não vai se alterar. Os avanços na produtividade empurram as sociedades para a frente, e é apenas uma questão de tempo até que o ser humano médio em um país desenvolvido seja de muitas formas mais "rico" do que qualquer um é hoje.

O simples fato de eu ser otimista não implica que não esteja preocupado com o que vai acontecer com todos nós. Como acontece com todas as mudanças importantes, os benefícios da sociedade da informação vão ter o seu preço. Haverá perturbações em alguns setores que vão exigir reciclagem de profissionais. A disponibilidade de comunicações e computação praticamente gratuitas vai alterar as relações entre as nações e entre grupos socioeconômicos dentro das nações. A capacidade e a versatilidade da tecnologia digital vai levantar novas preocupações a respeito da privacidade individual, da confidencialidade comercial e da segurança nacional. Além disso, há questões de justiça que precisam ser abordadas. A sociedade da informação deve estar a serviço de todos os seus cidadãos, não apenas dos que são sofisticados tecnicamente ou privilegiados economicamente. Em suma, deparamonos com uma gama de questões importantes. Eu não tenho, necessariamente, as soluções, mas comecei o livro dizendo que esta é uma boa hora para uma ampla discussão. O progresso tecnológico vai forçar toda a sociedade a enfrentar novos e difíceis problemas, apenas alguns previsíveis. O ritmo da mudança tecnológica é tão rápido que às vezes parece que o mundo vai estar completamente diferente de um dia para o outro. Não vai. Mas devemos estar preparados para a mudança. As sociedades terão que fazer escolhas difíceis em áreas como acesso universal, investimento em educação, legislação e equilíbrio entre privacidade individual e segurança coletiva.

Ao mesmo tempo em que é importante que comecemos a pensar no futuro, devemos nos resguardar contra o impulso de tomar atitudes precipitadas. Hoje, só podemos levantar questões genéricas, de forma que não faz sentido se criar uma legislação específica e detalhada. Ainda temos alguns anos para observar a trajetória da revolução que se aproxima, e devemos usar esse tempo para tomar decisões inteligentes em vez de automáticas. Talvez a angústia pessoal mais freqüente seja: "Como é que eu fico nessa economia em constante mudança?". Homens e mulheres têm medo de que seus empregos se tornem obsoletos, de não serem capazes de se adaptar a novas formas de trabalho, de seus filhos ingressarem em indústrias que vão deixar de existir, que a guinada na economia crie um enorme desemprego, especialmente entre trabalhadores idosos. São todas preocupações legítimas. Profissões e indústrias inteiras vão sumir. Mas outras, novas, vão surgir. Isso vai acontecer nas próximas duas ou três décadas, o que é rápido de um ponto de vista histórico mas pode acabar sendo menos perturbador do que o ritmo em que a revolução do microprocessador efetuou mudanças no local de trabalho ou provocou uma guinada nas indústrias das linhas aéreas, dos transportes ou dos bancos no decorrer da década passada.

Apesar de o microprocessador e o microcomputador terem alterado e até eliminado algumas profissões e empresas, é difícil encontrar algum grande setor da economia que tenha sido afetado de forma negativa. Os fabricantes de mainframes, minicomputadores e máquinas de escrever diminuíram de tamanho, mas a indústria de computadores como um todo cresceu, com substancial aumento efetivo do número de empregos. À medida que grandes empresas de informática como a IBM e a DEC efetuaram demissões, muitos desses trabalhadores encontraram emprego dentro da indústria — normalmente em empresas fazendo algo relacionado aos microcomputadores.

Fora da indústria de computadores também é difícil encontrar algum setor inteiro da economia que tenha sido prejudicado pelo microcomputador. Há tipógrafos que foram substituídos por programas de editoração eletrônica — mas para cada trabalhador nessa área há vários outros cujos empregos foram criados pela edição eletrônica. Nem toda a mudança foi benéfica para todas as pessoas, mas, no que toca às revoluções, a que foi detonada pelos microcomputadores tem sido notavelmente benigna.

Algumas pessoas se preocupam que só exista um número finito de empregos no mundo, e que, cada vez que um emprego deixa de existir, alguém é deixado de lado, sem ter o que fazer. Felizmente, não é assim que a economia funciona. A economia é um sistema vasto e interconectado, no qual qualquer recurso liberado se torna disponível para outra área da economia que o considere valioso. Cada vez que um emprego se torna desnecessário, a pessoa que ocupava aquele emprego é liberada para fazer outra coisa. O resultado é que se consegue realizar mais, erguendo a longo prazo o padrão de vida como um todo. Quando há uma queda na economia — uma recessão ou depressão — ocorre uma diminuição cíclica de empregos, mas as mudanças provocadas pela tecnologia tiveram, ao menos, a tendência de criar empregos.

Os tipos de emprego mudam constantemente em uma economia em evolução. Houve um tempo em que todas as chamadas eram feitas através da telefonista. Quando eu era criança, as chamadas interurbanas eram feitas discando-se "0" e dando à telefonista um número; quando eu era adolescente, muitas empresas ainda tinham telefonistas, que roteavam chamadas utilizando plugues. Hoje, proporcionalmente há menos telefonistas, apesar de o número de chamadas nunca ter sido tão alto. A automação tomou conta do processo.

Antes da Revolução Industrial, a maioria das pessoas vivia ou trabalhava em fazendas. Plantar e colher eram a principal preocupação da humanidade. Se alguém tivesse previsto na época que em poucos séculos apenas um minúsculo porcentual da população seria necessário para produzir comida, aqueles fazendeiros se preocupariam em saber como todos iriam ganhar a vida. A grande maioria das 501 categorias profissionais reconhecidas em 1990 pelo censo americano nem existiam cinqüenta anos antes. Apesar de não conseguirmos antever novas categorias profissionais, a maioria estará ligada a necessidades não satisfeitas em educação, serviços sociais e oportunidades de lazer.

Sabemos que, quando a estrada conectar os compradores aos vendedores de forma direta, vai haver uma pressão sobre as pessoas que estão hoje atuando como intermediários. É o mesmo tipo de pressão que comerciantes de grande porte, como a Wal-Mart, a Price-Costco e outras empresas com abordagens comerciais particularmente eficientes, impuseram sobre lojas mais tradicionais. Quando a Wal-Mart entra em uma área rural, os comerciantes locais sentem a picada. Alguns sobrevivem, outros não, mas o efeito econômico apurado na região é modesto. Podemos nos ressentir das implicações culturais, mas as lojas de departamento e as cadeias de *fast-food* estão progredindo porque os consumidores, que têm o poder do dinheiro, tendem a apoiar revendedores que repassam sua produtividade na forma de preços mais baixos.

Reduzir a quantidade de intermediários é outra forma de cortar custos. Também vai provocar mudanças econômicas, mas isso não acontecerá mais depressa do que as mudanças no comércio varejista na década passada. Ainda vai demorar muitos anos até que a estrada seja utilizada amplamente o bastante para que haja menos intermediários. Há muito tempo para nos prepararmos. Os empregos que esses intermediários demitidos vão assumir podem nem ter sido imaginados ainda. Teremos que esperar para ver quais os tipos de trabalho que a nova economia conceberá. Mas, enquanto a sociedade precisar de auxílio, é certo que todos terão muito o que fazer.

Os amplos benefícios de uma produtividade cada vez maior não são consolo para aqueles cujo emprego está na linha de fogo. Quando uma pessoa foi treinada para um emprego que não é mais necessário, não se pode simplesmente sugerir que ela vá aprender algo novo. Os ajustes não são simples ou rápidos assim, mas, no fim, são necessários. Não é fácil preparar-se para o próximo século. Se é quase impossível adivinhar os efeitos colaterais das mudanças que conseguimos prever, imagine daquelas que não conseguimos. Há cem anos, as pessoas perceberam que o automóvel estava a caminho. Era certo que faria fortunas, como também atropelaria alguns empregos e indústrias. Mas os detalhes foram difíceis de antever. Você pode ter avisado seus amigos das Diligências Acme para atualizar seus currículos e aprender um pouco sobre motores, mas será que teria pensado em investir seu dinheiro em terrenos para estacionamento?

Mais do que nunca, uma educação que enfatize a habilidade para resolver problemas será importante. Em um mundo mutante, a educação é a melhor preparação para garantir a capacidade de adaptação. À medida que a economia mudar, as pessoas e as sociedades adequadamente educadas tenderão a se sair melhor. O preço que a sociedade paga pela habilidade vai crescer, de modo que meu conselho é conseguir uma educação formal e nunca parar de aprender. Adquira novos interesses e habilidades durante toda a sua vida.

Muita gente será expulsa de seu conforto, mas isso não quer dizer que seus conhecimentos não terão mais valor. Quer dizer que as pessoas e empresas terão que estar abertas para reinventar a si próprias — possivelmente mais de uma vez. Empresas e governos podem ajudar a treinar e reciclar empregados, mas, no fim das contas, são os indivíduos que terão que ter a maior responsabilidade por sua própria formação.

O primeiro passo será o entendimento com o computador. Os computadores deixam as pessoas ansiosas enquanto não os compreendem. As crianças são a grande exceção. Usuários de primeira viagem temem que um único passo em falso destrua os computadores ou ponha a perder tudo o que está armazenado nele. É verdade que as pessoas realmente perdem dados, claro, mas é muito raro que o dano seja irreversível. Trabalhamos muito para fazer com que seja cada vez mais difícil perder dados e cada vez mais fácil a recuperação dos erros. A maioria dos programas tem comandos de "Desfazer" que tornam simples experimentar alguma coisa e depois voltar rapidamente ao estado anterior. Os usuários tornam-se mais confiantes à medida que percebem que os erros não são catastróficos. Então começam a experimentar. Os microcomputadores oferecem todo tipo de oportunidade para a experimentação. Quanto mais experiência as pessoas vão adquirindo com os micros, melhor compreendem o que podem e o que não podem fazer. É aí que os micros deixam de ser ameaças e passam a ser ferramentas. Como um trator ou uma máquina de costura, um computador é uma máquina que podemos usar para nos ajudar a efetuar determinadas tarefas de maneira mais eficiente.

Outro temor que as pessoas costumam externar é que os computadores serão tão inteligentes que vão tomar conta de tudo e tornar inútil a mente humana. Apesar de acreditar que acabará havendo programas que reproduzirão alguns elementos da inteligência humana, é pouco provável que isso aconteça durante a minha vida. Durante décadas, cientistas da computação, estudando inteligência artificial, tentaram desenvolver um computador com a compreensão e o bom senso humanos. Alan Turing, em 1950, sugeriu o que acabou se chamando Teste de Turing: se você for capaz de manter uma conversa com um computador e outro ser humano, ambos fora de seu campo visual, e não tiver certeza de qual é qual, você terá uma máquina verdadeiramente inteligente.

Todas as previsões sobre grandes avanços na inteligência artificial acabaram se mostrando excessivamente otimistas. Hoje, mesmo tarefas de aprendizado simples ainda estão muito além do melhor computador do mundo. Quando computadores parecem ser inteligentes, é porque foram especialmente programados, de maneira linear, para lidar com alguma tarefa — como experimentar bilhões de lances para jogar xadrez como um profissional.

O computador tem o potencial para ser a ferramenta que vai impulsionar a inteligência humana num futuro próximo. Entretanto, equipamentos de informação não serão o padrão de divulgação de informações enquanto todo mundo não for usuário. Seria maravilhoso se todo mundo — rico ou pobre, da cidade ou do campo, jovem ou velho — tivesse acesso a um. Porém, os microcomputadores ainda são caros demais para a maioria das pessoas. Antes que a estrada da informação possa estar plenamente integrada à sociedade, ela deve estar ao alcance de praticamente todos os cidadãos, não apenas da elite. Isso não significa que todo cidadão tenha que ter um equipamento de informação em casa. Uma vez instalado na maioria dos lares, os que não tiverem podem acessar ferramentas de uso comum em bibliotecas, escolas, correios ou quiosques públicos. É importante lembrar que a questão do acesso universal só terá sentido se a estrada for imensamente bem-sucedida — mais bem-sucedida do que muitos comentaristas esperam. Surpreendentemente, alguns dos mesmos críticos que reclamam que a estrada será tão popular que causará problemas reclamam também que ela não será nada popular.

Depois de plenamente desenvolvida, a estrada da informação será acessível — quase que por definição. Um sistema caro que conectasse meia dúzia de grandes empresas e pessoas ricas simplesmente não seria a estrada da informação — seria a viela particular da informação. A rede não será capaz de reunir bom material em quantidade suficiente para prosperar se apenas os 10% mais ricos da sociedade puderem se valer dela. O processo de criação implica custos fixos, de modo que, para torná-la acessível, é necessário um público amplo. A receita de publicidade não conseguirá financiar a estrada se não houver uma maioria de pessoas qualificadas que a adote. Se isso acontecer, o preço da conexão terá que ser reduzido ou a implantação terá que ser adiada até que o sistema seja redesenhado para ficar mais atraente. Ou a estrada da informação é um fenômeno de massa ou não é coisa alguma.

Os custos de computação e comunicações vão acabar ficando tão baixos, e o ambiente de competição tão aberto, que boa parte do lazer e da informação oferecidos na estrada vai custar muito pouco. A receita publicitária permitirá que muito material seja gratuito. Contudo, é a maioria dos fornecedores de serviços, sejam bandas de rock, consultores de engenharia ou editoras de livros, que vai cobrar de seus usuários. Assim, a estrada da informação será acessível, se usada com discernimento. Mas não será grátis.

Uma grande parte do dinheiro que você vai gastar nos serviços da estrada você já gasta hoje, com os mesmos serviços, de outras formas. Nos últimos tempos, o dinheiro que você gastava em LPs deve ter ido para os CDs, ou do cinema para o aluguel de fitas de videocassete. Em breve, o dinheiro que você gasta nas fitas de vídeo vai passar para filmes de *video-on-demand*. Você vai redirecionar parte do que gasta hoje em assinaturas de periódicos impressos para serviços de informação pública e interativa. A maior parte do dinheiro que hoje é destinado ao serviço telefônico urbano, interurbano e TV a cabo estará disponível para ser gasto na estrada.

O acesso a informação governamental, aconselhamento médico, conferências eletrônicas (BBS) e algum material educacional será gratuito. Uma vez que as pessoas estejam na estrada, vão usufruir de acesso pleno e democrático a recursos on-line vitais. Em vinte anos, à medida que o comércio, a educação e serviços de comunicações de larga escala migrarem para a estrada, a participação do indivíduo nessa sociedade vai depender, pelo menos em algum nível, de sua utilização. A sociedade terá que decidir como subsidiar acesso amplo, sem barreiras geográficas ou socioeconômicas.

A educação não é a resposta total para todos os desafios criados pela Era da Informação, mas é parte da resposta, da mesma maneira que a educação é a parte da resposta para uma gama dos problemas da sociedade. H. G. Wells, que era tão imaginativo e preocupado com o futuro quanto qualquer futurista, sintetizou a questão em 1920. "A história do homem", disse, "torna-se cada vez mais uma disputa entre a educação e a catástrofe." A educação é o grande nivelador da sociedade, e toda melhoria na educação é uma grande contribuição para equalizar as oportunidades. Parte da beleza do mundo eletrônico é que o custo adicional de permitir que mais pessoas utilizem material educativo é basicamente nulo.

Sua educação em microcomputadores pode ser informal. Como disse, minha fascinação começou com jogos, da mesma forma que aconteceu com Warren Buffet anos depois. Meu pai se viciou quando usou um computador para preparar seu imposto de renda. Se você acha que os computadores intimidam, por que não tentar o mesmo tipo de experiência? Encontre algo em que um microcomputador possa fazer sua vida mais fácil e mais divertida e se agarre a isso como uma maneira de se envolver mais. Escreva um roteiro, cuide de sua conta bancária sem sair de casa, ajude seus filhos com o dever de casa. Vale a pena se esforçar para se sentir minimamente à vontade com os computadores. Se você lhes der a chance, é quase certo que será fisgado. Se a computação pessoal ainda parece difícil ou confusa demais, isso não significa que você não seja esperto o bastante. Significa que nós ainda temos que trabalhar para fazê-la mais fácil.

Quanto mais jovem você for, mais relevante é esse fato. Se você tem cinqüenta anos ou mais, talvez pare de trabalhar antes de precisar aprender a usar um computador — apesar de eu achar que, se você não aprender, estará perdendo a chance de viver uma experiência emocionante. Mas se você tem hoje 25 anos e não se sente à vontade com computadores, está correndo o risco de não se adequar a muitos tipos de trabalho. Para começo de conversa, conseguir um emprego será mais fácil se você tiver adotado o computador como uma ferramenta.

No fim das contas, a estrada da informação não será para a minha geração ou para aquelas que vieram antes de mim. É para as gerações futuras. As crianças que cresceram com microcomputadores na década passada, e as que vão crescer com a estrada na próxima, vão empurrar a tecnologia até seus limites.

Temos que prestar muita atenção para corrigir o desequilíbrio entre homens e mulheres. Quando eu era criança, parecia que só os meninos eram encorajados a brincar com computadores. As meninas, hoje, interagem mais com computadores do que há vinte anos, mas ainda há muito menos mulheres em carreiras técnicas. Se garantirmos que as meninas também se familiarizem com computadores enquanto jovens, teremos certeza de que elas desempenharão seus devidos papéis em todo tipo de trabalho que utilizar o computador.

Minha própria experiência, quando criança, e também a de meus amigos que têm filhos, é que, depois de exposta a um computador, qualquer criança é fisgada. Mas temos que criar a oportunidade para tal exposição. As escolas deveriam ter acesso barato a computadores conectados à estrada da informação, e os professores precisam se sentir à vontade com as novas ferramentas.

Uma das maravilhas da estrada da informação é que uma igualdade virtual é muito mais fácil de se alcançar que uma igualdade no mundo real. Seria necessária uma maciça quantia de dinheiro para dar a todas as escolas primárias de todos os bairros pobres o mesmo tipo de biblioteca que têm as escolas de Beverly Hills. Todavia, quando se ligam as escolas on-line, todas obtêm o mesmo acesso à informação, onde quer que ela esteja armazenada. Todos nascemos iguais no mundo virtual e podemos usar essa igualdade para nos ajudar a enfrentar alguns dos problemas sociológicos que a sociedade ainda tem que resolver no mundo físico. A rede não vai eliminar as barreiras do preconceito e da desigualdade, mas será uma força vigorosa nessa direção.

A questão de como estabelecer o preço da propriedade intelectual, por exemplo, no caso de material educativo ou de lazer, é fascinante. Os economistas têm muita prática no estabelecimento do preço para bens manufaturados tradicionais. Eles conseguem demonstrar de que forma um preço estabelecido racionalmente reflete a estrutura de custos de maneira direta. Em um mercado em que haja concorrência de muitos fabricantes qualificados, os preços tendem a cair até alcançar o custo marginal de se fabricar um item adicional de tudo o que estiver sendo vendido. Mas tal modelo não funciona quando tentamos aplicá-lo à propriedade intelectual.

Um curso básico de economia descreve as curvas de oferta e demanda, que se cruzam no preço apropriado para um produto. Mas a lei da oferta e da demanda enfrenta problemas quando se trata de propriedade intelectual, porque as regras tradicionais a respeito de custo de fabricação não se aplicam. Tipicamente, há enormes custos iniciais de desenvolvimento para a propriedade intelectual. Tais custos são os mesmos, quer se venda uma única cópia de uma obra ou 1 milhão delas. O próximo episódio da série *Guerra nas estrelas*, de George Lucas, vai custar milhões, a despeito de quantas pessoas forem vê-lo nos cinemas.

A atribuição de valor à propriedade intelectual é mais complicada do que a maior parte das atribuições de valor, porque hoje é relativamente barato fabricar cópias de quase qualquer tipo de propriedade intelectual. Amanhã, na estrada da informação, o custo de enviar uma cópia de uma obra — que será a mesma coisa que fabricá-la — será ainda menor, e cairá a cada ano por causa da Lei de Moore. Quando você compra um novo remédio, a maior parte do seu dinheiro vai para o que a empresa farmacêutica gastou em pesquisa, desenvolvimento e testes. Mesmo que o custo marginal para fabricar um comprimido seja mínimo, a empresa farmacêutica ainda tem que cobrar caro pelo remédio, especialmente se o mercado não for grande. A receita proveniente do paciente médio tem que cobrir uma parcela suficiente dos custos de desenvolvimento e gerar lucro o bastante para que os investidores se sintam recompensados pelos consideráveis riscos financeiros envolvidos na criação de uma nova droga. Quando um país pobre quer comprar remédios, o fabricante enfrenta um dilema moral. Se a empresa farmacêutica não abdica de suas taxas de licenciamento de patente, ou ao menos as reduz drasticamente, os remédios não estarão ao alcance dos países pobres. Entretanto, para que os fabricantes sejam capazes de investir em P&D, alguns usuários têm que pagar mais do que o custo marginal. Os preços dos remédios variam muito de país para país e representam uma discriminação contra os pobres nos países ricos, exceto onde o governo subsidia despesas médicas.

Uma solução possível, um esquema segundo o qual os ricos paguem mais para comprar novos remédios, ver filmes ou ler livros, pode parecer injusta; no entanto, isso seria idêntico a um sistema que já existe hoje — os impostos. Através do imposto de renda e outros tributos, as pessoas que ganham muito pagam mais por estradas, escolas, exército e todos os outros serviços governamentais do que o cidadão médio. No ano passado, o acesso a esses serviços me custou mais de 100 milhões de dólares, porque paguei um imposto sobre ganhos de capital considerável quando vendi algumas ações da Microsoft. Não estou reclamando, mas é um exemplo de como os mesmos serviços podem ser fornecidos a preços brutalmente distintos.

O estabelecimento de preços para o acesso à estrada pode ter como base critérios políticos, em vez de custos. Será caro levar o serviço a pessoas em locais remotos, porque o custo de passar cabos até lares, e até mesmo pequenas comunidades, é muito alto. As empresas podem não estar muito inclinadas a fazer o investimento necessário, e os que estiverem geograficamente isolados podem não estar em posição de fazer o investimento por sua própria conta. Podemos esperar debates acalorados sobre se o governo deve ou não subsidiar conexões nas áreas rurais, ou criar uma legislação que faça com que os usuários urbanos subsidiem os rurais. O precedente para isso é uma doutrina conhecida como "acesso universal", criada para subsidiar o correio, a telefonia e os serviços elétricos nas áreas rurais dos Estados Unidos. Ela determina um preço único para a entrega de uma carta, de uma chamada telefônica ou de energia elétrica, não importa onde você more. Ela é aplicada a despeito de ser mais caro se fornecerem serviços em áreas rurais, onde lares e empresas estão mais espalhados do que nas áreas de população mais concentrada.

Não houve política equivalente para a entrega de jornais ou para a recepção de rádio ou televisão. Mesmo assim, tais serviços estão amplamente disponíveis, tão claramente condicionados a certos fatores que não é necessária a intervenção do governo para garantir alta disponibilidade. O serviço postal americano foi fundado com a premissa de que era a única maneira de prover um serviço verdadeiramente universal. A UPS e o Federal Express talvez discordem nesse ponto, até porque conseguiram oferecer ampla cobertura e ganhar dinheiro. O debate sobre se o governo deve se envolver, e até que ponto, para garantir amplo acesso à estrada da informação ainda vai pegar fogo durante muitos anos.

A estrada vai permitir que aqueles que vivem em lugares remotos consultem, colaborem e se envolvam com o resto do mundo. Como muita gente vai achar atraente a combinação do estilo de vida rural com a informação urbana, empresas de rede terão um incentivo para estender linhas de fibra ótica até áreas remotas de alta renda. É provável que alguns estados, ou comunidades, ou mesmo incorporadoras imobiliárias, promovam suas vendas através do fornecimento de grande conectividade. Isso vai levar ao que se poderia chamar de "aspenização" de algumas partes do país. Haverá interessantes comunidades rurais, com altos níveis de qualidade de vida, que vão deliberadamente se propor a atrair uma nova classe de sofisticados cidadãos urbanos. Mas, de uma maneira geral, as áreas urbanas tenderão a ter conexões antes das áreas rurais.

A estrada vai espalhar informação e oportunidade também através das fronteiras, em direção aos países em desenvolvimento. Comunicações globais baratas podem trazer pessoas de qualquer lugar para o cerne da economia mundial. Um Ph. D. que fale inglês na China será capaz de concorrer com colegas em Londres para dar consultoria. Os trabalhadores instruídos dos países desenvolvidos terão, de certa maneira, que enfrentar uma nova concorrência — da mesma forma que os operários dos países industrializados tiveram que enfrentar a concorrência dos países em desenvolvimento na década passada. Isso fará com que a estrada da informação seja uma força importante no comércio internacional no que se refere a bens e serviços intelectuais, da mesma maneira que a disponibilidade relativamente barata de transporte aéreo e embarque em contêineres ajudou a impelir o comércio internacional de bens físicos.

O resultado será um mundo mais saudável, o que contribuirá para a estabilidade. As nações desenvolvidas, e os trabalhadores dessas nações, provavelmente manterão uma considerável frente econômica. Contudo, a diferença entre nações ricas e pobres diminuirá. Começar atrasado pode ser uma vantagem. Permite que aqueles que chegam depois queimem etapas e escapem dos erros cometidos pelos desbravadores. Alguns países jamais se industrializarão. Vão entrar diretamente na Era da Informação. A Europa não aderiu à televisão até muitos anos depois dos Estados Unidos. O resultado foi uma qualidade de imagem maior, porque, quando a Europa estabeleceu seu padrão, havia uma alternativa melhor à disposição. O resultado é que os europeus vêm usufruindo de uma imagem televisiva melhor há décadas.

Os sistemas telefônicos são outro exemplo de como um começo tardio pode oferecer vantagens. Na África, na China e em outras partes do mundo em desenvolvimento, muitos cidadãos que têm telefones usam aparelhos celulares. O serviço de telefonia celular está se espalhando rapidamente na Ásia, América Latina e outras regiões em desenvolvimento, porque não exige a passagem de fios de cobre. Muita gente na indústria celular prevê que as melhorias na tecnologia vão implicar que tais áreas talvez nunca disponham de um sistema telefônico convencional, baseado em fios de cobre. Esses países nunca terão que derrubar 1 milhão de árvores para fazer postes, estender centenas de milhares de quilômetros de linhas telefônicas e arrancar tudo quando for preciso instalar a rede subterrânea. O sistema telefônico sem fio será seu primeiro sistema telefônico. Vão ter sistemas celulares cada vez melhores toda vez que não puderem se dar ao luxo de uma conexão de banda larga.

A presença de um sistema avançado de comunicação promete fazer com que as nações fiquem mais semelhantes, reduzindo a importância das fronteiras. O aparelho de fax, a câmara de vídeo portátil e a Cable News Network [CNN, emissora de TV especializada em notícias] estão entre as forças que trouxeram o fim dos regimes comunistas e da Guerra Fria, porque permitiram que as notícias fluíssem em ambas as direções, através do que se chamava Cortina de Ferro.

Agora, transmissões comerciais via satélite para nações como a China e o Irã oferecem aos cidadãos *flashes* do mundo exterior que não são necessariamente sancionados por seus governos. Esse novo acesso à informação pode unir mais as pessoas, através da ampliação de seu conhecimento de outras culturas. Alguns acreditam que isso causará descontentamento e, pior, uma "Revolução de Expectativas", quando os destituídos tomarem conhecimento de outros estilos de vida em contraste com o seu próprio. Dentro de sociedades isoladas, o equilíbrio entre experiências tradicionais e modernas vai se deslocar à medida que as pessoas usarem a estrada da informação para se expor a uma gama maior de possibilidades. Algumas culturas podem se sentir ameaçadas, já que as pessoas vão prestar mais atenção às questões ou culturas globais e menos às locais e tradicionais.

"O fato de um mesmo anúncio ter apelo para alguém em um apartamento em Nova York, em uma fazenda no Iowa ou em uma aldeia na África não prova que tais situações sejam iguais", comentou Bill McKibben, que critica o que considera uma tendência da televisão de menosprezar a diversidade local e privilegiar experiências comuns homogeneizadas. "É evidente que as pessoas desses lugares têm alguns sentimentos em comum, e essas características básicas, mínimas, são a matéria da aldeia global."

Mas se as pessoas quiserem ver o anúncio, ou o programa financiado pelo anúncio, devemos lhes negar esse privilégio? É uma questão política que cada país deve responder individualmente. Não será fácil, no entanto, filtrar uma conexão da estrada de forma que ela selecione e só aceite alguns elementos.

A cultura popular americana é tão forte que, fora dos Estados Unidos, alguns países estão tentando racioná-la. Esperam, com isso, garantir a viabilidade do mercado doméstico restringindo a televisão estrangeira a certo número de horas por semana. Na Europa, a disponibilidade de programação distribuída por satélite ou por cabo reduziu o potencial de controle por parte do governo. A estrada da informação vai romper fronteiras e promover uma cultura mundial, ou pelo menos um compartilhamento de atividades e valores culturais. A estrada também vai fazer com que seja fácil para patriotas, ainda que expatriados, profundamente envolvidos com suas comunidades étnicas, entrar em contato com pessoas de interesses semelhantes, não importa onde estejam. Isso pode fortalecer a diversidade cultural e contrabalançar a tendência para uma única cultura mundial.

Se as pessoas realmente se limitarem a seus próprios interesses e se retirarem de um mundo mais amplo — se levantadores de peso só se comunicarem com levantadores de peso, se letões só quiserem ler jornais letões —, existirá o risco de que as experiências e valores comuns caiam por terra. Essa xenofobia fragmentaria as sociedades. Duvido que isso aconteça, porque acho que as pessoas querem ter o sentimento de que pertencem a várias comunidades, incluindo uma comunidade mundial. Quando nós, os americanos, partilhamos uma experiência nacional, é geralmente porque estamos todos testemunhando acontecimentos simultâneos — seja a explosão da Challenger, a decisão do campeonato, uma inauguração, a cobertura da Guerra do Golfo ou o julgamento de O. J. Simpson. Nesses momentos, estamos "juntos".

Outra preocupação que as pessoas têm é que o lazer de multimídia estará tão disponível e tão premente que alguns de nós o usarão em excesso. Isso pode virar um problema sério quando as experiências com realidade virtual se tornarem comuns.

Algum dia, um jogo de realidade virtual permitirá que você entre em um bar virtual, faça contato visual com "alguém especial", que vai perceber seu interesse e virá até você bater um papo. Você vai conversar, tentando impressionar sua companhia com seu charme e sua inteligência. Talvez vocês dois decidam, naquele momento, ir a Paris. Zum! Vocês estarão em Paris, admirando juntos os vitrais de Notre Dame. "Você já andou no Star Ferry de Hong Kong?", você pode convidar. Zum! A RV será, sem dúvida, mais envolvente que os vídeo games, e viciará mais.

Se você chegar à conclusão de que está fugindo para esses mundos fascinantes com muita freqüência, ou por tempo demais, e isso o preocupa, você pode dar um comando ao sistema: "Não interessa que senha eu der, não me deixe jogar mais de meia hora por dia". Isso seria um pequeno quebra-molas, um aviso para diminuir seu envolvimento com algo que você considera convidativo demais. Teria o mesmo propósito de uma foto de alguém muito gordo que você pode colocar na geladeira para desestimular as boquinhas.

Os quebra-molas ajudam muito com comportamentos que geram arrependimento mais tarde. Se alguém decide passar seu tempo livre examinando os vitrais em uma simulação da Notre Dame ou batendo papo em um bar de faz-de-conta com uma companhia forjada, essa pessoa está exercitando sua liberdade. Hoje, muita gente passa muitas horas por dia com a televisão ligada. Considerando que poderemos substituir uma parte desse lazer passivo com lazer interativo, os espectadores ainda sairão ganhando. Para ser franco, não estou muito preocupado com o mundo gastando horas na estrada da informação. Na pior das hipóteses, creio que será como jogar vídeo games ou fazer apostas. Grupos de apoio vão se formar para auxiliar os usuários que quiserem controlar o próprio comportamento.

Uma preocupação mais séria do que o excesso de gratificação individual é a vulnerabilidade que poderia resultar da intensa dependência da sociedade em relação à estrada.

Essa rede, e as máquinas computacionais ligadas a ela, formará o novo playground, o novo local de trabalho e a nova sala de aulas da sociedade. Vai substituir o dinheiro físico. Vai englobar a maioria das formas de comunicação. Será nosso álbum de fotografias, nosso diário, nosso aparelho de som. Tal versatilidade será a força da rede, mas também vai representar nossa dependência dela.

A dependência pode ser perigosa. Durante os *blackouts* de Nova York em 1965 e 1977, milhões de pessoas se viram em apuros — pelo menos durante algumas horas — por causa de sua dependência da eletricidade. Elas contavam com força elétrica para terem luz, aquecimento, transporte e segurança. Quando a eletricidade falhou, as pessoas ficaram presas em elevadores, os sinais de trânsito deixaram de funcionar e as bombas de água pararam. Quando perde algo realmente útil, você sente a falta.

Uma falha total da estrada da informação é digna de preocupação. Como o sistema será inteiramente descentralizado, uma falha específica tem pouca chance de ter um efeito amplo. Se um determinado servidor cair, será substituído e seus dados serão restaurados. Mas o sistema poderia ser vulnerável a um ataque. À medida que o sistema se tornar mais importante, teremos que inserir nele um nível maior de redundância. Uma área de vulnerabilidade é a dependência na criptografia do sistema — os cadeados matemáticos que mantêm a informação segura.

Nenhum dos sistemas de proteção que existem hoje, sejam travas de direção em automóveis, sejam cofres de aço, é completamente à prova de falhas. O melhor que podemos fazer é dificultar tanto quanto possível que alguém burle a proteção. Apesar das opiniões contrárias, a segurança dos computadores tem uma folha corrida muito boa. Os computadores são capazes de proteger a informação de tal maneira que mesmo os hackers mais audaciosos não conseguem chegar a ela com facilidade, a não ser que alguém de confiança cometa um erro. A negligência é o principal motivo pelo qual se vence a segurança dos computadores. Na estrada da informação haverá erros, e muitas informações vão fugir do controle. Alguém vai emitir falsas entradas digitais para concertos e vai haver gente demais aparecendo para o espetáculo. Sempre que esse tipo de coisa acontecer, o sistema terá que ser aprimorado e a legislação terá que ser revista.

Como tanto a privacidade do sistema como a segurança do dinheiro digital dependem da criptografia, alguma descoberta na matemática ou na ciência da computação que vença o sistema criptográfico poderá ser desastrosa. A descoberta matemática mais óbvia seria o desenvolvimento de uma maneira fácil de se fatorarem números primos elevados. Qualquer pessoa ou organização de posse de tal faculdade poderia falsificar dinheiro, penetrar em qualquer arquivo, pertença ele a uma pessoa, empresa ou governo, e possivelmente até arruinar a segurança das nações. Temos que garantir que, se qualquer técnica de criptografia se mostrar falível, haja um meio de se fazer uma transição imediata para uma técnica alternativa. Ainda há coisas a inventar antes que isso esteja aperfeiçoado. É particularmente difícil se garantir segurança para informações que você queira manter secretas por uma década ou mais.

A perda da privacidade é outra preocupação fundamental a respeito da estrada. Uma grande quantidade de informação já está sendo reunida sobre cada um de nós, por empresas privadas, bem como por órgãos governamentais, e freqüentemente não temos idéia de como é usada ou se é exata. As estatísticas dos órgãos responsáveis por censos contêm grande nível de detalhe. Prontuários médicos, ocorrências de trânsito, fichas de biblioteca, históricos escolares, registros de tribunal, históricos de crédito, declarações de imposto, registros financeiros, entrevistas profissionais e extratos de cartão de crédito, tudo traça nosso perfil. O fato de que você telefona muito para lojas de motocicleta, e pode ser sensível a anúncios de motocicletas, é uma informação comercial que uma companhia telefônica poderia, teoricamente, vender. Informação a nosso respeito é compilada de forma rotineira em *mailing lists* de marketing direto e relatórios de crédito. Erros e abusos já provocaram a criação de leis regulando o uso desse tipo de banco de dados. Nos Estados Unidos, você tem o direito de examinar certos tipos de informação armazenada sobre você, e tem o direito de ser comunicado quando alguém a examina. A natureza pulverizada das informações protege sua privacidade de maneira informal, mas, quando todos os repositórios estiverem conectados pela estrada, será possível se usarem computadores para correlacioná-las. Dados de crédito poderiam ser ligados a registros de emprego e registros de vendas para construir um retrato acurado e intrometido de suas atividades pessoais.

À medida que mais transações comerciais forem feitas utilizando a estrada, aumentando a quantidade de informações nela disponíveis, os governos, deliberadamente, vão estabelecer políticas a respeito da privacidade e do acesso à informação. A própria rede vai, então, administrar essas políticas, garantindo que um médico não tenha acesso às declarações de imposto de seu paciente, que um fiscal do governo não seja capaz de examinar o histórico escolar do contribuinte, que não seja permitido a um professor analisar a ficha médica do aluno. O problema em potencial é o abuso, não a mera existência da informação.

Hoje permitimos que uma empresa de seguro de saúde examine nosso prontuário médico antes de decidir se vai cobrir nossa morte. Essas companhias também podem querer saber se praticamos passatempos perigosos, como vôo livre, fumo ou corrida de automóvel. Será que uma seguradora deve poder vasculhar a estrada da informação à procura de registros de nossas compras de forma a verificar se há algo que possa indicar um comportamento perigoso de nossa parte? Será que se deve permitir que o computador de um possível empregador possa examinar nossos registros de comunicação e lazer e traçar um perfil psicológico? Que quantidade de informação um órgão federal, estadual ou municipal deve poder ver? O que um locador em potencial deve ser capaz de descobrir sobre você? A que tipo de informação um futuro cônjuge deve ter acesso? Teremos que definir limites tanto legais quanto práticos para a privacidade.

Esses temores sobre a privacidade giram em torno da possibilidade de haver alguém controlando a informação a seu respeito. Mas a estrada da informação também permitirá que um indivíduo controle seus próprios caminhos — levando ao que poderíamos chamar "uma vida documentada".

Seu micro de bolso será capaz de registrar áudio, hora, lugar e até vídeo de tudo o que acontecer com você. Será capaz de gravar cada palavra que você disser e cada palavra dita a você, bem como temperatura corporal, pressão sangüínea, pressão barométrica, e uma variedade de outros dados sobre você e sobre o ambiente ao seu redor. Será capaz de controlar suas interações com a estrada — todos os comandos que você emitir, as mensagens que você enviar e as pessoas para quem você ligar ou que ligarem para você. O registro resultante será o diário e a autobiografia definitivos, se você quiser ter algum. Quando menos, você saberia exatamente quando e onde tirou uma foto na hora de organizar o álbum fotográfico digital da família.

A tecnologia necessária para isso não é difícil. Logo será possível comprimir a voz humana a poucos milhares de bits de informação digital por segundo, o que significa que uma hora de conversação será convertida em cerca de um megabyte de dados digitais. Pequenas fitas usadas para cópias de segurança de discos de computador já são capazes de armazenar dez ou mais gigabytes de dados — o suficiente para gravarem-se cerca de 10 mil horas de áudio comprimido. As fitas feitas para as novas gerações de videocassete digital armazenarão mais de cem gigabytes, o que quer dizer que uma única fita custando poucos dólares poderia armazenar um registro de todas as conversas que um indivíduo tenha no decorrer de uma década ou até de uma vida — dependendo de sua loquacidade. Esses números se baseiam nas capacidades de hoje — no futuro, os custos de armazenagem serão muito menores. Áudio é fácil, mas, dentro de poucos anos, gravações de vídeo serão também possíveis.

Considero a perspectiva das vidas documentadas um pouco desestimulante, mas há gente que vai receber bem a idéia. A defesa será um motivo para documentar uma vida. Podemos conceber o micro de bolso como uma máquina de álibi, porque assinaturas digitais cifradas vão garantir um álibi inquebrantável contra falsas acusações. Se um dia alguém acusá-lo de alguma coisa, você pode responder: "Ei, cara, minha vida está documentada. Meus bits estão guardados. Posso reproduzir tudo o que já disse na vida. Por isso, não se meta comigo". Por outro lado, se você for culpado de alguma coisa, haverá um registro do crime. Também haveria um registro se alguém tentasse alterar os dados. As gravações que Richard Nixon fez de suas conversas na Casa Branca — e, depois, as suspeitas de que tenha tentado alterar essas gravações — contribuíram para sua ruína. Ele escolheu ter uma vida política documentada e viveu para se arrepender.

O caso Rodney King mostrou o poder de prova do videoteipe e seus limites. Logo, todo carro de polícia, ou todo policial, poderá estar equipado com uma câmara de vídeo, com registros de lugar e hora impossíveis de se adulterar. O público poderá exigir que a polícia grave a si própria durante seu trabalho. E a polícia poderia ser absolutamente a favor, para se resguardar de queixas de brutalidade e excessos por um lado e como auxílio para conseguir melhores provas por outro. Algumas forças policiais já estão gravando as prisões que efetuam. Esse tipo de gravação não vai afetar apenas a polícia. Seguro contra negligência médica poderia ser mais barato (ou até exigido) para médicos que gravassem suas cirurgias ou mesmo consultas. Empresas de ônibus, táxis e caminhões têm um interesse óbvio pelo desempenho de seus motoristas. Algumas empresas de transportes já instalaram equipamentos para registrar a quilometragem e a velocidade média. Posso imaginar projetos no sentido de que todos os automóveis, incluindo o seu e o meu, sejam equipados não apenas com um gravador, mas também com um transmissor que identifique o carro e seu paradeiro — uma placa do futuro. Afinal, os aviões já têm "caixas-pretas", e, quando o preço cair, não haverá motivo por que elas não estejam também em nossos carros. Se um carro for roubado, saber-se-á seu destino imediatamente. Se alguém atropelar uma pessoa, ou atirar de um carro, e depois fugir, o juiz poderá autorizar uma consulta: "Quais veículos estavam no seguinte quarteirão durante este período de trinta minutos?". A caixa-preta poderia registrar sua velocidade e sua posição, o que permitiria a perfeita observância às leis que limitam a velocidade. Eu votaria contra uma coisa dessas.

Em um mundo cada vez mais cheio de ferramentas, podemos chegar a um ponto em que haverá câmaras gravando quase tudo que é público. Câmaras de vídeo em lugares públicos já são relativamente comuns. Estão empoleiradas, freqüentemente ocultas, em bancos, aeroportos, caixas eletrônicos, hospitais, estradas, lojas, saguões de hotéis, prédios de escritórios e elevadores.

A perspectiva de tantas câmaras, nos observando continuamente, poderia parecer desconfortável há cinqüenta anos, como pareceu a George Orwell. Mas hoje elas não chamam atenção. Há bairros nos Estados Unidos e na Europa onde as pessoas estão recebendo com alegria câmaras nas ruas e estacionamentos. Em Mônaco, o crime nas ruas foi praticamente eliminado porque foram instaladas centenas de câmaras em vários locais do minúsculo principado. Mônaco, entretanto, tem uma área tão pequena, 150 hectares, que algumas centenas de câmaras conseguem cobrir a maior parte dela. Muitos pais gostariam de ter câmaras nas escolas para desencorajar ou ajudar a prender traficantes de drogas, pessoas que molestem crianças ou mesmo alunos valentões. Cada poste de iluminação representa um investimento substancial da comunidade em segurança pública. Em poucos anos, a verba necessária para instalar e operar câmaras de vídeo conectadas à estrada da informação será relativamente modesta. Em uma década, os computadores serão capazes de varrer fitas de vídeo, em busca de pessoas ou atividades específicas, de forma muito barata. É fácil imaginar projetos para instalar uma ou mais câmaras em todos os postes. As imagens dessas câmaras poderiam ser examinadas apenas no caso de haver um crime, e, mesmo assim, apenas com permissão judicial. Algumas pessoas podem argumentar que todas as imagens, de todas as câmaras, devem estar à disposição de quem quiser ver, a qualquer momento. Na minha opinião, isso levanta sérias questões acerca da privacidade, mas seus partidários podem argumentar que isso faz sentido, já que as câmaras estarão instaladas apenas em locais públicos.

Quase todo mundo está pronto a aceitar algumas restrições em troca de se sentir seguro. De um ponto de vista histórico, as pessoas que vivem nas democracias do Ocidente já desfrutam de um nível de privacidade e liberdade pessoal sem precedentes em toda a história humana. Se câmaras onipresentes ligadas à estrada da informação forem capazes de reduzir o crime drasticamente em comunidades testadas, começará um debate verdadeiro sobre se as pessoas têm mais medo da vigilância ou do crime. É difícil imaginar uma experiência desse tipo com patrocínio do governo nos Estados Unidos, por causa das questões sobre a privacidade que ela levantaria e a probabilidade de impedimentos constitucionais. Contudo, as opiniões mudam. Talvez bastem outros incidentes como o atentado à bomba de Oklahoma dentro das fronteiras dos Estados Unidos para que a atitude a favor de uma proteção forte à privacidade se altere. O que hoje pode parecer um Big Brother digital pode um dia se tornar a norma se a alternativa for ficarmos à mercê de terroristas e criminosos. Não estou defendendo nenhuma das posições — a tecnologia permitirá que a sociedade tome as decisões políticas.

Ao mesmo tempo em que a tecnologia está facilitando a criação de registros em vídeo, também está possibilitando que todos os seus documentos e mensagens pessoais sejam mantidos em absoluta confidencialidade. Software que usa tecnologia de criptografia, que qualquer um pode obter na Internet, pode transformar o micro em uma máquina de codificação praticamente inviolável. À medida que a estrada for desenvolvida, serviços de segurança serão aplicados a todas as formas de informação digital — ligações telefônicas, arquivos, bancos de dados, qualquer coisa. Desde que você proteja sua senha, a informação armazenada em seu computador pode ser mantida sob o melhor cadeado que jamais existiu. Isso permite o maior nível de privacidade de informações que um indivíduo jamais teve.

Muita gente no governo se opõe a essa capacidade de criptografia, porque reduz sua chance de recolher informações. Infelizmente para eles, não se pode deter a tecnologia. A National Security Agency é o órgão da comunidade de informações e do governo americano que protege as comunicações confidenciais do país e decifra as comunicações estrangeiras para colher informações. A NSA não quer que algum software capaz de utilizar criptografia avançada seja enviado para fora dos Estados Unidos. Todavia, esse tipo de software já está disponível em todo o mundo, e qualquer computador é capaz de rodá-lo. Não há política que possa restaurar a capacidade de espionagem que os governos tinham no passado.

A legislação que hoje proíbe a exportação de software de criptografia pode prejudicar as empresas de software e hardware dos Estados Unidos. As restrições dão às empresas estrangeiras uma vantagem sobre os concorrentes americanos. Quase todas as empresas americanas concordam que as restrições atuais à exportação de criptografia não funcionam.

Cada avanço na mídia tem um efeito considerável no modo como as pessoas e os governos interagem. A prensa e, mais tarde, os jornais de grande circulação mudaram a natureza do debate político. O rádio e a televisão permitiram que os líderes políticos falassem de forma direta e íntima com as massas. Da mesma forma, a estrada da informação terá sua própria influência na política. Pela primeira vez, os políticos poderão ver pesquisas de opinião imediatas. Os eleitores serão capazes de depositar seus votos de casa ou a partir de seus micros de bolso com menos risco de erros de apuração ou fraude. As implicações para o governo serão tão grandes quanto serão para a indústria.

Mesmo que o modelo de decisão política não mude de maneira explícita, a estrada vai conferir poder aos grupos de cidadãos que quiserem se organizar para apoiar causas ou candidatos. Isso poderá levar a um aumento no número de grupos de interesse e até de partidos políticos. Hoje, organizar um movimento político sobre alguma coisa exige uma enorme dose de coordenação. Como encontrar pessoas que partilhem suas opiniões? Como motivá-las e se comunicar com elas? Telefones e aparelhos de fax são ótimos para conectar pessoas ponto a ponto — mas apenas se você souber com quem quer falar. A televisão permite que uma pessoa chegue a milhões de outras, mas custa caro e pode ser um desperdício se a maioria dos espectadores não estiver interessada.

As organizações políticas exigem milhares de horas de trabalho voluntário. É necessário encher envelopes para mala direta, e voluntários têm que sair e entrar em contato com pessoas do jeito que for possível. Apenas algumas questões, entre as quais está o meio ambiente, têm força o bastante para superar as dificuldades envolvidas no recrutamento voluntário e em número suficiente para operar uma organização política eficaz.

A estrada da informação facilitará todas as comunicações. Conferências eletrônicas e outros fóruns on-line permitirão que as pessoas estejam em contato umas com as outras, seja de um para um, de um para muitos ou de muitos para muitos, de formas muito eficientes. Pessoas com interesses parecidos poderão encontrar-se eletronicamente e organizar-se sem esforço físico algum. Vai ser tão fácil organizar um movimento político que nenhuma causa será pequena ou dispersa demais. Acho que a Internet será um foco importante para todos os candidatos e grupos políticos pela primeira vez durante as eleições nacionais americanas de 1996. A estrada vai se tornar um canal fundamental para o discurso político.

A votação direta já é usada nos Estados Unidos para questões específicas na esfera estadual. Por motivos logísticos, tais votações só podem ocorrer quando uma eleição importante já está acontecendo. A estrada da informação permitiria que elas fossem levadas a cabo mais freqüentemente, porque custariam muito pouco.

Sem dúvida, alguém vai propor a "democracia direta", estabelecer votação para todas as questões. Pessoalmente, não creio que a votação direta seja uma boa maneira de se exercer o governo. Há espaço no governo para que parlamentares — que são apenas intermediários — dêem sua contribuição. A ocupação deles é justamente ter o tempo de compreender todas as nuances das questões complicadas. A política implica acordo, algo quase impossível sem um número relativamente pequeno de parlamentares tomando decisões em nome dos que os elegeram. A arte da administração — seja da sociedade, seja de uma empresa — gira em torno de se tomarem decisões conscientes a respeito da alocação de recursos. Desenvolver tal especialidade é o trabalho de tempo integral de um legislador. É isso que permite que os melhores entre eles proponham ou adotem soluções não óbvias, que a democracia direta pode não contemplar, porque talvez os votantes não compreendam os sacrifícios necessários para um sucesso de longo prazo.

Como todos os intermediários no novo mundo eletrônico, os representantes políticos terão que se justificar. A estrada da informação vai colocá-los na ribalta como nunca aconteceu antes. Em vez de ganhar fotos e palavras vazias, os eleitores terão condições de avaliar de forma muito mais direta o que seus representantes estão fazendo e como estão votando. O dia em que um senador vai receber 1 milhão de mensagens eletrônicas sobre um assunto ou em que poderá saber por seu bip o resultado de uma pesquisa de opinião de tempo real entre os que o elegeram não está longe.

A despeito dos problemas levantados pela estrada da informação, meu entusiasmo por ela continua ilimitado. A tecnologia da informação já está afetando as pessoas profundamente, como prova uma mensagem eletrônica que um leitor de minha coluna no jornal me enviou em junho de 1995. "Mr. Gates, sou um poeta que tem dislexia, o que basicamente quer dizer que não consigo soletrar direito, e não poderia nem sonhar em publicar minha poesia ou meus romances se não fosse pelo corretor ortográfico de meu computador. Talvez eu fracasse como escritor, mas, graças ao senhor, meu fracasso ou meu sucesso vai ser resultado de meu talento, ou da falta dele, e não da minha incapacidade."

Estamos vendo algo histórico acontecer, e isso vai afetar o mundo de forma devastadora, abalando-nos tanto quanto a descoberta do método científico, a invenção da imprensa e o advento da Era Industrial. Se a estrada da informação for capaz de melhorar a compreensão dos cidadãos de um país a respeito dos cidadãos dos países vizinhos, e, desta forma, diminuir os atritos internacionais, só isso já justificaria os custos de implementação. Se fosse usada apenas por cientistas, permitindo que eles trabalhassem em conjunto para encontrar a cura de doenças hoje incuráveis, só isso seria inestimável. Se o sistema fosse só para crianças, de maneira que pudessem buscar seus interesses dentro e fora das salas de aula, só isso seria capaz de transformar a condição humana. A estrada da informação não vai resolver todos os problemas, mas será uma força positiva em muitas áreas.

Ela não vai se desenvolver sob nossos olhos de acordo com um plano predefinido. Haverá derrotas e tropeços imprevistos. Alguns vão se agarrar a essas derrotas para proclamar que a estrada nunca foi mais do que oba-oba. Mas, no que se refere à estrada, os primeiros fracassos serão apenas experiências esclarecedoras. A estrada será uma realidade.

Mudanças importantes sempre levaram gerações ou séculos. Esta não vai acontecer da noite para o dia, mas será muito mais rápida do que as outras. As primeiras manifestações da estrada da informação aparecerão nos Estados Unidos na virada do milênio. Em uma década, seus efeitos estarão por toda parte. Se tivesse que adivinhar que aplicações da rede serão adotadas rapidamente e quais demorarão mais, eu com certeza erraria algumas. Em vinte anos, praticamente tudo de que falei neste livro estará ao alcance de todos nos países desenvolvidos e em empresas e escolas nos países em desenvolvimento. O hardware estará instalado. Será, então, apenas uma questão do que as pessoas fazem com ele — ou seja, que aplicações, que software, elas usam.

Você saberá que a estrada da informação se tornou parte de sua vida quando começar a ficar irritado se a informação de que precisa não estiver disponível através da rede. Algum dia, você vai procurar o manual de sua bicicleta e vai ficar chateado porque o manual é um documento de papel que se pode perder. Vai ficar desejando que fosse um documento eletrônico interativo, com ilustrações animadas e instruções em vídeo, sempre disponível na rede.

A rede vai nos aproximar mais, se quisermos, ou permitir que nos separemos em 1 milhão de comunidades eletrônicas. Acima de tudo, e em um sem-número de novas formas, a estrada da informação vai nos dar alternativas que podem nos pôr em contato com lazer, informação e uns com os outros.

Creio que Antoine de Saint-Exupéry, que escreveu de maneira tão convincente sobre como as pessoas se acostumaram a pensar nas locomotivas e outras formas de tecnologia como algo positivo, aprovaria a estrada da informação e descartaria, como saudosistas, todos os que se opuserem a ela. Há cinqüenta anos, ele escreveu: "O transporte dos correios, o transporte da voz humana, o transporte de imagens bruxoleantes — neste século, como nos demais, nossas maiores realizações ainda têm o único objetivo de aproximar os homens. Será que nossos idealistas acreditam que a invenção da escrita, da imprensa, da caravela desvirtuaram o espírito humano?".

A estrada da informação vai nos levar a muitos destinos. Gostei de especular sobre alguns deles. Sem dúvida, fiz algumas previsões tolas, mas espero que não tantas assim. Seja como for, estou animado com a viagem.

POSFÁCIO

A estrada da informação terá um efeito significativo na vida de todos nós nos anos que se aproximam. Como sugeri no capítulo 9, os maiores benefícios virão da aplicação da tecnologia à educação — formal e informal. Como uma pequena colaboração pessoal, minha parte nos proventos gerados por este livro será destinada a estimular professores que estejam incorporando computadores a suas classes. A Fundação Nacional para o Aperfeiçoamento da Educação, nos Estados Unidos, e organizações semelhantes no mundo inteiro contam com fundos que ajudarão os professores a criar oportunidades para os alunos, da mesma maneira que o Clube das Mães em Lakeside fez com que minhas primeiras experiências com computadores fossem possíveis.

Trabalhei muitas horas neste livro. Trabalhei duro porque amo meu trabalho. Não é um vício, e gosto de fazer muitas outras coisas, mas acho meu trabalho muito empolgante. Meu objetivo é manter a Microsoft na liderança mediante constante renovação. É um pouco assustador, já que, à medida que a tecnologia dos computadores avançou, nunca o líder de uma fase permaneceu líder na fase seguinte. A Microsoft tem sido líder na fase dos microcomputadores. Portanto, a partir de uma perspectiva histórica, acho que a Microsoft não se qualifica para liderar a fase da estrada na Era da Informação. Mas quero desafiar a tradição histórica. Em algum lugar à nossa frente está o limiar que separa a fase dos microcomputadores da fase da estrada. Quero estar entre os primeiros a atravessá-lo quando o momento chegar. Acho que a tendência de que as empresas bem-sucedidas deixem de inovar é só isso: uma tendência. Se você está preocupado demais com seu negócio atual, é difícil mudar e se concentrar em inovar.

Para mim, o grande divertimento sempre esteve em contratar e trabalhar com gente esperta. Sempre aprendo muita coisa. Algumas dessas pessoas espertas que estamos contratando agora são muito mais jovens do que eu. Invejo-as por terem crescido com computadores melhores. Elas são extraordinariamente talentosas e contribuirão com novos ideais. Se a Microsoft puder aliar esses ideais a uma observação cuidadosa de nossos clientes, teremos a chance de continuar a liderar. Poderemos com certeza continuar a fornecer software cada vez melhor, de forma a fazer dos microcomputadores uma ferramenta libertadora universal. Costumo dizer que tenho o melhor emprego do mundo, e falo sério.

Acho que é um tempo maravilhoso para se estar vivo. Nunca houve tanta oportunidade de fazer coisas que antes eram impossíveis. Também é a melhor época para fundar novas empresas, desenvolver ciências — como a medicina — que melhorem a qualidade de vida e estar em contato com amigos e parentes. É importante que tanto os pontos positivos como os negativos dos avanços tecnológicos sejam discutidos amplamente, de forma que a sociedade como um todo, e não apenas os tecnólogos, possa guiar seu caminho.

Agora, de volta a você. Expliquei no prefácio que estava escrevendo este livro para ajudar a iniciar um diálogo e chamar a atenção para uma série de oportunidades e questões que indivíduos, empresas e nações terão que enfrentar. Minha esperança é que, depois de ler este livro, você partilhe um pouco do meu otimismo e se junte à discussão sobre como devemos moldar o futuro.

ÍNDICE REMISSIVO

Academic Systems, 245

Adelman, Leonard, 141

África, 300, 322-3

Aldus PageMaker, 94

Alemanha, 291

Allen, Paul, 23-5, 27, 58

Altair 8800, 29, 59, 288

Amdhal, Eugene, 56 7

América Latina, 322

América do Norte, 282, 293

America Online, 129, 160

analógica, informação, 45

Andersen, Arthur, 194

Apple, 52, 59, 71, 288-9, 294, 304

aprendizado mediado, 245

ARPANET, 126

Ásia, 36, 283, 300, 322

AT&T, 127, 294-5, 302, 306

ATM (modo de transferência assíncrono), 136, 294, 305

atrito, força de, 155, 158, 199

authoring tools (ferramentas de criação), 7

Austrália, 292-3

Babbage, Charles, 36-7, 48, 137

Ballmer, Steve, 58, 62, 80, 190

banco de dados, 278

BASIC (Beginner's All-Purpose Symbolic Instruction Code), 12, 26, 28, 30-1, 55, 59, 63-4

Bauer, Eddie, 186

BBS, ver conferências eletrônicas

Bell, Alexander Graham, 19

Bell Atlantic, 242, 306

Bell, laboratórios, 43, 83

Betamax, 65-6

bibliotecas públicas, 224

binário, sistema, 37, 41, 44-7

bit, 39-40, 42

black-outs (Nova York, 1965 e 1977), 325

Bob, Microsoft, 114

Boston University, 242

Bricklin, Dan, 70

British Telecom, 288

B. T. Gold (British Telecom), 184

Buffett, Warren, 258, 317

bug (mariposa), 42

bulb, 39-40

Burke, James, 20

bytes (grupo de oito bits), 42

cabo, sistema de, 118, 132, 292, 295-9; televisão a, 117, 157-8, 223, 287, 295, 298, 301, 323

calculadora, 36

Cambridge University, 36

Canadá, 287

capacidade de banda larga, 47

Capital Cities/ABC, 306

capitalismo, 199

Carlson, Chester, 156

cartão inteligente, 103, 227

casa de Bill Gates, Seattle, 266-73

CD, Compact Disk, 45, 65, 67

CD-ROM, 35, 117, 145, 150-1, 162-4, 241-2, 246, 303, 306; pornográfico, 171

celular, telefonia, 299

censura, 205-6

chave: codificadora, 140, 142; decifradora, 140; privada, 143; pública (*public-key encryption*), 138, 141-3

China, 234, 293, 322

Christopher Columbus Middle School (Nova Jersey), 242

ciberespaço (*cyberspace*), 109-10, 205

Cingapura, 290

Clube das Mães da Lakeside, 11-2, 339

coaxial, cabo, 51, 128

COBOL, 56

Columbia University, 250

Commodore, 59

Compaq Computer, 52, 78, 229

CompuServe, 129, 160, 184

computadores baseados em caneta, 104

Computer Fraud and Abuse Act (1986), 126

comunicação: assíncrona, 90; síncrona, 89-90

Comunicações, Comissão Federal (EUA), 233

comutação, centrais de (switches), 91, 134, 290

conferência eletrônica, 122, 126, 158-60, 171, 203, 207, 262, 316, 334

Control Data, 57

Corbis, 278

Coréia do Sul, 292

correio eletrônico, 19, 122, 126, 159, 166, 177, 179-88, 193, 195, 219, 243, 259, 264

CP/M-86, 70

criptográfico, sistema, 139, 141, 326, 332-3; chave, 139

Currier House, 58

cyberpunk, 170

dBASE, 94

decodificador, 95-6, 98, 289-90, 297-8, 304

DEC (Digital Equipment Corporation), 23, 27, 53-4, 56, 63, 71, 229, 305, 310

DECPDP-8, 26-7

Design Change Requests, *ver* Pedidos de Mudança de Projeto

Deutsche Telekom (Alemanha), 291

Dewey, sistema decimal, 105

Diffie, Whitfield, 141

digital, armazenagem de informação, 145-8, 153-4, 332; assinatura, 138; manipulação de imagens, 165, 266

dinheiro digital, 100, 102

DIRECTV (Hughes Electronics), 133, 300

direitos, compra de, 222

disco rígido, 50

Dolby, laboratórios, 85

DOS (Sistema operacional de disco), 55

DSVD (*digital simultaneous voice data*), 131, 186-8, 257

Eagle, 72

Eckhert, J. Presper, 41, 48
EDI (intercâmbio eletrônico de documentos), 185-6
Edison, Thomas, 93
Edison General Electric Company, 93
Eduardo VIII (rei) (Grã-Bretanha), 151
Eisenstein, Sergei, 171
Electronics, revista, 25-7
eletrônica: comunidade, 260, 263; moeda, 259 ; publicidade (anúncios), 201-2, 215-8, 264; publicação, 158, 164; rede, 173-6, 180
eletrônico: banco, 219, 227; crachá, 269-71; documentos, 145-7; foruns, 204; livro (*e-book*), 146, 223; mercado (comércio), 200, 208-15, 225, 227-8
e-mail, *ver* correio eletrônico
Encarta (Microsoft), 150-1
enciclopédia, 242, *ver também* Encarta
Endereços de correio eletrônico dos ricos e famosos, 182
ENIAC, Electronic Numerical Integrator and Calculator, 41-3
Era Industrial, 36, 335
Ernst & Young, 194
escrivaninha de colo (*lap desk*), 98
espiral: positiva, 53; negativa, 53
Estados Unidos, 37, 287-8, 322-3, 331-2, 334
estrada da informação, 14, 16-7, 35, 52, 90, 94-6, 104-6, 109, 114-5, 117, 119, 130, 133, 135, 140, 143, 145, 151-5, 172-3, 180, 189, 197, 200-3, 208-9, 213-6, 221-3, 227, 231, 237, 243, 247-8, 256-9, 267, 277, 281-6, 289, 293-4, 301-3, 306, 315, 318-9, 325, 328, 335-6
etiqueta de rede, *ver* netiqueta
Europa, 282, 293, 322-3, 331
Extended edition, 79

Federal Aid Highway Act (1956), 16
Federal Express, 320
feedback, 14, 193; positivo, 124
Feynman, Richard, 236
fibra ótica, 47-8, 51, 134-5, 288, 296, 301, 321
filmes, software para editar, 164
filtro, 107-8, 111
Flight simulator (Microsoft), *ver* simulador
Ford, Henry, 309
FORTRAN, 56
França, 234, 299
Frankston, Bob, 70
Fundação Nacional para o Aperfeiçoamento da Educação (Estados Unidos), 339

Gardner, Howard, 231-2
gateway, 184-5
Gerstner, Lou, 88
Gibson, William, 170
GLOBE Project, 253
GPS (Sistema de Posicionamento Global), 101-2
Grã-Bretanha, 37, 234, 287
Griffith, D. W., 171
Gutenberg, Johann, 19-20, 155, 160

hacker, 125-6, 326
Harvard Crimson, revista, 58
Harvard: Graduate School of Education, 231; University, 27-8, 57
HDTV (sistemas de televisão de alta definição), 96-7, 294
Hearst, William Randolph, 267
HeathKit, 63
Hellman, Martin, 141
Hewlett Packard, 71, 229, 302
Hitachi, 57

Hi-Vision, 294
Holanda, 234
holográfica, memória, 51
home page, 123
Honeywell, 27
Hoover Company, 93
Hundt, Reed, 233
hyperlink, 106, 109-10, 123-4

IBM, 28, 50, 54-7, 63, 72, 78, 82, 85, 87, 229, 294, 302, 305, 310; em Boca Raton e Austin, Texas, 81; em Hursley Park, Inglaterra, 81
IBM-PC, 70, 72, 120, 288-9; AT, 77, 82, 288; XT, 50
Idades do Ferro e do Bronze, 34
Inamori, Kazuo, 61
Índia, 293
Informação, Era da, 307-8, 316, 322, 339
Intel, 25, 43, 48, 68, 71-2, 229; Microprocessador 8008, 25-9; Microprocessador 8080, 30, 32; Intel 80286, 77; Intel 80386, 78
interatividade, 166, 240-1
interativa: rede, 245, 305; TV, 259, 303
interface, 73; gráfica, 87; social, 113, 180, 244
Internet, 14, 87, 117-8, 120, 122-9, 134, 141, 158-60, 171, 184-6, 205, 243, 246, 250-3, 262, 277, 282, 284, 290, 303-7, 332, 334
Irã, 322
ISDN (*integrated services digital network*), 131, 161, 186-8, 191
Itel, 57
ITU (International Telecommunications Union), 291

Japão, 234, 291-4, 299
Jichuam, Wu (China), 290

Jobs, Steve, 76
jogos; jogo-da-velha, 11, 23; *Myst*, 163; *Seventh Guest*, 163; xadrez, 49
Just grandma and me (Brøderbund, 240)
JVC, 66

Kapor, Mitch, 70
killer application, 92
King, Rodney (caso), 329
Kyocera Corporation, 61

Lakeside School, ver Clube das Mães de Lakeside
lap desk, ver escrivaninha de colo
laptop, 51, 98
largura de banda, 127
laser, impressora, 156
Leibniz, Gottfried von, 36
Leibovitz, Annie, 10
Lester B. Pearson School, 243
Lexus, 213
link, 151
Lotus, 53, 80, 86; Lotus 1-2-3, 70-1, 94
lousa digital, 97, 194
Ludd, Ned, 175

McCaw Cellular, 306
McCaw, Craig, 300
Macintosh, 71, 76, 86-7, 111, 288-9; Power Macintosh, 288
McKibben, Bill, 323
Máquina Analítica, 36-7
mainframes, 23, 57, 283, 285
market makers, 200
Mauchly, John, 41, 48
MCI Mail, 184-5
Méliès, Georges, *The conjurer*, 165
Microchannel Bus, 82
micro de bolso (*wallet PC*), 99-103, 137, 301, 304, 328, 333

microinformática, 303; revolução da, 282

Microsoft, 15, 23, 31-2, 53, 58, 67, 72, 74, 294; Excel, 76, 94, 179; Network, 184; Word, 94

Minitel (França), 171, 291

MITI (Ministério da Indústria e Comércio Internacional) (Japão), 294

Model 100, 61

modem (Modulador DEModulador), 120-1; para cabo, 132, 161

monopólios, concessão de (1934), 287

Moore, Gordon, 48; Lei de, 48, 50-1, 141, 165, 169, 319

Moore School of Electrical Engineering da University of Pensylvania, 41

Morris Jr., Robert, 126

mouse, 74-5

MS-DOS (Sistema Operacional de Disco da Microsoft), 74-5, 78, 87

MultiMate, 55

multimídia, 166, 223, 234, 236, 238, 241-2; documentos, 264, 279; ver também CD-ROM

Myst (Brøderbund), ver jogos

National Security Agency, 332

navegação espacial, 108-10, 114

NEC, 229, 292

NEC PC-8200, 61

Nelson, Ted, 124

netiqueta (etiqueta de rede), 203

Neumann, John von, 37, 42; "arquitetura", 37

Newsgroup, ver conferência eletrônica

New York Times, 126

NHK, 294

Nishi, Kazuhiko (Kay), 60

Northstar, 72

notebook, 99

Nova Zelândia, 292-3

Noyce, Bob, 43, 48

Office Vision, 79, 85

Olivetti M-10, 61

Olsen, Ken, 53-4

one-way functions (funções sem retorno), 138

on-line; anúncios, 218; escolas, 318; fóruns, 334; jogos, 258; publicações, 216; serviços, 35, 51, 120, 129, 160, 164, 177, 202, 204-6, 242, 258, 262, 291, 295, 316; sistema, 162, 256

Open Software Foundation, 83-4

Oracle, 53, 294, 302

OS/2, 76, 79-83, 85-7

ouro, corrida do, 280

Pacific Bell, 234

Pascal, Blaise, 36

Pascal P-System, UCSD, 70

pay-per-view, sistema, 223, 300

PCS, 137

Pedidos de Mudança de Projeto (Design Change Requests), 81

P&D, 282, 303, 319

PDP-1, 54; PDP-8, 23-4, 54; PDP-11, 63

Pinker, Steven, The language instinct, 213

pivot table, 178-9

pixel, 169

Popular Electronics, 28, 59

Prodigy, 160, 184

PS/2, 82

rack, 302

Radio Shack, 59-61

Ralph Bunche (Public School 125), 250

rampa de acesso (on ramp), 128

RBOCs (Regional Bell Operating Companies), 295-7

RDSI (rede digital de serviços integrados), 234, 291, 297
realidade virtual (RV), 166-71, 250, 324; óculos de, 169; traje de, 170
rede, 242, 257, 284
Reino Unido, 288
retorno positivo, 65, 84, 86
Revolução Industrial, 238, 310
Riqueza das nações, A, 199
Rivest, Ron, 141
robô, 274
role-playing game, 258
RSA, *ver* criptográfico, sistema
Rússia, 160

SABRE (American Airlines), 149
Sachs, Jonathan, 70
Saint-Exupéry, Antoine de, 19, 336
satélite de transmissão direta, 133, 299-300, 323
scanner, 102
Scientific American, revista, 43
SCII, 61
Seattle: anos sessenta, 11
Segunda Guerra Mundial, 37, 41, 46
Seventh Guest (Virgin Interactive Entertainment), *ver* jogos
Shamir, Adi, 141
Shannon, Claude, 37, 46-7
Shirham (rei da Índia), 49-50
Silicon Graphics, 304
SimCity (Maxis Software), 249
SimLife (Maxis Software), 249
simulador, 166-7
Smith, Adam, 14, 199, 230
Smith, Raymond W., 243
software mais suave (*softer software*), 111-3
Sony, 66, 292
Sun Microsystems, 53, 294

System/360, 56
Systems Application Architecture, 79

T-1, linha, 128-9
tactel, 169
TCI, 234, 306
TCP/IP, 124
telas compartilhadas, 193
telecomunicações, 286
telecomutadores, 193
Teledesic, 300
telefônica: companhia, 118, 295-7, 306; rede, 18
teletipo, 23
televisão por assinatura, 256; *ver também* cabo, televisão a
tempo real, 129
teste auto-administrado, 245
Texas Instruments, 71, 78
time-sharing (tempo compartilhado), 23
Toshiba, 292
Traf-O-Data, 27, 29
transístores, 50
TRS-80 (Radio Shack), 59
Turing, Alan, 37, 313; máquina de, 37; teste de, 313
turismo, 226
Turner Broadcasting, 306

UHF, 301
UNIX, sistema operacional, 82-4, 87, 304
UPS, 320
Usenet newsgroup, 122

VAX, 56
verme, 125-6
VGA (resolução de 480 linhas), 97
VHF, 301
VHS, 65-6, 86
Viacom, 234

video-on-demand, 87, 90-3, 119, 132, 255, 264, 283, 316
videoconferência, 189-93, 225, 236, 256
videofone, 193
vídeo game doméstico, 65, 246
virtual: igualdade, 318; realidade, *ver* realidade virtual; sexo, 170
vírus, 125
VisiCalc, 71, 94, 283
votação direta, 334

Wang, An, 54; Laboratórios Wang, 54, 93
Washington University, 236, 251
Watson, James D., *Biologia molecular do gene*, 235

Watson, Thomas J., 55-6
Web brousing (busca na teia), 122
Wells, H. G., 316
Windows, 75, 86-7; 3.0, 85, 111
WordPerfect, 55, 80, 86
WordStar, 55, 94
World Wide Web (teia de alcance mundial), 123-4, 214, 242, 250-1

xerografia, 156
Xerox, 71, 156; Centro de Pesquisas de Palo Alto da, 74

Yew, Lee Kuan (Cingapura), 290